Inglês Para Leigos®

Folha de Cola

Saudações comuns

- **Hello.** (ré-lou; olá!)
- **Hi.** (rái; olá!)
- **How are you.** (ráu ar iú; como vai você?)
- **Good morning.** (gud mór-nin; bom dia.)
- **Good afternoon.** (gud af-ter-num; boa tarde.)
- **Good night.** (gud nái-ti; boa noite.)
- **Good-bye.** (gud bái; adeus.)
- **See you later.** (sí-iú-lei-ter; logo nos veremos.)

Frases de educação

- **Please.** (pli-is; por favor.)
- **Thank you.** (tenk-iú; obrigado.)
- **Thanks.** (tenks; obrigado.)
- **You´re welcome.** (iú-re uél-came; por nada.)
- **I´m sorry.** (ai mi-só-ri; sinto muito.)
- **Excuse-me.** (eks-kiusi-mi; desculpe-me.)
- **Please speak slowly.** (pli-is spik slou-li; por favor, fale devagar.)

Perguntas úteis

- **Can you helpme?** (can-iú-relp-mí; você pode me ajudar?)
- **What´s your name?** (uáts-ior-neim; qual o seu nome?)
- **How much is this?** (ráu mu-tch is dis; quanto isso custa?)
- **Where?** (uere; onde?)
- **What?** (uáth; o que?)
- **Why?** (uái; por que?)
- **Who?** (rú; quem?)
- **When?** (uen; quando?)
- **How?** (ráu; como?)

Dias da Semana

- **Sunday.** (san-dei; domingo)
- **Mondey.** (mon-dei; segunda)
- **Tuesday.** (tchus-dei; terça)
- **Wednesday.** (uenes-dei; quarta)
- **Thursday.** (tchurs-dei; quinta)
- **Friday.** (frái-dei; sexta)
- **Saturday.** (sá-tur-dei; sábado)

Meses do ano

- **January** (ja-nué-ri; janeiro)
- **February** (fe=brué-ri; fevereiro)
- **March** (mar-tch; março)
- **April** (ei-pril; abril)
- **May** (mei; maio)
- **June** (dju-ne; junho)
- **July** (dju-lai; julho)
- **August** (ó-gos-ti; agosto)
- **September** (sep-tem-ber; setembro)
- **October** (oc-tô-ber; outubro)
- **November** (no-vem-ber; novembro)
- **December** (di-cem-ber; dezembro)

Copyright © 2009 Starlin Alta Con.Com. LTDA

Para leigos: A série de livros para iniciantes que mais vende no mundo.

Inglês Para Leigos®

Números de uso frequente

1	**one** (uan)	19	**nineteen** (náin-tin)
2	**two** (tchú)	20	**twenty** (tchúen-ti)
3	**three** (tri)	21	**twenty-one** (tchúen-ti uan)
4	**four** (fór)	22	**twenty-two** (tchúen-ti tchú)
5	**five** (faivi)	30	**thirty** (zur-ti)
6	**six** (siks)	40	**forty** (for-ti)
7	**seven** (sé-ven)	50	**fifty** (fif-ti)
8	**eight** (eit)	60	**sixty** (siks-ti)
9	**nine** (náine)	70	**seventy** (séven-ti)
10	**ten** (tên)	80	**eighty** (ei-ti)
11	**eleven** (i-lé-ven)	90	**ninety** (náin-ti)
12	**twelve** (tchuelvi)	100	**on hundred** (uan rân-dred)
13	**thirteen** (zur-tin)	101	**one hundred one** (uan rân-dred uan)
14	**fourteen** (fór-tin)	1,000	**one thousand** (uan zau-sand)
15	**fifteen** (fifi-tin)	10,000	**ten thousand** (ten zau-sand)
16	**sixteen** (siks-tin)	1.000.000	**one million** (úan mílion)
17	**seventeen** (sé-ven-tin)	1.000.000.000	**one bilion** (úan bílion)
18	**eighteen** (eitin)		

Copyright © 2009 Starlin Alta Con.Com. LTDA
Rua Viúva Cláudio, 291 - Bairro Industrial do Jacaré
Rio de Janeiro – RJ - CEP: 20970-031
Tels: 21- 3278-8069/8419
E-mail: altabooks@altabooks.com.br
Site: www.altabooks.com.br

Para leigos: A série de livros para iniciantes que mais vende no mundo.

Por Gail Brenner

2ª Edição

ALTA BOOKS
EDITORA
Rio de Janeiro, 2011

Inglês para Leigos Copyright © 2010 da Starlin Alta Editora e Consultoria. Ltda.
ISBN: 978-85-7608-476-1 – 2ª Edição

Produção Editorial:
Starlin Alta Editora e Cons. Ltda

Gerência de Produção:
Anderson Vieira

Supervisão de Produção:
Angel Cabeza
Augusto Coutinho
Leonardo Portella

Equipe Editorial:
Andréa Belotti
Carla Romano
Cristiane Santos
Deborah Marques
Heloisa Pereira
Hermann Neto
Sérgio Cabral
Sergio Luiz A. de Souza
Taiana Ferreira

Tradução:
Márcia Helena Mendes
dos Santos

Revisão Gramatical:
Gabriel Almeida

Revisão Técnica:
Auri Alberto Weimer

Colaborou na Revisão Técnica:
Maya Mann

Diagramação:
Francisca Santos

Fechamento:
Carla Romano

Translated From Original Portuguese language edition Inglês para Totós ISBN: 0-7645-5427-1 Copyright © 2009 by Wiley Publishing, Inc. by Gail Brenner. All rights reserved including the right of reproduction in whole or in part in any form. This translation published by arrangement with Wiley Publishing, Inc

Portuguese language edition Copyright © 2010 da Starlin Alta Con. Com. Ltda. All rights reserved including the right of reproduction in whole or in part in any form. This translation published by arrangement with Wiley Publishing, Inc

"Willey, the Wiley Publishing Logo, for Dummies, the Dummies Man and related trad dress are trademarks or registered trademarks of John Wiley and Sons, Inc. and/or its affiliates in the United States and/or other countries. Used under license.

Todos os direitos reservados e protegidos pela Lei 9.610/98. Nenhuma parte deste livro, sem autorização prévia por escrito da editora, poderá ser reproduzida ou transmitida sejam quais forem os meios empregados: eletrônico, mecânico, fotográfico, gravação ou quaisquer outros.

Todo o esforço foi feito para fornecer a mais completa e adequada informação; contudo, a editora e o(s) autor(es) não assumem responsabilidade pelos resultados e usos da informação fornecida.

Erratas e atualizações: Sempre nos esforçamos para entregar ao leitor um livro livre de erros técnicos ou de conteúdo; porém, nem sempre isso é conseguido, seja por motivo de alteração de software, interpretação ou mesmo quando há alguns deslizes que constam na versão original de alguns livros que traduzimos. Sendo assim, criamos em nosso site, www.altabooks.com.br, a seção *Erratas*, onde relataremos, com a devida correção, qualquer erro encontrado em nossos livros.

Avisos e Renúncia de Direitos: Este livro é vendido como está, sem garantia de qualquer tipo, seja expressa ou implícita.

Marcas Registradas: Todos os termos mencionados e reconhecidos como Marca Registrada e/ou comercial são de responsabilidade de seus proprietários. A Editora informa não estar associada a nenhum produto e/ou fornecedor apresentado no livro. No decorrer da obra, imagens, nomes de produtos e fabricantes podem ter sido utilizados, e, desde, já a Editora informa que o uso é apenas ilustrativo e/ou educativo, não visando ao lucro, favorecimento ou desmerecimento do produto/fabricante.

Impresso no Brasil

O código de propriedade intelectual de 1º de julho de 1992 proíbe expressamente o uso coletivo sem autorização dos detentores do direito autoral da obra, bem como a cópia ilegal do original. Esta prática generalizada, nos estabelecimentos de ensino, provoca uma brutal baixa nas vendas dos livros a ponto de impossibilitar os autores de criarem novas obras.

Rua Viúva Cláudio, 291 - Bairro Industrial do Jacaré
CEP: 20970-031 - Rio de Janeiro – Tel: 21 3278-8069/8419 Fax: 21 3277-1253
www.altabooks.com.br – e-mail: altabooks@altabooks.com.br

Sobre a Autora

Gail Brenner começou a falar inglês em 1951, quando rezou a sua primeira oração, "Baby go bye-bye". Daí em diante, os progressos foram rápidos e com seis anos já tinha dado a sua primeira aula de inglês em um auditório, sempre atento, de bonecas.

Algum tempo depois, quando finalmente enfrentou um grupo real (e infinitamente mais animado) de estudantes, deu-se conta de que tinha encontrado a sua vocação. Nos últimos 15 anos, Gail tem lecionado cursos de inglês como segunda língua (ESL – *English as a second language*), cursos de preparação para o TOEFL (*test of English as a foreign language*) e também cursos de pronúncia, de escrita e muitos outros mais, a pessoas maravilhosas de todas as partes do mundo. Atualmente, dá aulas na Universidade da Califórnia, em Santa Cruz (UCSC), onde foi acumulando títulos acadêmicos em literatura inglesa e educação.

Gail coordenou, por outro lado, Ateliers didáticos para educadores americanos e estrangeiros e para assistentes internacionais de educação. Também foi mentora dos programas de educação da UCSC e na Universidade Estatal de San José. No setor privado, deu cursos de fluidez, redução de sotaque, linguagem comercial a engenheiros e gerentes estrangeiros.

Além de escrever inúmeros discursos, planos para aulas, divertidas mensagens de correio eletrônico e poemas bastante fracos, Gail é coautora do livro *Master the TOEFL* (Wiley Publishing, Inc.) e *Master the CBT* (Peterson's).

Outros êxitos dignos de menção, e sem qualquer relação com este livro, incluem ter sobrevivido a uma caminhada de dez horas pela selva de Uganda para observar gorilas e ter vencido um concurso estadual de desenho, com oito anos de idade.

Gail vive em Santa Cruz, Califórnia, com o seu fantástico filho e dois gatos bilíngues (os quais aparecem neste livro).

Dedicatória

Dedico este livro a Portia e Ed Brenner (também conhecidos como *mami* e *papi*) por me darem tudo o que alguém necessita na vida e por... me ensinarem a falar inglês!

Agradecimentos da Autora

Normalmente, os agradecimentos são momentos muito emotivos e estes não serão exceção. No final de tudo, as pessoas que decidem nos apoiar durante a maratona esgotante de escrever um livro merecem a medalha de ouro – e um montão de agradecimentos.

Estou profundamente grata à minha mentora, colega e amiga Patricia Sullivan, por me abrir tantas portas. Obrigada Trish! E a Sharron Bassano: obrigada pela sua ajuda no início deste projeto e pelo meu primeiro trabalho no ensino. Bendita seja! Muito obrigada aos meus excelentes colegas: Lori Colman, Joyce Flager, Mary Larson e Patricia Sullivan que – com sentido de humor e tato – contribuíram com uma valiosa revisão e crítica aos meus manuscritos; obrigada, também a Jan Fitzgerald por me mostrar como escalar com coragem esta montanha.

A todo o pessoal da Wiley, Inc., pelo seu maravilhoso esforço que tornou a ideia deste livro uma realidade. Agradeço muito a todos, especialmente aos meus talentosos revisores, que merecem aplausos de pé! Roxane Cerda, sem dúvida, a melhor (e mais serena) revisora de contratos, que tornou possível o arranque deste projeto tão original e me guiou por esta aventura. Aprecio bastante a sua experiência e fantástico senso de humor. Obrigada a Allyson Grove, a minha incrível revisora de projeto, cujo apoio incansável e dedicação manteve o projeto – e eu própria – no bom caminho e quem juntamente com Mary Fales, revisora de originais, recuperou muitos segmentos difíceis de texto com a sua notória habilidade para corrigir. Para a revisora técnica Lori Colman: um grande abraço e o meu agradecimento pela sua experiência e colaboração neste projeto. Agradeço do fundo do coração a todo o pessoal da produção pelo seu toque mágico no formato e produção deste livro. Finalmente, a minha gratidão e admiração para Kristina Carter por enfrentar a monstruosa tarefa de traduzir este livro.

A toda a minha família e amigos que acreditaram em mim e me deram apoio – e que ainda me amam, apesar de eu os ter ignorado durante meses – só posso dizer obrigada com todo o meu coração. O meu agradecimento especial a Deborah e Sharon por inspirarem a minha mente e a minha escrita; a Elisha, por limar as arestas; a Sue, por manter vivo o meu ânimo; e a Barry, pelo seu frequente "cuidado e atenção" e inumeráveis gestos de apoio.

Por último, por sempre e para sempre, o meu amor e agradecimento ao meu filho Josh pelo seu indispensável chá, digitação de textos e pelo apoio técnico. E, especialmente, por ser o meu melhor amigo e a pessoa que disse: Mamãe, escreva este livro!

Sumário Resumido

Introdução *1*

Parte I: Antes de Tudo **7**

Capítulo 1: Soa Bem: Pronúncia Básica do Inglês da América....................9

Capítulo 2: Princípios Básicos da Gramática Inglesa 25

Parte II: Falar um Pouquinho de Inglês **49**

Capítulo 3: Muito Prazer em Conhecê-lo...51

Capítulo 4: Puxar Conversa..71

Capítulo 5: Onde Estou? — Como Pedir Direções.....................................91

Capítulo 6: Me Telefone 103

Parte III: Só de Visita **119**

Capítulo 7: Dinheiro, Dinheiro, Dinheiro 121

Capítulo 8: Ficar num Hotel...133

Capítulo 9: Comer Fora e Saborear uma Boa Refeição............................149

Capítulo 10: Ir às Compras...169

Capítulo 11: Sair Por Aí 191

Capítulo 12: De um Lado Para o Outro: Meios de Transporte.................205

Parte IV: De Mudança **223**

Capítulo 13: Andar Pela Casa...225

Capítulo 14: No Trabalho..241

Capítulo 15: Relaxe: O Tempo Livre...257

Capítulo 16: Ajuda! Como Resolver Emergências....................................273

Parte V: A Parte dos Dez **293**

Capítulo 17: Dez Formas de Melhorar Rapidamente o Seu Inglês...........295

Capítulo 18: Dez Erros para se Evitar no Inglês 301

Capítulo 19: Dez Palavras que se Confundem Facilmente 307

Parte VI: Apêndices **315**

Apêndice A: Verbos Irregulares do Inglês..317

Apêndice B: Minidicionário 321

Apêndice C: Respostas aos Jogos e Exercícios 337

Apêndice D: Sobre o CD..341

Índice Remissivo **343**

Sumário

Introdução ... 1

Sobre Este Livro ...1

Convenções Utilizadas Neste Livro ...2

Partindo do Princípio ...3

Como Este Livro é Organizado ...3

Parte I: Antes de Tudo ...3

Parte II: Falar um Pouquinho de Inglês ...4

Parte III: Só de Visita ...4

Parte IV: Viver no Exterior ...4

Parte V: A Parte dos Dez ...4

Parte VI: Apêndices ...4

Ícones Utilizados Neste Livro ...5

Aonde ir a Partir Daqui? ...5

Parte I: Antes de Tudo ... 7

Capítulo 1: Soa Bem: Pronúncia Básica do Inglês da América ...9

Todos Sabemos um Pouco de Inglês ...9

As palavras que não mudam ...10

Parecidas, mas muito diferentes ...11

Praticar o ABC ...12

Pronunciar Consoantes ...13

Dois tipos de sons consonantais: sonoros e surdos ...13

Esse complicadíssimo *th* ...14

Esses erres ...16

Consoantes que se confundem ...16

O som do silêncio ...16

Dizer "Ah" e Outras Vogais ...17

As vogais curtas e longas ...18

A vogal "a" ...19

A vogal "e" ...19

A vogal "i" ...19

A vogal "o" ...20

A vogal "u" ...20

Manter o Ritmo ...21

Marcar a cadência ...21

XiV Inglês Para Leigos

Dar ênfase às palavras importantes 22
Colocar o acento nas sílabas corretas 23

Capítulo 2: Princípios Básicos da Gramática Inglesa 25

Construção de Frases Simples 26
Frases Negativas 26
No e not 27
Usar as contrações como um falante nativo 27
Perguntas e Mais Perguntas 28
Perguntas com to be 28
Perguntas com to do 29
Perguntas com what, when, where e why 29
Substantivos: Pessoas, Lugares e Coisas 31
You e I: Pronomes Pessoais 32
Verbos: Transmitir Ações, Sentimentos e Estados 34
Verbos Regulares 35
Verbos Irregulares 36
Ser ou Não Ser: Usar o Verbo to be 36
Não se Preocupe com os Tempos 37
O presente simples 38
O presente contínuo 38
O passado simples 39
O passado contínuo 41
O futuro: will e going to 41
Adjetivos: o Tempero da Língua 42
Cor e quantidade 42
Explicar como uma pessoa se sente 44
Descrever o caráter e as capacidades 44
Advérbios: Dar Caráter aos Verbos 45
Os Três Artigos: A, An e The 46

Parte II: Falar um Pouquinho de Inglês 49

Capítulo 3: Muito Prazer em Conhecê-lo 51

Cumprimentar as Pessoas 51
Perguntar "Como Está?" 52
Saudações informais 54
Dizer adeus 56
Fazer as Apresentações 56
Apresentando-se 56
Apresentar outras pessoas 57
Como se Chama? 60
Nomes para tudo 60
Só com o nome próprio 61

Títulos e formas de tratamento formais...62
A diferença entre chamar e nomear alguém.......................................62
Descrever as Pessoas — Baixas, Altas, Grandes e Pequenas.......................65
Falar sobre os olhos e o cabelo...65
Chegar a novas alturas...66
Jovens e velhos...67

Capítulo 4: Puxar Conversa 71
Quebrar o Gelo com Algumas Perguntas Simples...........................71
Desculpe, Pode Repetir?..72
Falar Sobre o Tempo 74
Se não gosta do tempo 75
Como se introduz o tema do tempo 75
As estações do ano...76
Manter a Conversa 78
Falar sobre o lugar onde se vive 78
Falar sobre o trabalho e a escola..79
Expressar gostos e aversões...81
Conversar Sobre a Família 83
Como Falar com Desconhecidos 85
Evitar Temas Tabu..87

Capítulo 5: Onde Estou? — Como Pedir Direções 91
Pedir Delicadamente..91
Como Pedir Direções...92
Ir na direção certa..93
Usar as preposições de lugar: next to, across, in front of e outras.......95
Compreender Verbos de Direção: Follow, Take e Turn 97
Usar o verbo "to follow" 97
Usar o verbo "to take"...97
Usar o verbo "to turn"...98
Virar Para Norte – ou Para Sul?..99

Capítulo 6: Me Telefone 103
Trim, Trim! – Atender uma Chamada 103
Fazer uma Chamada 104
Discar um Número — Não Mais...106
Os Típicos Verbos Telefônicos: To Call, To Phone e Outros...........106
"N" De Nancy: Soletrar as Palavras 107
Deixar uma Mensagem..110
Esperar o sinal: secretária eletrônica e correio de voz....................110
Cartões de chamadas – uma invenção ótima 111
Pedir a alguém que tome nota de um recado 111
Telefonar para o Número Errado...114

xvi Inglês Para Leigos

Alô, Operadora?...116
    Usar Assistência so Diretório: 411 116
    Obter Ajuda do Operador "0" 116

Parte III: Só de Visita 119

Capítulo 7: Dinheiro, Dinheiro, Dinheiro..............................121
Compreender os Dólares e os Centavos...........................121
Trocar Reais por Dólares 123
Ir ao Banco...124
Uso dos Cartões de Crédito 128
    Duas preposições para pagar: by e with 129
    Dois verbos para pagar: "to accept" e "to take".............130

Capítulo 8: Ficar Num Hotel 133
Decidir Entre um Hotel ou um Motel 133
Fazer uma Reserva 134
Mencionar a Data com Números Ordinais 136
Fazer o Registro..139
Ser Possessivo: Usar os Adjetivos e Pronomes Possessivos 141
Umas Sugestões Sobre as Gorjetas.................................143
Usar There, Their e They're 144
Sair do Hotel..145

Capítulo 9: Comer Fora e Saborear uma Boa Refeição.................149
Expressar Fome e Sede 149
O Que Há Para o Café-da-Manhã?....................................150
O Que Há Para o Almoço?...151
O Que Há Para o Jantar?..152
Comer Num Restaurante 154
    Pedir do menu...158
    Conversar com o garçom 161
Verbos Para Pedir: "To Have" e "To Take" 161
Pedir a Conta ao Término da Refeição..............................162
Comer Rápido...163

Capítulo 10: Ir às Compras...169
Vamos ao Supermercado 169
    Navegar pelas alas..170
    Comprar frutas e veduras 171
    Usar substantivos contáveis e incontáveis....................173
    Com conta, peso e medida..174
    Na caixa do supermercado..175
O Tamanho Ideal: Comprar Roupas..................................177
    Só olhar..177
    Vestir-se 177

Encontrar o número certo 180

Provar a roupa 181

Menor e maior: usar os comparativos 182

Só o melhor: usar o superlativo 183

Políticas de Devolução: Devolver os Artigos à Loja 185

You e me: pronomes pessoais 186

To e for: preposições 188

Capítulo 11: Sair por Aí 191

Descobrir o que Está Acontecendo 191

Obter Informação 192

Dizer as horas em inglês 193

Preposições de Tempo: at, in e on 196

Ir ao Cinema 196

Ir a Concertos e ao Teatro 198

Sair com Alguém 199

Aproveitar a Vida Noturna 200

Capítulo 12: De um Lado para o Outro: Meios de Transporte 205

Passar a Alfândega e Sair do Aeroporto 205

Sair do Aeroporto 208

Usar os Transportes Públicos 209

Chamar um táxi 211

Fazer viagens longas de ônibus, trem ou avião 212

Perguntar sobre o tempo e a distância 215

Alugar um Carro 216

Pela Estrada Afora 218

Abastecer 220

Parte IV: De Mudança 223

Capítulo 13: Andar pela Casa 225

A Diferença Entre uma Casa e um Lar 225

Como é por dentro? 226

Preposições espaciais: on, under e near 227

Bem-vindo: visitar a casa de alguém 230

A Limpeza 233

Verbos para a limpeza: to do e to make 234

Ferramentas para trabalhos domésticos e de jardinagem 235

A Minha Linda Casinha: Como Resolver Problemas e Reparações 236

Descrever os Problemas Domésticos 236

Fazer os Consertos Pessoalmente 238

Capítulo 14: No Trabalho 241

A que se Dedica: Descrever o seu Trabalho 241

Perguntar sobre o trabalho das pessoas 241

xviii Inglês Para Leigos

Descrever Ocupações 243
Ir Para o Trabalho 245
    Descrever o local de trabalho 245
    Descrever os colegas de trabalho...247
Tempo é Dinheiro...248
    Horários de trabalho...249
    Hora do almoço e pausas para café 249
Marcar Compromissos...251
Como Vão os Negócios? Fazer Negócios nos EUA 254

Capítulo 15: Relaxe: O Tempo Livre 257

Falar Sobre Atividades de Lazer 257
    Falar sobre o que gosta de fazer...258
    O verbo dos jogos: to play..258
Ser Torcedor – Também de um Esporte 260
    Taco a taco: o beisebol...261
    A diferença entre football e soccer 261
A Natureza 263
    Praticar esportes de Inverno e de Verão 263
    Visitar um parque nacional ou estadual 265
Acampar...265
    Pelas trilhas afora..267
    Apreciar a natureza..268
Have You Ever...?: O Uso do Present Perfect 269

Capítulo 16: Ajuda! Como Resolver Emergências...........................273

Em caso de Emergências..273
    Pedir ajuda e avisar outras pessoas 274
    Chamar o 911...276
Ir ao Médico...278
    Dizer onde dói...279
    Dores e indisposições:descrever os sintomas 282
Como Estão os Seus Reflexos? Usar os Pronomes Reflexivos.........284
Abra Bem a Boca: A Ida ao Dentista 286
Obter Assistência Legal 287
Em Caso de Crime 288

Parte V: A Parte dos Dez.. 293

Capítulo 17: Dez Formas de Melhorar Rapidamente o Seu Inglês.......295

Fale, Fale, Fale pelos Cotovelos 295
Junte-se a um Grupo de Discussão em Inglês 296
Alugue um Filme 296
Use Cartões...296

Vá a Peças de Teatro, Leituras de Poesia e Conferências 297
Leia as Letras das Canções e Cante! 297
Vá à uma Biblioteca e Procure Livros para Crianças 298
Vá a Aulas — Vá a Qualquer Aula 298
Procure Conhecer Pessoas que Falem Inglês Nativo 298
Apresente-se como Voluntário Numa Organização de Caridade 299

Capítulo 18: Dez Erros para se Evitar no Inglês 301
Coisas que se Faz no Ginásio 301
A Sua Mulher é Muito 302
Cheirar e Não Cheirar Mal! 302
A Minha Mãe Cozinha os Meus Amigos 302
Amigos e Amantes 303
Molhar as Calças 303
Onde é Que Deixa o Quê? 304
Cuidado com a Língua! 304
Veja Lá o que Faz com os Maridos das Outras! 305
Não Faça Nunca uma Dupla Negativa 305

Capítulo 19: Dez Palavras que se Confundem Facilmente 307
Coming e Going 307
Borrowing e Lending 308
Such e So – Não é Assim Tão Complicado 309
Like e Alike – Descubra as Semelhanças! 309
Hearing e Listening 310
Seeing, Looking at e Watching 310
Feeling e Touching 311
Lying e Laying – As Galinhas Não Mentem! 311
Tuesday ou Thursday? 312
Too e Very 313

Parte VI: Apêndices 315

Apêndice A: Verbos Irregulares do Inglês 317

Apêndice B: Minidicionário 321

Apêndice C: Respostas aos Jogos e Exercícios 337
Capítulo 2 337
Capítulo 3 337
Capítulo 4 337
Capítulo 5 337
Capítulo 6 338
Capítulo 7 338
Capítulo 8 338

XX Inglês Para Leigos

Capítulo 9 339
Capítulo 10 339
Capítulo 11 339
Capítulo 12 339
Capítulo 13 340
Capítulo 14 340
Capítulo 15 340
Capítulo 16 340

Apêndice D: Sobre o CD 341

Índice Remissivo 343

Introdução

Adquirir conhecimentos básicos de uma língua é como abrir uma porta para a oportunidade e para a aventura. E, hoje em dia, saber se comunicar em inglês, mesmo a nível básico, é muito útil – ou mesmo essencial.

Todos os anos, o número de falantes de inglês aumenta a olhos vistos. Atualmente, quase uma em cada seis pessoas fala inglês, que é, por isso, a língua com mais falantes não nativos do mundo.

Além disso, o inglês é usado na maior parte das chamadas telefônicas internacionais, correio postal e eletrônico, emissões de rádio, texto informativo e controle de tráfego aéreo. E é frequentemente a língua comum em ambientes educativos e empresariais. Portanto, uma pessoa sem alguns conhecimentos básicos de inglês pode ficar, digamos, sem fala.

Não há nada mágico em falar inglês. É apenas um "dispositivo" a usar para ajudar o processo de comunicação. Pense em cada nova capacidade ou frase que for descobrindo como mais um utensílio para a sua "caixa de ferramentas" de inglês. Quando precisar de uma ferramenta, abra a caixa e escolha a que melhor se aplica ao trabalho em questão, como falar sobre o passado, fazer perguntas, exprimir gostos e aversões, e assim por diante.

Lembre-se de que, nas interações cotidianas, podemos nos expressar com um mínimo de palavras e com frases de estruturas muito simples. Assim, não tenha medo e atreva-se!

Sobre Este Livro

Por que ler *Inglês para Leigos?* Imagina-se viajando, vivendo ou trabalhando num país de língua inglesa, e conversando confortavelmente com falantes nativos? Falar inglês é, para você, um objetivo de longa data, um passatempo interessante ou um novo requisito profissional?

Seja qual for a sua razão para querer falar inglês, *Inglês para Leigos* o ajudará a começar. A Wiley Publishing Inc., editora da série original "For Dummies", voltou a conseguir (com a ajuda do autor, claro!) produzir um livro divertido e fácil de ler, que oferece precisamente aquilo de que precisa, neste caso, a capacidade de se comunicar em inglês. Não prometo que você falará como um nativo quando acabar o livro, mas será capaz de conhecer e cumprimentar pessoas, fazer perguntas simples, usar o telefone, fazer o seu pedido em restaurantes, comprar em lojas e mercearias, resolver uma situação de emergência, pedir a alguém que saia com você, e muito mais!

Este livro não é nem um desses aborrecidos textos em que o leitor tem de absorver todas as páginas uma por uma, nem um desses cursos semestrais

2 Inglês Para Leigos

para onde você tem de se arrastar duas vezes por semana. *Inglês Para Leigos* é uma experiência diferente. O leitor pode marcar o seu próprio ritmo, ler as páginas que quiser, ou simplesmente ir folheando, parando nas seções que mais lhe chamarem a atenção.

Nota – Se esta for a sua primeira experiência com o inglês, talvez seja melhor começar com os capítulos da Parte I para obter os princípios básicos – como as regras elementares de gramática e pronúncia – antes de passar para as outras seções. Mas, no fundo, tudo depende de você.

Convenções Utilizadas Neste Livro

Para facilitar a navegação por este livro, estabeleci umas convenções simples:

- O tipo de letra **negrito** é usado para os termos em inglês, para facilitar a sua localização. As palavras em negrito são seguidas pelas respectivas pronunciações e traduções.

- Os caracteres em *itálico* são usados para apresentar a pronúncia.

Falar uma nova língua tem as suas particularidades, por isso este livro oferece alguns elementos linguísticos que não estão presentes nos outros livros *Para Leigos*. Procure as seguintes seções para ajudar a melhorar as suas capacidades de inglês:

- **Os diálogos da seção Falatório:** incluiu-se uma série de exemplos de conversas ao longo do livro para que se possa praticar o "falatório" – em inglês, claro. Os diálogos marcados com o símbolo do CD encontram-se nas faixas de áudio que podem ser encontradas ao buscar pelo título desta obra no site www.altabooks.com.br. Ouça-os enquanto lê as transcrições.

- **Quadros com Palavras a Saber:** é muito provável que já conheça os quadros, do tempo da escola. Por isso, procure aqueles que aparecem sob o título "Palavras a Saber". Ao longo do livro, as palavras e frases mais importantes vão sendo recolhidas e escritas nos quadros para que possa memorizá-las.

- **Atividades, Jogos e Exercícios:** os jogos são uma forma fantástica de reforçar aquilo que aprendeu. Por isso, experimente resolver os exercícios que encontrará no final da maior parte dos capítulos. Quando terminar, pode encontrar as respostas no Apêndice C, na parte final do livro. Mas lembre-se: nada de trapaças!

Também deveria saber que, devido ao fato de as línguas poderem exprimir a mesma ideia ou conceito de formas diferentes, a tradução de um termo ou expressão em inglês pode não ser exatamente literal. Por vezes, prefiro que entenda mais o sentido daquilo que estamos dizendo do que propriamente o significado das palavras. Por exemplo:

Danny and Elena had a ball on their trip to Italy!

dé-ni énd é-le-na héd â ból ón dér trip tu i-tâ-li

Tradução correta: O Danny e a Elena divertiram-se muito na sua viagem à Itália!

Introdução **3**

Tradução literal: O Danny e a Elena tiveram uma bola na sua viagem à Itália!

Partindo do Princípio

Para escrever este livro, tive que partir de umas ideias pré-concebidas sobre quem seriam os meus leitores e sobre aquilo que esperariam de um livro chamado _Inglês para Leigos_. Aqui estão algumas dessas ideias:

- O leitor não sabe nada de inglês, ou estudou inglês na escola, mas se esqueceu de quase tudo. Ou, então, sabe muito de inglês, mas adora ler livros _Para Leigos_.

- Não quer passar horas e horas numa sala de aula. Quer descobrir a língua inglesa ao seu próprio ritmo.

- Procura um livro de leitura rápida e agradável que lhe forneça conceitos básicos de língua, gramática e cultura inglesas escritos num estilo dinâmico.

- Não procura fluência imediata, mas deseja ser capaz de utilizar rapidamente algumas palavras e expressões em inglês.

- Viu o título _Inglês Para Leigos_, que lhe despertou a curiosidade.

- Tem um grande senso de humor.

Se qualquer destas ideias pode ser aplicada a você, encontrou o livro ideal!

Como Este Livro é Organizado

Este livro está dividido em seis partes, cada uma delas contém um determinado número de capítulos. A seguir apresento um resumo rápido do tipo de informação que você encontrará em cada uma dessas partes.

Parte I: Antes de Tudo

Esta parte ajuda a estabelecer bons alicerces – para os seus conhecimentos de língua inglesa, claro. O Capítulo 1 proporciona ferramentas básicas (como a pronúncia das vogais e das consoantes) para desenvolver suas capacidades de expressão em inglês, bem como alguns truques para captar rapidamente o ritmo do inglês. No Capítulo 2 você encontrará os elementos fundamentais da gramática inglesa — a informação essencial sobre como criar frases, formar plurais, fazer perguntas, usar tempos verbais etc. O Capítulo 2 também proporcionará uma série de ferramentas úteis para ir enchendo a sua caixa de ferramentas de inglês.

Parte II: Falar um Pouquinho de Inglês

Um pouquinho de inglês pode levá-lo muito longe. Nesta parte, você encontrará muitas saudações e expressões cotidianas, fáceis de usar, que ajudarão a conhecer pessoas e começar a falar com elas. Aprenderá a apresentar-se e a praticar um pouquinho de conversa. Também descobrirá como pedir ajuda, compreender indicações e falar ao telefone – sem medo. Comece onde quiser nesta parte... Só depende de você!

Parte III: Só de Visita

Os capítulos desta parte foram pensados para o viajante que levamos dentro de nós. Assim, oferecem alguns conhecimentos essenciais de língua e cultura para ajudar a atravessar um aeroporto e a se dirigir para o seu destino, bem como para dar entrada num hotel e saborear uma refeição num restaurante ou gozar de uma noite de festa pela cidade. Também aprenderá a trocar dinheiro, assim como gastá-lo!

Parte IV: Viver no Exterior

Se você está pensando em viver num país de língua inglesa, especialmente nos Estados Unidos, estes capítulos podem oferecer o inglês de que vai precisar tanto para tirar proveito da sua nova casa – ou para resolver qualquer problema que ela tenha – como para se sentir à vontade no mundo do trabalho do "seu" novo país. Também descobrirá como os nacionais brincam e passam o seu tempo livre. E, como mais vale prevenir, incluiu-se um capítulo com conselhos sobre como resolver situações de emergência, situações inesperadas e problemas de saúde.

Parte V: A Parte dos Dez

Nesta parte, você encontrará as listas de dez itens principais, para cada tema. São listas curtas, fáceis e cheias de informação. Encontrará dez maneiras de melhorar rapidamente seus conhecimentos de inglês, dez divertidos, mas potencialmente embaraçosos, erros linguísticos para se evitar e dez formas de distinguir algumas palavras muito parecidas.

Parte VI: Apêndices

A última parte do livro proporciona informação de referência particularmente útil, como uma tabela de verbos com passados irregulares, em que poderá ser encontradas as formas do pretérito e do particípio passado de quase todos os verbos irregulares. Também se incluiu um

Introdução 5

minidicionário de Inglês/Português, que poderá usar como recurso de acesso rápido ao encontrar qualquer palavra desconhecida. Além disso, encontrará uma lista das faixas de Diálogo que podem ser encontradas no site www.altabooks.com.br, juntamente com as respostas para todas as atividades, jogos e exercícios (para quando as tiver completado, claro!).

Ícones Utilizados Neste Livro

Neste livro você encontrará alguns símbolos nas margens esquerdas das páginas cuja função é realçar algumas informações particularmente importantes ou esclarecedoras. A seguir, o que significa cada um desses símbolos:

Este símbolo serve para destacar dicas que podem fazer com que falar inglês seja um pouquinho mais fácil.

Este símbolo ajudará a evitar que se cometa alguns erros linguísticos, gramaticais ou culturais potencialmente embaraçosos.

Este símbolo serve para destacar algumas idiossincrasias e princípios básicos gramaticais.

Se estiver à procura de informação cultural, este símbolo destacará algumas notas úteis e interessantes sobre os países de língua inglesa (nomeadamente, os Estados Unidos).

Este símbolo marca os diálogos que você pode ouvir nas faixas de áudio que podem ser encontradas no site www.altabooks.com.br ao buscar pelo título desta obra.

Aonde ir a Partir Daqui?

Você deve ler este livro do começo ao fim. Pegue-o como convir, mas se preferir fazer as coisas à risca, comece pelo Capítulo 1, ou, se preferir folhear um pouco e procurar aquilo que mais lhe interessa, faça! Também pode começar ouvindo as faixas de áudio. Não sabe por onde começar? Leve o *Inglês Para Leigos* com você durante algum tempo para iniciar conversas com as pessoas. Alguém acabará fazendo perguntas sobre ele e você verá como em pouquíssimo tempo já falará inglês! Independentemente do método que escolher, vai certamente passar bons momentos com este livro e, melhor, aprender inglês!

6 Inglês Para Leigos

Parte I
Antes de Tudo

"Não sei se estou acentuando a sílaba certa na palavra errada, ou a sílaba errada na palavra certa, mas já estou ficando estressada!"

Nesta parte...

Antes de tudo... – isto significa colocar os alicerces antes de construir a casa. E é precisamente disso que trata esta parte. Nas páginas seguintes, você encontrará ferramentas básicas para a construção das suas habilidades de expressão e compreensão da língua inglesa. Por exemplo, no Capítulo 1, verá como se pronunciam as vogais e algumas das consoantes mais complicadas do inglês. Também mostrarei como entrar no ritmo do inglês. O Capítulo 2 proporcionará os princípios básicos da gramática inglesa – informação prática sobre como construir frases, fazer perguntas e falar sobre o passado, o presente e o futuro – e mais alguns elementos imprescindíveis para a sua caixa de ferramentas da língua inglesa.

Capítulo 1

Soa Bem: Pronúncia Básica do Inglês da América

Neste Capítulo

▶ Pronunciando as 26 letras do alfabeto

▶ Dominando os sons consonantais mais difíceis

▶ Praticando os 15 (mais ou menos) sons vocálicos

▶ Descobrindo a música e o ritmo do inglês da América

Uma pronúncia correta é fundamental para evitar equívocos, satisfazer as suas necessidades ou simplesmente ter uma conversa agradável. Dominar a pronúncia do inglês demora algum tempo, por isso tenha paciência, nunca se dê por vencido e não deixe de rir de si mesmo quando cometer um erro.

Se tiver mais de 12 anos, talvez não perca completamente o sotaque da sua língua materna ou não consiga pronunciar perfeitamente outra língua (segundo alguns estudos). Mas, com um pouco de prática, pode desenvolver uma boa capacidade de reprodução dos sons e do ritmo do inglês americano. Este capítulo apresenta os conhecimentos básicos para a pronúncia correta dos diversos sons vocálicos e consonânticos e mostra quando e onde colocar o acento (a sílaba tónica) em várias palavras.

Todos Sabemos um Pouco de Inglês

Por uma série de motivos históricos e linguísticos, o inglês tem muitas palavras procedentes do latim ou de línguas românicas, como o espanhol, o francês, o italiano e o português. Por isso, verá como vai encontrar uma série de palavras inglesas que se parecem muito a palavras da língua portuguesa e que têm o mesmo significado (no entanto, também deve ter um certo cuidado com os "falsos amigos", que são as palavras que se parecem muito às da nossa língua, mas que têm significados muito diferentes).

As palavras que não mudam

A tabela que se segue mostra uma lista de palavras que soam e se escrevem de forma muito parecida (ou até se soletram de forma igual) e que têm o mesmo significado em inglês e em português

Inglês	Português
actor (*éc-târ*)	ator
angel (*én-djâl*)	anjo
art (*árt*)	arte
analyze (*é-nâ-lái-ze*)	analisar
bank (*bénc*)	banco
banquet (*bén-cuât*)	banquete
car (*cár*)	carro
concert (*cón-sârt*)	concerto
content (*cân-tênt*)	contente
culture (*câl-tchâr*)	cultura
delicate (*dé-li-cât*)	delicado
detail (*di-tâil*)	detalhe
enormous (*i-nór-mâs*)	enorme
excellent (*é-cse-lânt*)	excelente
express (*ecs-présse*)	expressar
family (*fé-mi-li*)	família
finite (*fái-náit*)	finito
government (*gâ-vern-mânt*)	governo
guide (*gáid*)	guia
hospital (*hós-pi-tâl*)	hospital
hotel (*hôu-tel*)	hotel
important (*in-pór-tânt*)	importante
infinite (*in-fi-nit*)	infinito / ilimitado
invention (*in-vên-chân*)	invenção
jovial (*djôu-viâl*)	jovial
judicial (*djiú-di-châl*)	judicial
kilogram (*qui-lôu-gréme*)	quilo
kiosk (*qui-ósc*)	quiosque
letter (*lé-râr*)	letra
memory (*mé-môu-ri*)	memória
moment (*môu-ment*)	momento
music (*miú-zic*)	música

Capítulo 1: Soa Bem: Pronúncia Básica do Inglês da América 11

Inglês	Português
nation (*nâi-chân*)	nação
necessity (*nâ-cé-si-ti*)	necessidade
optic (*óp-tic*)	óptica
order (*ór-dâr*)	ordem
original (*ó-ri-dji-nal*)	original
plant (*plént*)	planta
possible (*pó-si-bâl*)	possível
president (*pré-zi-dânt*)	presidente
problem (*pró-blâm*)	problema
radio (*râi-di-ôu*)	rádio
restaurant (*res-te-rânt*)	restaurante
route (*rut*)	rota
science (*sái-âns*)	ciência
secret (*si-crât*)	segredo
silence (*sái-lâns*)	silêncio
taxi (*té-csi*)	táxi
term (*târm*)	termo
terrible (*té-ri-bâl*)	terrível
traffic (*tré-fic*)	tráfico/ tráfego
urgent (*âr-jânt*)	urgente
united (*iú-nái-ted*)	unido
vibration (*vái-brâi-chân*)	vibração
violin (*vái-ôu-lin*)	violino
visit (*vi-zit*)	visitar
zebra (*zi-brâ*)	zebra
zero (*zi-rôu*)	zero

Parecidas, mas muito diferentes

Também há algumas palavras em inglês e em português que são muito parecidas, mas que não significam a mesma coisa. Aprender estas diferenças permitirá evitar situações embaraçosas, como dizer a um desconhecido o que ele pretend (*Pri-tend*). Este é um bom exemplo para demonstrar este tema. A palavra "Pretender", em português, significa a intenção de fazer algo, ir para algum lugar etc. Mas, em inglês, **pretend** significa fingir, o que poderá deixar alguém muito chateado por achar que você acredita que ele está fingindo algo. A seguir, apresentamos uma lista desses "falsos amigos" e o seu significado em ambas as línguas.

12 Parte I: Antes de Tudo

- **Actual** (*éc-tchu-âl*) significa verdadeiro ou real; em português, é o presente ou o contemporâneo.

- **Application** (*é-pli-câi-chân*) é uma petição ou um formulário, não o esmero ou a diligência com que se faz qualquer coisa.

- **Collar** (*cól-lar*) se refere a gola e não ao ato de colar ou ao acessório colar.

- **Character** (*qué-râ-ctâr*) é uma personagem num livro, num filme etc. Em português, caráter significa o conjunto de qualidades que distinguem uma pessoa.

- **Comprehensive** (*cón-pri-ên-siv*) significa abrangente ou completo. Não significa indulgente.

- **Estate** (*às-tâit*) significa uma propriedade, não estado, como em português.

- **Expert** (*écs-pêrt*) significa especialista, não esperto.

- **Large** (*lár-dje*) significa grande, não largo.

- **Library** (*lái-bre-ri*) significa biblioteca, não livraria como em português.

- **Pretend** (*pri-tênd*) quer dizer fingir. Em português, pretender é ter intenção de fazer qualquer coisa.

- **Sort** (*sórt*) não quer dizer sorte, mas sim tipo.

Praticar o ABC

Recitar o **ABC** (*âi-bi-ci*; abecedário), em inglês, é uma boa forma de começar a praticar a pronúncia. A seguinte lista apresenta-lhe as 26 **letters** (*lé-rârs*; letras) do **alphabet** (*al-fâ-bét*; alfabeto) juntamente com a respectiva pronúncia de cada uma. (Consulte o Capítulo 7 para informação sobre como usar o alfabeto para soletrar as palavras).

a (*êi*)	**b** (*bi*)	**c** (*si*)	**d** (*di*)
e (*i*)	**f** (*éfe*)	**g** (*dji*)	**h** (*âitch*)
i (*ái*)	**j** (*jâi*)	**k** (*câi*)	**l** (*éle*)
m (*éme*)	**n** (*éne*)	**o** (*ôu*)	**p** (*pi*)
q (*quiú*)	**r** (*ár*)	**s** (*ésse*)	**t** (*ti*)
u (*iú*)	**v** (*vi*)	**w** (*dâ-bliú*)	**x** (*écs*)
y (*uái*)	**z** (*zi*)		

Embora o alfabeto inglês tenha apenas 26 letras, tem aproximadamente 44 sons diferentes! (E as suas pronunciações podem variar ligeiramente, dependendo do sotaque de cada região). Algumas letras têm mais de um som e algumas vogais podem ter vários sons! Deste modo, ter que decifrar a forma correta de pronunciar novas palavras pode ser um autêntico desafio. (E memorizar o dicionário inglês inteiro não é propriamente prático!).

As seções seguintes proporcionam algumas sugestões e regras úteis para dominar os sons do inglês. (Não abrangem os 44 sons, mas assinalam os mais problemáticos).

Para uma pronúncia em inglês clara e precisa, deve-se abrir a **mouth** (*máuth*; boca) e relaxar os **lips** (*lips*; lábios), o **jaw** (*djó*; queixo) e a **tongue** (*tông*; língua). Não seja tímido. Veja-se ao espelho, enquanto pratica, e certifique-se de que a sua boca se mova e se abra para que os sons saiam claros e fortes!

Pronunciar Consoantes

As **consonants** (*cón-se-nânts*; consoantes) do inglês são bastante parecidas com os sons consonantais da língua portuguesa, mas nem todas as letras se leem da mesma forma, além de que há sons no inglês que não existem em português. Além disso, o **y** (*uái*; ípsilon) é considerado uma consoante, embora também represente um ditongo em palavras que não possuem qualquer outra vogal, como **fly** (*flái*; voar) ou **try** (*trái*; tentar).

Pronunciar claramente os sons consonânticos do inglês não é um processo mágico: é algo mecânico. Se puser os lábios e a língua na posição correta e mover a boca de uma forma determinada, o som que deseja sairá (quase sempre) dos seus lábios. Se o fizer realmente bem, pode parecer prestidigitação, mas nunca será magia.

Dois tipos de sons consonantais: sonoros e surdos

A maioria dos sons consonânticos do inglês é **voiced** (*vói-se-d*; sonoros), o que significa que são emitidos com a vibração das cordas vocais. No entanto, tal como em português, há outros sons que são **voiceless** (*vói-se-lâs*; surdos), o que significa que são emitidos sem a vibração das cordas vocais.

Cada consoante surda possui um par sonoro (uma consoante que se realiza exatamente da mesma forma, com a única diferença de que é emitida com a vibração das cordas vocais). Para compreender melhor esta dicotomia, pode fazer o *p* (som surdo), juntando os lábios e depois expelindo o ar enquanto produz o som. O som deve ser produzido unicamente pelo fluxo de ar que sai pela boca. Para emitir o seu par sonoro, o *b*, junte os lábios exatamente na mesma posição como para o *p* e expulse o ar, mas, desta vez com a vibração das cordas vocais. Deve notar a vibração na garganta.

14 Parte I: Antes de Tudo

A seguir encontrará uma lista com consoantes surdas e sonoras:

Surdas	Sonoras
f (*f*)	v (*v*)
k (*k*)	g (*g*)
p (*p*)	b (*b*)
s (*s*)	z (*z*)
t (*t*)	d (*d*)
sh (*ch*)	ch (*tch*)
th (*th*)	th (*d*)

Nas seções seguintes, apresentaremos mais detalhes sobre a pronúncia de sons surdos e sonoros. Também apresentaremos algumas sugestões para distinguir alguns destes sons mais complicadinhos. Se a pronúncia de qualquer dos sons consonânticos parece difícil, está no lugar certo para aprender a executá-la.

Esse complicadíssimo th

Tem dificuldades para pronunciar a consoante *th*? É uma pena, porque a língua inglesa está cheia de palavras em que ela aparece. De fato, o inglês não tem um único som *th*, tem dois! Por exemplo:

- ✔ O som do *th* sonoro nas palavras **those** (*dâu-ze*; esses), **other** (*á-dâr*; outro) e **breathe** (*bri-de*; respirar) é profundo e requer a vibração das cordas vocais. Parece muito a um "d", tanto que vamos transcrevê-lo assim a partir de agora.

- ✔ O som do *th* surdo em **thanks** (*théncs*; obrigado), **something** (*sâm-thing*; alguma coisa) e **bath** (*béth*, banho) é suave e é pronunciado sem a vibração das cordas vocais.

Com um pouco de prática e concentração, poderá pronunciar claramente os dois sons do *th*. O parágrafo seguinte explica como fazê-lo; por isso, continue lendo.

Quando tenta dizer a palavra **that** (*thé-t*, isso), diz **dat** (*dét*) ou **tat** (*tét*)? Ou quando tenta dizer a palavra **think** (*thinc*; pensar), diz **tink** (*tinc*) ou **dink** (*dinc*)? Se assim for, esteja descansado que o seu caso não é único. O problema é que a sua língua fica dentro da boca, por trás dos seus dentes superiores. Deve avançar um pouco com ela para produzir o som *th*. De fato, a ponta da língua deve ser colocada entre os dentes (tenha cuidado para não se morder) e, depois, retirada para trás durante a produção do som.

Tente pronunciar estas palavras que começam com o som *th* sonoro:

Capítulo 1: Soa Bem: Pronúncia Básica do Inglês da América 15

- **there** (*dér*; ali)
- **these** (*di-ze*; estes)
- **they** (*dei*; eles)
- **this** (*dis*; este)
- **those** (*dou-ze*; aqueles)

Agora experimente estas palavras com o som *th* surdo:

- **thank you** (*thénk iú*; obrigado)
- **thing** (*thing*; coisa)
- **think** (*thinc*; pensar)
- **thirty-three** (*thâr-ti thri*; trinta e três)
- **Thursday** (*thârs-dâi*; quinta-feira)

Diálogo

O senhor e a senhora Abbott estão se preparando para umas férias breves e estão decidindo quantas malas eles precisam para a viagem.
(Faixa 2)

Mrs. Abbott: I think we need three bags, but we have only these two.
ái thin-que uí nid thri bé-gs, bât uí hév ôn-li di-ze tchu.
Acho que precisamos de três malas, mas só temos estas duas.

Mr. Abbott: I thought about that. So I bought another bag on Thursday.
ái thót a-báut dét. Sâu ai bót â-ná-dâr bég ón thârs-dei.
Já tinha pensado nisso. Por isso comprei outra mala na quinta-feira.

Mrs. Abbott: Thanks. There are so many things I want to bring.
théncs. thér ar sâu mé-ni things ai uónt tu bring.
Obrigada. Há tantas coisas que quero levar.

Mr. Abbott: Do you need all those shoes — 33 pairs?
du iú nid ól dôuz chuz? thâr-ti thri pérs?
Precisa de todos estes sapatos? 33 pares?

Mrs. Abbott:	**Of course! They're absolutely essential!**
	óf córs! dér é-bsâ-lu-tli i-sen-châl!
	Claro! São completamente imprescindíveis!

Esses erres

Não sei se alguma vez reparou que a língua portuguesa tem dois sons para a letra **r**: o que aparece em caro (*cá-ru*) e o que aparece em carro (*cá-rru*). No entanto, na língua inglesa não existe esta diferença, de modo que todos os erres (entre vogais, duplo e em posição inicial de palavra) devem ser lidos da mesma forma, mais ou menos prolongada. Para articular este som, deve recuar a língua dentro da boca e virar a ponta ligeiramente para trás. Agora experimente pronunciar estas palavras

- **around** (*â-ráund*; cerca)
- **car** (*cár*; carro)
- **read** (*rid*; ler)
- **write** (*ráit*; escrever)

Consoantes que se confundem

Há um dígrafo e uma consoante que, em inglês, por vezes são ditas de uma forma bastante diferente do português: o **ch** e o **j** (bem como o **g**, seguido por **i** ou **e**). Em inglês, estes sons são africados, o que significa que obstruimos mais a passagem do ar na sua articulação. Assim, basicamente, a grafia "ch" lê-se *tch*, como em **chocolate** (*tchó-clâ-te*; chocolate) ou **cheap** (*tchip*; barato). E o "j" e o "ge" leem-se *dj*, como em June (*djiún*; Junho) ou general (*djé-ne-râl*; geral). No entanto, a letra "g" seguida por "i" lê-se *g*, como em **give** (*guiv*; dar), **girl** (*gârl*; moça) ou **gift** (*guift*; presente). Por outro lado, a grafia "sh", que não existe em português, lê-se sempre *ch*, como nas palavras **ship** (*chip*; barco), **fish** (*fich*; peixe) ou **shave** (*châiv*; fazer a barba). Já para acabar, uma pequena nota sobre a letra "q": em inglês, o "q" é sempre lido como *ku*, como se pode ler em **quality** (*cuó-li-ti*; qualidade), **question** (*cués-chân*; pergunta) ou **quick** (*cuíc*; rápido).

O som do silêncio

Em português, a letra **h** numa posição inicial da palavra é muda, isto é, não representa qualquer som. Mas, em inglês, o **h** em posição inicial de palavra ou entre duas vogais representa um som aspirado, que a língua portuguesa desconhece. Este som é realizado aproximando a base da língua à parte posterior do céu-da-boca e deixando passar o ar pelo meio. Parece bastante com a respiração de Darth Vader, na Guerra das Estrelas, mas é mais sutil. Nas transcrições que encontrará neste livro, o "h" aspirado é indicado com o caratere *h* (não é muito original, mas nos pareceu mais eficaz).

Capítulo 1: Soa Bem: Pronúncia Básica do Inglês da América 17

Diálogo

 Jordie e Austin, dois amigos universitários, dirigem-se para uma loja de discos usados. (Faixa 4)

Jordie: **I just bought a new sound system with a turntable.**
ái djâst bót â niú sáund sis-tâm uíth â târn-tâi-bâl
Acabo de comprar uma aparelhagem nova com toca discos.

Austin: **Cool. Are you looking for some old records?**
cul ár iú lu-quing fór sâm ôuld ré-cârds
Legal. Anda à procura de discos antigos?

Jordie: **Definitely. I already have a small collection of rock-and-roll records, but I want more.**
dé-fna-tli ái ól-ré-di hév â smól côu-léc-chân óf róc-én-rôul ré-cârds bât ái uónt mór
Com certeza. Já tenho uma pequena coleção de discos de rock and roll, mas quero mais.

Austin: **Personally, I prefer the early rhythm and blues. Do you like R and B?**
pâr-sân-li ái pri-fâr di âr-li ri-dâm énd bluz. Du iú láic ár énd bi
Pessoalmente, eu prefiro o rhythm and blues dos primeiros tempos. Você gosta de R&B?

Jordie: **Sure, I like a lot of different music: R and B, rock-and-roll, reggae, rap, heavy metal, and even classical.**
chôr ái láic â lót óf di-frênt miú-zic ár énd bi róc-én-rôul ré-gué rép hé-vi mé-tâl énd i-vân clé-si-câl
Claro, eu gosto de muitos tipos de música: R&B, rock and roll, reggae, rap, heavy metal e até música clássica.

Dizer "Ah" e Outras Vogais

O inglês tem cinco vogais – **a, e, i, o, u** – e duas semivogais – o **w** e o **y** –, mas cerca de 15 sons vocálicos! Infelizmente, o inglês possui poucas regras de pronúncia para definir como pronunciar as vogais e as suas combinações em palavras. A boa notícia é que, com um pouco de prática, você pode aprender facilmente a articular todos os diferentes sons.

O guia de pronúncia das primeiras páginas de um dicionário pode ajudá-lo a realizar os sons vocálicos, mas a verdade é que nem sempre poderá levar um dicionário consigo. E, a menos que possua um dicionário eletrônico "falante", não poderá ouvir a pronúncia quando procura uma palavra.

Parte I: Antes de Tudo

Felizmente, a maior parte dos sons vocálicos possui uma série de grafias comuns que permitem fazer uma suposição muito bem fundamentada sobre a sua pronúncia. As seções seguintes darão uma ideia acerca de todas as vogais, os seus vários sons e as formas mais comuns de soletrá-los.

As vogais curtas e longas

Pode-se dizer que os sons vocálicos do inglês estão divididos em três categorias: as **short vowels** (*chórt váu-âls*; vogais curtas), as **long vowels** (*lóng váu-âls*; vogais longas) e os **diphthongs** (*dif-thóngs*; ditongos).

A lista seguinte pode ajudá-lo a perceber as diferenças gerais entre vogais curtas, vogais longas e ditongos (Faixa 1):

- ✔ **Vogais curtas:** são mais curtas e, geralmente, mais suaves do que as outras vogais. Uma das formas típicas de escrever as vogais curtas é "consoante + vogal + consoante". Aqui tem alguns exemplos:
    - **can** (*kén*; lata)
    - **fun** (*fân*; engraçado)
    - **spell** (*spél*; soletrar)
    - **with** (*uíth*; com)

- ✔ **Vogais longas:** são pronunciadas durante mais tempo e são geralmente um pouco mais fortes e com um tom mais alto do que as vogais restantes. Uma das formas típicas de escrever as vogais longas é "vogal + consoante + -e final", tal como se mostra nas seguintes palavras:
    - **arrive** (*â-ráiv*; chegar)
    - **late** (*lâit*; tarde)
    - **scene** (*si-ne*; cena)
    - **vote** (*vâu-t*; votar)

- ✔ **Ditongos:** os ditongos do inglês são basicamente como os da língua portuguesa, ou seja, duas vogais (uma vogal e uma semivogal, se quisermos ser mais exatos) que se pronunciam juntas na mesma sílaba. Os ditongos do inglês começam sempre pela vogal mais forte e diminuem de intensidade na segunda (a semivogal). Aqui não há nenhuma dificuldade. Experimente com os seguintes exemplos:
    - **boy** (*bói*; garoto)
    - **now** (*náu*; agora)
    - **say** (*sâi*; dizer)
    - **time** (*tái-m*; tempo)

Nas seções seguintes, aprenderá a pronunciar as vogais curtas e longas para as letras **a**, **e**, **i**, **o** e **u**, assim como a dizer os ditongos.

Capítulo 1: Soa Bem: Pronúncia Básica do Inglês da América 19

A vogal "a"

Em muitas línguas, a letra **a** é pronunciada *á*, como em **father** (*fá-dâr*; pai). Mas em inglês, o **a** raramente se pronuncia *á*. Para descobrir como se pronuncia geralmente esta letra, veja as seguintes explicações:

- ✔ O som "a" longo, como nas palavras **ate** (*âit*; comeu), **came** (*kâi-me*; veio) e **day** (*dâi*; dia), é, na realidade, um ditongo. Para pronunciá-lo, comece com o som *â* e termine com a semivogal *i*, unindo-os suavemente.

- ✔ O som "a" curto, como em **at** (*ét*; em), **hand** (*hénd*; mão) e **glass** (*glés*; vidro), é realizado como o "é" do português.

- ✔ Outro som do "a", pronunciado *ó*, pode, por vezes, parecer semelhante ao som curto do "a", especialmente em determinadas regiões. As formas mais comuns de soletrar este *ó* são **-aw**, **-alk**, **-ought** e **-aught**.

A vogal "e"

O som "e" longo tem, frequentemente, as seguintes grafias: **be** (*bi*; ser), **eat** (*it*; comer), **see** (*si*; ver) e **seat** (*sit*; sentar). Pronuncie o som do "e" longo como o "i", mas prolongue-o bem, sem cortá-lo. Outras grafias comuns do som do "e" longo são "ie" e "ei", como se vê em **believe** (*bi-liv*; acreditar) e **receive** (*ri-siv*; receber).

O som "e" curto, como em **ten** (*tén*; dez), **sell** (*sél*; vender) e **address** (*é-dré-ss*; endereço), é o mesmo da letra **e** em português (é). O **e** curto é normalmente escrito com as letras "ea", como em **head** (*héd*; cabeça), **bread** (*bréd*; pão) e **ready** (*ré-di*; pronto).

Pratique a articulação dos **e** curtos e longos com as seguintes frases:

- ✔ **e** longo: **We see three green trees.** (*uí si thri grin tris*; Vemos três árvores verdes.)

- ✔ **e** curto: **Jenny went to sell ten red hens.** (*jé-ni uênt tu sél tén réd héns*; A Jenny foi vender dez galinhas vermelhas.)

- ✔ Ambos os sons: **Please send these letters.** (*pli-ze sênd dize lé-rârs*; Por favor, envie estas cartas.)

A vogal "i"

O **i** longo é um ditongo. Para sua articulação, comece por dizer *á* e termine com *i*, unindo suavemente os dois sons, como em **time** (*tái-me*; tempo), **like** (*laik*; gostar) e **arrive** (*â-rái-ve*; chegar). Pode-se encontrar outras formas de soletrar este som em palavras como **height** (*háit*; altura), **fly** (*flái*; voar), **buy** (*bái*; comprar), **lie** (*lái*; mentir) e **eye** (*ái*; olho).

O som "i" curto, como em **it** (*it*; aquilo), **his** (*is*; seu), **this** (*dis*; este), **bill** (*bil*; nota) e **sister** (*sis-târ*; irmã), é realizado relaxando os lábios, abrindo pouco a boca e mantendo a língua embaixo (se a língua estiver demasiado alta, o "i" curto pode parecer um "ee").

Prepare-se para receber uns olhares estranhos se não fizer uma diferença clara entre um "i" curto (como em **it**) e um "e" (como em **eat**). Não diga **I need to live now** (*ai nid to liv náu*; Preciso viver agora). Quando quer dizer **I need to leave now** (*ai nid to li-v náu*; Preciso ir embora agora). E tenha especial cuidado para não dizer **I gave your brother the kiss** (*ái guâiv iór brá-der dâ kis*; Dei o beijo ao seu irmão.) quando quer dizer **I gave your brother the keys** (*ái guâiv iór brá-der dâ kiz*; Dei as chaves ao seu irmão.).

A vogal "o"

A letra **o** representa mais ou menos o mesmo som em qualquer lugar do mundo, mas o **o** inglês pode ser ligeiramente diferente do português. O som longo do **o**, em palavras como **rode** (*rôud*; cavalgou), **joke** (*djôuc*; piada), **phone** (*fôun*; telefone) e **home** (*hôu-me*; casa), parece-se mais a um ditongo português do que a uma vogal simples. Além da grafia "o + consoante + -e final", o som longo do **o** possui uma série de outras formas escritas, como **no** (*nôu*; não), **toe** (*tôu*; dedo do pé), **sow** (*sôu*; coser), **know** (*nôu*; saber), **though** (*thôu*; apesar de) e **boat** (*bôut*; barco).

O som curto do **o** pronuncia-se *ó* e aparece geralmente entre duas consoantes, como nas palavras **not** (*nót*; não), **stop** (*stóp*; parar), **a lot** (*â lót*; muito) e **dollar** (*dó-lâr*; dólar). Em inglês da América, o som parece mais a um *á*, mas, para que se entenda por todos os lados, vamos tentar falar de uma forma um pouco mais neutra.

Dois **o** juntos ("oo") dão mais dois sons vocálicos. As palavras **moon** (*mun*; lua), **choose** (*tchu-ze*; escolher) e **food** (*fud*; comida) são pronunciadas com o som longo do **u** (consulte a seção seguinte). Mas as palavras **good** (*gud*, bom), **cook** (*cuk*; cozinhar), **foot** (*fut*; pé), **could** (*cud*; podia) e would (*uúd*; iria) possuem um som diferente. Para realizar este som, arredonde os lábios e mantenha a língua baixa.

Experimente dizer esta frase: **I would cook something if I could** (*ái uúd cuk sâm-thing if ái cud*; Cozinharia qualquer coisa se pudesse).

Don't put your foot in your mouth! (*dônt put iór fut in iór máuth*; Não ponha o pé na boca). — é uma expressão comum para as pessoas terem cuidado com o que dizem. Confundir as palavras **food** e **foot** é um erro fácil de cometer. Tenha cuidado para não dizer: **This *foot* tastes good** (*this fut tâists gúd*; este pé tem bom gosto) ou **I put my *food* in my shoe** (*ái put mái fud in mái xú*; Pus a comida no meu sapato)!

A vogal "u"

Em inglês, o som longo do **u** é prolongado. As seguintes palavras têm o som longo do **u**: **June** (*jiún*; Junho), **blue** (*blu*; azul) e **use** (*iú-ze*; usar). Outras grafias para este som são as que aparecem em **to** (*tu*; para), **you** (*iú*;

tu), **new** (*niu*; novo); **suit** (*sut*; fato), **through** (*thru*; através de) e **shoe** (*chu*; sapato).

O som curto do **u** é o som vocálico mais comum da língua inglesa. Este som é tão comum que até tem um nome próprio: o **schwa** (*chuá*; não tem tradução). O **schwa** corresponde basicamente ao som do **a** não tónico do português (o que aparece na palavra portuguesa "para"). As seguintes palavras possuem o som curto do "u": **up** (*âp*; cima), **bus** (*bâs*; ônibus), **much study** (*mâtch stâ-di*; muito estudo), **under** (<u>ân</u>-dâr; debaixo) e **suddenly** (<u>sâ</u>-*den-li*; de repente).

Manter o Ritmo

O ritmo e a música de uma língua dão-lhe vida e caráter. E são uma importante parte daquilo que faz com que o inglês soe inglês e o português soe português. O ritmo do inglês é determinado pelo padrão do sotaque – a ênfase (ou tonicidade) dada a uma palavra ou sílaba específica. Descobrir como usar o ritmo e a ênfase do inglês pode melhorar notavelmente a sua pronúncia e fazer com que pareça um falante nativo. Mesmo que nem sempre tenha a pronúncia perfeitamente correta, por vezes, poderá fazer com que compreendam o que está dizendo (e entender o que as pessoas estão dizendo) se conhecer o ritmo do inglês. As seções seguintes irão apresentar o ritmo do inglês e os padrões de ênfase que mantêm o ritmo.

Marcar a cadência

Manter o ritmo do inglês é fácil. Basicamente, trata-se de dizer uma palavra não acentuada seguida por outra acentuada, assim: **The <u>cats</u> will <u>eat</u> the <u>mice</u>** (*dâ quéts uil it dâ máis*; Os gatos vão comer os ratos). Ao dizer as seguintes frases, marque uma cadência regular batendo com o pé para cada palavra sublinhada, de modo que cada batida corresponda a uma sílaba tônica (acentuada):

> **For <u>Eng</u>-lish <u>rhy</u>-thm, <u>tap</u> your <u>feet</u>.** (*fór* <u>in</u>-*glich* <u>ri</u>-*dâm tép iór fit*; Para o ritmo inglês, bata o pé).

> **<u>Fast</u> or <u>slow</u>, just <u>keep</u> the <u>beat</u>.** (*fést ór slâu, djâst quip dâ bit*; Rápida ou lenta, mantenha sempre a cadência).

Agora tente manter o ritmo nas seguintes frases, enquanto vai batendo o pé. (Não se esqueça de acentuar as sílabas sublinhadas).

> **<u>Cats</u> <u>eat</u> <u>mice</u>.** (*quéts it máis*; Os gatos comem ratos).

> **The <u>cats</u> will <u>eat</u> the <u>mice</u>.** (*dâ quéts uil it dâ máis*; Os gatos vão comer os ratos).

Se uma frase tiver várias sílabas não acentuadas todas juntas, terá de acelerar um pouquinho para não perder o ritmo. Tente dizer a seguinte frase sem mudar de cadência:

The **cats** in the **yard** are **going** to **eat** up the **mice**. (*da quéts in da iárd ár góu-ing tu it âp da máis*; Os gatos no pátio vão comer os ratos.)

Dar ênfase às palavras importantes

Como saber as palavras que se deve dar ênfase em inglês? Dê ênfase às mais importantes! Ou seja, às palavras que transmitem a informação essencial da frase.

Dê ênfase às seguintes palavras:

- adjetivos
- advérbios
- verbos principais
- a maior parte das palavras interrogativas
- negativas
- substantivos

Mas, não dê ênfase às seguintes:

- artigos
- verbos auxiliares, exceto os que se encontrarem no final da frase
- conjunções
- preposições
- pronomes (geralmente)
- o verbo **to be** (*tu bi*; ser)

Consulte o Capítulo 2 para mais informação sobre os termos gramaticais mencionados nas listas anteriores. Consulte também o Índice para encontrar outros conceitos gramaticais distribuídos pelo livro.

Experimente dizer as seguintes frases, enquanto mantém uma cadência regular e enfatiza as palavras ou sílabas sublinhadas:

Where can I **find** a **bank**? (*uér quén ái fáind â bénc*; Onde posso encontrar um banco?)

I'd **like** to **have** some **tea, please**. (*áid laic tu hév sâm ti, pliz*; Gostaria de tomar um chá, por favor.)

I **need** to **see** a **doctor**. (*ái nid tu si â dóc-târ*; Preciso de ver um médico.)

É claro que, se realmente precisar ver um médico, não vai estar pensando no ritmo! Mas, se praticar assiduamente o ritmo do inglês, poderá melhorar notavelmente a sua pronúncia e ajudar as pessoas a entender aquilo que quer dizer.

Capítulo 1: Soa Bem: Pronúncia Básica do Inglês da América 23

Colocar o acento nas sílabas corretas

Não se preocupe muito tentando decidir qual sílaba é a tônica numa determinada palavra. Apesar de a tonicidade poder parecer completamente aleatória a princípio, há alguns padrões comuns que ajudam a torná-la menos problemática. Sério! As normas e conselhos seguintes podem ajudar a compreender qual é a sílaba tônica de cada palavra e as razões por que o padrão de tonicidade pode mudar.

Algumas normas

Está confuso sobre essa sílaba tônica forte em palavras como **mechanize**, **mechanic** e **mechanization** (*mé-ca-náiz, mâ-qué-nic, mâqué- ni-zâi-chân*; mecanizar, mecânico e mecanização)? O sufixo (terminação) de muitas palavras determina onde se encontra a sílaba tônica. A finalização também pode dizer se a palavra é um substantivo, um verbo ou um adjetivo – e isso é um bônus! Eis algumas diretrizes rápidas a seguir:

- ✔ Os substantivos que terminem em **-ment, -ion/-cion/-tion, -ian/- cian/-sian** e **-ity** possuem a sílaba tônica antes do sufixo, como nas seguintes palavras:

  - **enjoyment** (*ên-jói-mânt*; prazer)
  - **opinion** (*â-pi-niân*; opinião)
  - **reservation** (*ré-zâr-vâi-chân*; reserva)
  - **possibility** (*pó-sâ-bi-lâ-ti*; possibilidade)

- ✔ Os adjetivos que terminem em **-tial/-ial/-cial, -ual, -ic/ical** e **- ious/-eous/-cious/-uous** possuem a sílaba tônica antes do sufixo, como nas seguintes palavras:

  - **essential** (*i-sen-châl*; essencial)
  - **usual** (*iú-jual*; comum)
  - **athletic** (*â-thlé-tic*; atlético)
  - **curious** (*quiú-riâs*; curioso)

- ✔ Os verbos que terminem em **-ize, -ate** e **-ary** possuem a tônica na segunda sílaba antes do sufixo, como nas seguintes palavras:

  - **realize** (*ri-â-láiz*; compreender)
  - **graduate** (*gré-diú-âit*; acabar os estudos)
  - **vocabulary** (*vôu-qué-biú-lé-ri*; vocabulário)

Algumas indicações gerais sobre acentuação

Os exemplos incluídos nesta seção apresentam alguns padrões gerais de acentuação que podem ajudar a desenvolver um palpite fundamentado sobre como se pronuncia uma palavra. Estes exemplos não são regras exatas e infalíveis. Não se pode confiar neles 100% (nem sequer 98%), mas podem servir de referência quando você se sentir hesitante sobre a forma correta de pronunciar uma palavra.

Parte I: Antes de Tudo

- ✔ Uma grande parte dos substantivos dissílabos são acentuados na primeira sílaba. Se não tiver a certeza de como acentuar um substantivo dissílabo, experimente acentuá-lo na primeira sílaba – tem uma boa oportunidade de acertar. Eis alguns exemplos:

  - **English** (*in-glich*; inglês)
  - **music** (*miú-zic*; música)
  - **paper** (*pâi-pâr*; papel)
  - **table** (*tâi-bâl*; mesa)

- ✔ Acentue a palavra original, em vez dos sufixos ou prefixos, na maior parte dos verbos, adjetivos e advérbios. Por exemplo:

  - **dislike** (*dis-láic*; não gostar)
  - **lovely** (*lâv-li*; adorável)
  - **redo** (*ri-du*; refazer)
  - **unkind** (*ân-cáind*; grosseiro)

- ✔ Acentue a primeira palavra na maior parte dos substantivos compostos, formados por dois ou mais substantivos e que possuem significados diferentes daqueles das palavras individuais. Por exemplo:

  - **ice cream** (*áis crim*; gelado)
  - **notebook** (*nôut-buc*; bloco de notas)
  - **sunglasses** (*sân-glé-ses*; óculos de sol)
  - **weekend** (*uí-quênd*; fim-de-semana)

Palavras a saber

alphabet	al-fâ-bét	alfabeto
letter	lé-râr	letra
consonant	cón-se-nânt	consoante
short vowels	chórt váu-âls	vogais curtas
long vowels	lóng váu-âls	vogais longas
diphthongs	dif-thóngs	ditongos
voiced	vói-se-d	sonoro
voiceless	vói-se-lâs	surdo

Capítulo 2

Princípios Básicos da Gramática Inglesa

Neste Capítulo

▶ Criando uma frase simples

▶ Fazendo uma pergunta

▶ Usando os substantivos, verbos, adjetivos e advérbios

▶ Falando no passado, no presente e no futuro

▶ Compreendendo os artigos

A simples visão da palavra "gramática" faz com que você deseje fugir ou jogar este livro na prateleira e deixá-lo para outro dia? Compreendo perfeitamente. Mas, não deixe que este capítulo te faça desanimar, porque a verdade é que não foi feito para aborrecer o leitor com explicações exaustivas de regras gramaticais e listas infinitas de exceções. Não, este capítulo foi escrito para oferecer os elementos essenciais que possam ajudar a compreender um pouco melhor o inglês, isto é, as regras básicas da gramática inglesa são explicadas da forma mais clara possível. Tratam-se de explicações curtas e diretas que permitem perceber logo como podem ser aplicadas na prática.

A gramática inglesa possui muitos aspectos parecidos com a da língua portuguesa. Por isso, não precisa se concentrar em aprender as regras de memória. Repare só nos pontos em que a gramática inglesa é diferente (ou semelhante). Não sabe que pontos são esses? Não se preocupe, você verá que está tudo explicadinho.

Não pense que, por este capítulo tratar de gramática, precisa lê-lo todo (embora não seja má ideia dar uma olhadela para ver o que é que tem). Pode usar este capítulo como referência enquanto vai vendo as partes que lhe parecem mais interessantes do livro. Quando chegar a pontos dos outros capítulos onde se refere à informação destas páginas, pode parar e voltar aqui para consultar. É claro que, se a gramática é o seu tema preferido, vai adorar este capítulo! Mas, se não for, verá que se lê bastante e que está repleto de informação útil.

Construção de Frases Simples

Talvez você esteja perguntando como se pode considerar simples a construção de uma frase em inglês, especialmente se pertencer a essas milhares de pessoas que consideram estudar gramática tão divertido como cirurgia (sem querer ofender o meu dentista, claro).

Mas, criar uma frase simples em inglês pode ser tão fácil como contar até três. Principalmente, se usar três elementos básicos.

- **subject** (*sâb-ject*; sujeito)
- **verb** (*vârb*; verbo)
- **object** (*ób-ject*; objeto direto)

O sujeito de uma frase pode ser um **noun** (*náun*; substantivo) ou um **pronoun** (*prôu-náun*; pronome). O verbo pode estar no presente, no passado ou no futuro. E o objeto direto é um termo geral para, bom, na verdade, para completar o resto da frase!

Construir uma frase em inglês pode ser ligeiramente parecido a usar uma fórmula matemática. Para todos os leitores que tiverem uma queda para a matemática, eis uma "fórmula" para criar uma frase simples: Frase = Sujeito + Verbo + Complemento direto. Um exemplo desta estrutura é:

I speak English. (*ái spic in-glich*; Eu falo inglês).

Podem-se comunicar centenas ou mesmo milhares de ideias com esta fórmula para uma frase simples. Veja mais dois exemplos:

- **English is easy.** (*in-glich ize i-zi*; Inglês é fácil).
- **We ate ice cream.** (*uí âit áis crim*; Nós comemos sorvete).

Frases Negativas

Mas, haverá certamente momentos em que não desejará dizer **sim**, mas dizer **não**. Por isso, você precisa saber como construir uma frase negativa. A lista seguinte mostra três formas muito simples de construir frases negativas usando a palavra **not** (*nót*; não):

- Acrescente **not** a uma frase simples depois do verbo **to be**: **English is not difficult.** (*in-glich iz nót di-fi-câlt*; Inglês não é difícil).

- Acrescente do not ou does not antes de verbos que não sejam to be: **She does not like hamburgers.** (*chi dâz nót láic hém-bâr-gârs*; Ela não gosta de hambúrgueres).

- Acrescente **cannot** antes dos verbos para expressar incapacidade: **I cannot speak Chinese.** (*ái câ-nót spic tchái-niz*; Não sou capaz de falar chinês).

Pode encontrar mais informação sobre os verbos **to be** e **to do** nas seções sobre verbos e sobre fazer perguntas, mais à frente, neste capítulo.

No e not

O português só usa uma palavra para negar: "não". O inglês usa duas: **no** (*nôu*; não) e **not** (*nót*; não). Mas o inglês não diz **no** antes do verbo em inglês, como em: **I no like hamburguers** (*ái nôu láic hém-bâr-gârs*; Eu não gosto de hambúrgueres). No entanto, certas frases afirmativas podem ser transformadas em negativas usando o **no** antes de um substantivo. Os seguintes exemplos mostram duas formas de dizer a mesma frase negativa:

- **I do not have a car.** (*ái du nót hév â cár*; Eu não tenho carro).
- **I have no car.** (*ái hév nôu cár*; Não tenho carro).

Usar as contrações como um falante nativo

Se quiser parecer um falante nativo, e ao mesmo tempo conseguir que as pessoas o compreendam melhor, use as contrações ao falar. As contrações, como já sabe da língua portuguesa, consistem na união de duas palavras numa única, como **I am** (*ái ém*; eu sou), que perde uma de suas letras, ficando **I'm** (*áim*; eu sou).

Eis algumas das contrações mais comuns com o verbo **to be**:

- **you are** (*iú ár*; você é) → **you're** (*iór*; você é)
- **he is** (*hi iz*; ele é) → **he's** (*his*; ele é)
- **she is** (*chi iz*; ela é) → **she's** (*chiz*; ela é)
- **it is** (*it iz*; isso é) → **it's** (*itz*; isso é)
- **we are** (*uí ár*; nós somos) → **we're** (*uír*; nós somos)
- **they are** (*dei ár*; eles são) → **they're** (*dér*; eles são)

As negativas também são quase sempre formuladas com contrações. A seguir, você verá algumas muito comuns, mas observe que não aparece qualquer contração para **I am not** (*ái ém nót*; eu não sou), basicamente porque não existe. O que se costuma fazer é **I'm not** (*áim nót*; eu não sou), fazendo a contração entre o sujeito (**I**) e o verbo (**am**).

- **is not** (*iz nót*; não é) → **isn't** (*izânt*; não é)
- **are not** (*ár nót*; não és) → **aren't** (*árânt*; não são)
- **do not** (*du nót*; não) → **don't** (*dônt*; não)
- **does not** (*dâz nót*; não) → **doesn't** (*dâzânt*; não)
- **cannot** (*câ-nót*; não pode) → **can't** (*quént*; não pode)

No inglês da América, as pessoas usam a contração negativa **don't have** (*dônt hév*; não tenho) ou **doesn't have** (*dâzânt hév*; não tem) em vez de **haven't** (*hévânt*; não tenho), quando o verbo principal é **have** (*hév*; ter). É mais normal ouvir a frase **I don't have a car** (*ái dônt hév â cár*; Eu não tenho carro) do que a versão mais britânica **I haven't a car** (*ái hévânt â cár*; Eu não tenho carro).

Perguntas e Mais Perguntas

Os americanos estão sempre a fazendo perguntas e, como visitante ou turista num país de língua inglesa, é bastante provável que o leitor também tenha uma variedade de perguntas a fazer. Perguntar qualquer coisa é sempre um pouco difícil quando se está falando numa língua que não se conhece bem, mas posso mostrar algumas formas fáceis de fazer uma série de perguntas. Depois de ler as seguintes seções, poderá fazer bastantes perguntas e responder a todas as que os americanos você fizerem!

Perguntas com to be

As perguntas com o verbo **to be** são muito comuns, como **Are you hungry?** (*ár iú ân-gri*; Está com fome?). (Consulte a seção "Verbos: transmitir ação, sentimentos e estados de espírito", neste mesmo capítulo, para mais informação sobre o uso do verbo **to be**). As perguntas com **to be** começam com uma forma do verbo **to be**, seguida pelo sujeito da frase. Veja os seguintes exemplos deste tipo de pergunta:

- **Is she your sister?** (*iz chi iór sis-târ*; Ela é sua irmã?)
- **Are they American?** (*ár dâi a-mé-ri-cân*; Eles são americanos?

Uma forma fácil de se lembrar do modo de construção deste tipo de pergunta é imaginar uma afirmação como: **You are my friend** (*iú ár mái frênd*; Você é meu amigo.) e depois trocar o sujeito e o verbo de posição, assim: **Are you my friend** (*ár iú mái frênd*; Você é meu amigo?). É fácil, não é? (Use **am** com **I**; **are** com **you**, **we** e **they**; e **is** com **he**, **she** e **it**).

Veja mais alguns exemplos de afirmações transformadas em perguntas (e repare que não precisa se limitar ao presente, também pode usar os verbos no passado):

The bus is late.
dâ bâs ize lâit
O ônibus está atrasado.

Is the bus late?
iz dâ buz lâit
O ônibus está atrasado?

The movie was good.
dâ mu-vi uóz gud
O filme era bom.

Was the movie good?
uóz dâ mu-vi gud
O filme era bom?

Quando responder a uma pergunta **to be**, tenha cuidado para usar a forma correta do verbo na sua resposta. Se alguém perguntar **Are you hungry?** (*ár iú ân-gri*; Está com fome?), não responda **Yes, I do.** (*iés ái du*; Sim, faço.) ou **Yes, I are.** (*iés ái ár*; Sim, eu está.) A resposta correta (se for afirmativa) é **Yes, I am.** (*iés ái éme*; Sim, eu estou.) Para a pergunta **Is she your sister?** (*iz chi iór sis-târ*; Ela é sua irmã?), deve-se responder **Yes, she is** (*iés chi iz*; Sim, ela é.)

Capítulo 2: Princípios Básicos da Gramática Inglesa **29**

Perguntas com to do

Outras perguntas muito frequentes são as que começam com **do**.
Geralmente, usam-se as palavras **do** ou **does** para começar uma pergunta
quando o verbo principal não é **to be**, como em **Do you speak English?**
(_du iú spic in-glich_; Fala inglês?). (Use **do** com **I, you, we** e **they**; use **does**
com **he, she** e **it**).

Fazer uma pergunta com **to do** é muito fácil. Só é preciso colocar a palavra
do ou **does** antes de uma afirmação e já se tem a pergunta feita! Bem, quase
feita. Também deve-se mudar o verbo principal para a forma básica, como
se mostra nos seguintes exemplos:

He speaks my language.
hi spics mái lén-guâdj
Ele fala a minha língua.

Does he speak my language?
dâs hi spic mái lén-guâdj
Ele fala a minha língua?

You love me!
iú lâv mi
Você me ama!

Do you love me?
du iú lâv mi
Você me ama?

Para fazer uma pergunta no passado, use o verbo to do no passado, did (_did_;
fez), e o verbo principal na forma básica, da seguinte forma: **Did she read
this book?** (_did chi rid diz buc_; Ela leu este livro?). No exemplo seguinte,
você pode ver bem como é possível transformar uma afirmação no passado
numa pergunta:

You liked the movie.
iú láicd dâ mu-vi
Você gostou do filme.

Did you like the movie?
did iú láic dâ mu-vi
Você gostou do filme?

Perguntas com what, when, where e why

Para fazer muitas das perguntas em inglês, tal como em português, é
necessário usar uma palavra interrogativa, como "o que", "onde", "quando"
e outras. As perguntas que começam com estas palavras são, por vezes,
chamadas **information questions** (_in-fôr-mái-chân cué-châns_; perguntas
de informação) porque a resposta proporciona uma informação específica.
Estas são as principais palavras interrogativas do inglês:

- **what** (_uót_; o que)
- **when** (_uên_; quando)
- **where** (_uér_; onde)
- **who** (_hú_; quem)
- **why** (_uái_; por que)
- **how** (_háu_; como)
- **how much** (_háu mâtch_; quanto)
- **how many** (_háu mé-ni_; quantos)

30 Parte I: Antes de Tudo

Se você já leu as seções anteriores, onde se fala das perguntas começadas com **to be** e **to do**, já sabe qualquer coisa sobre como fazer perguntas de informação. A maior parte das questões de informação é formada, acrescentando-se simplesmente, uma palavra interrogativa a uma pergunta de **to be** ou **to do**. Os exemplos seguintes mostram bem esta forma de se fazer perguntas:

Is she crying?
iz chi <u>crái</u>-ing
Ela está chorando?

Why is she crying?
uái iz chi <u>crái</u>-ing
Por que é que ela está chorando?

Do you love me?
du iú lâv mi
Você me ama?

How much do you love me?
áu mâtch du iú lâv mi
Quanto é que você me ama?

Agora veja as perguntas seguintes e repare no tipo de informação que requerem:

What is your name?
uót iz iór nâim
Qual é o seu nome?
Como se chama?

My name is Sara.
mái nâim iz <u>sé</u>-râ
O meu nome é Sara.
Chamo-me Sara.

Where do you live?
uér du iú liv
Onde é que você mora?

I live on Mission Street.
ái liv ón <u>mi</u>-chân strit
Moro em Mission Street.

When is the concert?
uên iz da <u>cón</u>-sârt
Quando é o concerto?

It's tonight at 8:00 p.m.
its tu-<u>náit</u> ét âit pi-ém
É hoje às oito horas da noite.

How much does it cost?
áu mâtch dâz it cóst
Quanto custa?

It costs 20 dollars.
it cósts <u>tué</u>-ni <u>dó</u>-lârs
Custa 20 dólares.

Why are you going?
uái ár iú <u>gôu</u>-ing
Por que você está indo?

Because I like the band.
bi-<u>cóz</u> ái láic da bénd
Porque gosto do grupo.

Who is going with you?
hú iz <u>gôu</u>-ing with iú
Quem é que vai contigo?

You are!
iú ár
Você.

(DICA) Pode-se fazer perguntas sobre qualquer coisa acrescentando uma palavra específica depois da interrogativa **what**. Dê uma olhada nos seguintes exemplos de perguntas (e respostas, só para nos divertirmos um pouquinho).

What day is it?
uót dâi iz it
Que dia é hoje?

Saturday.
<u>sé</u>-târ-dâi
Sábado

What time is it?
uót táim iz it
Que horas são?

10:00 a.m.
tén âi-ém
Dez horas da manhã.

Capítulo 2: Princípios Básicos da Gramática Inglesa

What bus do I take?
uót bâs du ái tâic
Qual é o meu ônibus?

Take bus # 4.
tâic bâs nâm-bâr fór
Apanhe o ônibus número 4.

What school do you attend?
uót scul du iú â-tênd
A que escola você vai?

Mills College.
mils có-lâdj
A Mills College

Perguntas para melhorar o inglês

Algumas das perguntas mais úteis que uma pessoa pode conhecer, em inglês (depois de **Where's the bank?** e **Where's the bathroom?**), são aquelas que nos ajudam a descobrir mais coisas sobre a própria língua e sobre como usá-la corretamente. Eis quatro perguntas úteis que podem ajudar a melhorar significativamente o seu inglês:

- **What does this mean?** (*uót dâz dis min*; O que significa isto?)

- **How do you say... in English?** (*áu du iú sâi... in in-glich*; Como se diz ... em inglês?)

- **How do you spell...?** (*áu du iú spél*; Como se escreve...?)

- **How do you pronounce this?** (*áu du iú prôunáun-se dis*; Como se pronuncia isto?)

Substantivos: Pessoas, Lugares e Coisas

Em inglês, como em português, os substantivos podem referir-se a pessoas (como Einstein ou a tia Hortência), lugares (como o Grand Canyon ou o Big Ben) ou coisas (como livros ou circunstâncias gerais). Os substantivos podem estar no singular ou no plural. (Já explico como é que se formam os plurais).

Mas, antes, deixe-me dar uma boa notícia: pode-se usar o artigo **the** com substantivos tanto no singular como no plural (descubra mais sobre como usar o artigo definido **the** e os indefinidos singulares **a** e **an** na seção "Os três artigos: **a**, **an** e **the**", neste mesmo capítulo).

Só mais uma coisa: em português, os nomes variam em gênero, mas, em inglês, os substantivos não são nem **masculine** (*més-quiú-lin*; masculino) nem **feminine** (*fé-mi-nin*; feminino). É uma das coisas mais fáceis da língua inglesa. Isto é que são boas notícias, não acha?

Vamos ver, então, como é que se formam os plurais. Em inglês, os substantivos são **singular** (*sin-guiú-lâr*; singular) ou **plural** (*plu-râl*; plural). Por exemplo, uma pessoa pode ter um **boyfriend** (*bói-frênd*; namorado) ou muitos **boyfriends** (*bói-frênds*; namorados). O modo de fazer o plural mais comum para a maior parte dos substantivos é acrescentar **-s** ou **-es**, mas alguns possuem uns plurais mais "esquisitos".

A seguir, umas normas úteis são apresentados para te ajudar a tornar a formação de plurais **easy as pie** (*i-zi éz pái*; fácil como uma torta) — ou **pies** (*páiz*; tortas).

- Para a maior parte dos substantivos que acabem em **vogal** ou consoante, acrescente **-s**, como em:

    - **days** (*dâiz*; dias)
    - **words** (*uârds*; palavras)

- Para os substantivos que acabam em **consoante** + **y**, elimine o **-y** e acrescente **-ies**, como:

    - **parties** (*pár-tis*; festas)
    - **stories** (*stó-ris*; histórias)

- Nos substantivos que acabarem em **-s**, **-ss**, **-ch**, **-sh**, **-x** e **-z**, acrescente **-es**, como em:

    - **buses** (*bâ-ses*; ônibus)
    - **kisses** (*qui-ses*; beijos)
    - **lunches** (*lân-tches*; almoços)

- Nos substantivos que acabarem em **-f** ou **-fe**, mude o final para **-ves**. Por exemplo:

    - **half** (*háf*; metade) → **halves** (*háfs*; metades)
    - **life** (*láif*; vida) → **lives** (*láivs*; vidas)

- Alguns substantivos são iguais no singular ou no plural, como:

    - **fish** (*fich*; peixes)
    - **sheep** (*chip*; ovelhas)

- Alguns substantivos são palavras bem diferentes no singular e no plural. Por exemplo:

    - **foot** (*fut*; pé) ? **feet** (*fit*; pés)
    - **man** (*mân*; homem) → **men** (*mén*; homens)
    - **person** (*pâr-sân*; pessoa) → **people** (*pi-pâl*; pessoas)
    - **woman** (*hú-mân*; mulher) → **women** (*uí-mên*; mulheres)

You e I: Pronomes Pessoais

Os **pronouns** (*prôu-náuns*; pronomes) são fantásticos. Estas palavrinhas podem ser pequenas, mas têm grande valor ao substituírem os substantivos. Usar pronomes em inglês é muito parecido a usar pronomes em português. A grande diferença é a introdução de uma terceira forma na terceira pessoa do singular que indica coisas.

Os **subject pronouns** (*sâb-ject prôu-náuns*; pronomes pessoais) são pronomes que substituem os substantivos como sujeitos da frase. São estes:

Capítulo 2: Princípios Básicos da Gramática Inglesa 33

- **I** (*ái*; eu)
- **You** (*iú*; você)
- **He** (*hi*; ele)
- **She** (*chi*; ela)
- **It** (*it*; isso)
- **We** (*uí*; nós)
- **They** (*dâi*; eles ou elas)

O inglês moderno só tem uma forma de se dirigir ao interlocutor, que é o **you**. Não há qualquer forma mais respeitosa de se dirigir ao interlocutor, como em português. Por isso, é perfeitamente educado usar **you** tanto em situações formais como em situações informais.

Veja os seguintes pares de frases e repare como o sujeito da primeira frase é substituído por um pronome na segunda:

***Tommy* went to Spain.**	***He* went to Spain.**
tó-mi uênt tu spâin	*hi uênt tu spâin*
O Tommy foi para a Espanha.	Ele foi para a Espanha
***Paola* lives there.**	***She* lives there.**
páu-la livs dér	*chi livs dér*
A Paola vive lá.	Ela vive lá.
***Spain* is a great country.**	***It* is a great country.**
spâin iz â grâit cân-tri	*it iz â grâit cân-tri*
A Espanha é um país fantástico.	É um país fantástico.
***Tommy and Paola* are friends.**	***They* are friends.**
tó-mi énd páu-la ár frênds	*dâi ár frênds*
O Tommy e a Paola são amigos.	Eles são amigos.

Você e eu, juntos, é igual a we. Sempre que o sujeito incluir a primeira pessoa e terceiros, use o pronome **we** — nunca **they**. Por exemplo:

Joan and I are sisters.	**We are sisters.**
jôun énd ái ár sis-târs	*uí ár sis-târs*
Eu e a Joan somos irmãs.	Nós somos irmãs.
My wife, kids and I took a vacation.	**We took a vacation.**
mái uáif quids énd ái tuc â vâ-câi-chân	*uí tuc â vâ-câi-chân*
A minha mulher, filhos e eu saímos de férias	Nós saímos de férias.

Você verá como, num piscar de olhos, estará usando os pronomes pessoais como um falante nativo de inglês. Só precisa lembrar-se sempre do seguinte:

- Nunca omita o sujeito de uma frase. Ao contrário dos verbos do português, por exemplo, os verbos ingleses não proporcionam informação específica sobre o número ou gênero do sujeito. Por isso, quer seja um substantivo ou um pronome, este tem de estar presente.

Há uma exceção: o sujeito pode não estar presente se a frase for imperativa, ou seja, se for uma ordem (que é sempre dirigida à segunda pessoa), como nestes exemplos: **Come here** (*câm hir*; Venha para cá.), **Sit down** (*sit dáun*; Sente-se.) e **Help!** (*hélp*; Socorro!).

- ✔ Use o pronome **it** para os animais. Mas se conhecer o género do animal, pode usar **he** ou **she**. Por exemplo, se souber que a Molly é uma gata, pode dizer **She's very affectionate** (*chiz vé-ri â-féc-châ-nât*; Ela é muito afetuosa).

- ✔ Use o pronome **they** para pessoas, animais e coisas no plural. Por exemplo, se você comprar dois livros, pode dizer **They are interesting** (*dâi ár in-te-râs-ting*; São interessantes.).

Para descobrir mais coisas sobre os pronomes na forma de complemento direto, consulte o Capítulo 10.

Os outros primeiro

Em inglês, é de boa educação, e gramaticalmente mais correto, mencionar-se a si próprio em último lugar quando o **I** fizer parte de um grupo de outros sujeitos. Assim, é melhor dizer **My friends and I...** (*mái frênds énd ái*; Os meus amigos e eu...), e não dizer **I and my frends** (*ái énd mái frênds*; Eu e os meus amigos...). Também se pode dizer coisas como **Lani, Julie and I are friends** (*lâi-ni djiú-li én ái ár frênds*; A Lani, a Julie e eu somos amigos). Portanto, lembre-se disto: seja bem-educado e coloque-se sempre em último lugar.

Verbos: Transmitir Ações, Sentimentos e Estados

Um **verb** (*vârb*; verbo) indica a ação realizada, o sentimento experimentado ou o estado em que se encontra o sujeito. Este tipo de verbo é, frequentemente, referido como **main verb** (*mâin vârb*; verbo principal), ou seja, o verbo que realiza o principal "trabalho" da frase. Observe os verbos principais (em itálico) nas seguintes frases:

- ✔ **We *ate* a pizza.** (*uí âit â pi-tza*; Nós comemos uma pizza).

- ✔ **I *like* cheese pizza.** (*ái laic tchiz pi-tza*; gosto de pizzas de queijo).

- ✔ **Pizza *is* yummy!** (*pi-tza iz iâ-mi*; A pizza é saborosa).

Os verbos também podem atuar como auxiliares dos verbos principais, ou seja, podem servir de apoio ao verbo principal. Este tipo de verbo é chamado **auxiliary verb** (*áu-csi-li-éri vârb*) ou simplesmente um **helping verb** (*hél-ping vârb*; verbo auxiliar). Nas frases seguintes, os verbos em itálico são auxiliares que ajudam os verbos principais **to read** e **to give**:

- ✔ **You *are* reading this book.** (*iú ár ri-din dis buc*; Você está lendo este livro).

- ✔ **It *can* give you some grammar tips.** (*it quén guiv iú sâm gré-mâr tips*; Pode te dar uns conselhos de gramática).

Os verbos, de acordo com a forma como são conjugados, podem ser regulares ou irregulares:

- **Regular verbs** (*ré-guiú-lâr vârbs*; verbos regulares): verbos que seguem um padrão de conjugação regular e previsível.
- **Irregular verbs** (*i-ré-guiú-lâr vârbs*; verbos irregulares): verbos que, enfim, não seguem um padrão de conjugação lógico. (Já explico o que isto quer dizer).

Verbos Regulares

Aprender as conjugações verbais é, geralmente, uma coisa muito chata, mas no inglês nem tanto: quase todos os verbos do inglês são regulares no presente. (Explico a história dos tempos verbais na seção "Não se preocupe com os tempos", neste mesmo capítulo). E, o que ainda é melhor, conjugam-se exatamente da mesma forma, exceto na terceira pessoa do singular (**he**, **she** e **it**).

Por exemplo, aqui estão as conjugações dos (muito úteis) verbos regulares **to love** (*tu lâv*; amar) e **to kiss** (*tu quis*; beijar):

Conjugação	**Pronúncia**
To love:	
I love	(*ái lâv*)
you love	(*iú lâv*)
he/she loves	(*hi/chi lâvs*)
it loves	(*it lâvs*)
we love	(*uí lâv*)
they love	(*dâi lâv*)
To kiss:	
I kiss	(*ái quis*)
you kiss	(*iú quis*)
he/she kisses	(*hi/chi qui-ses*)
it kisses	(*it qui-ses*)
we kiss	(*uí quis*)
they kiss	(*dâi quis*)

A única parte um pouco esquisita da conjugação dos verbos regulares é a terminação em **-s** ou **-es** na terceira pessoa do singular. Ou seja, **he**, **she** ou **it** são formas do singular, mas a terminação do verbo é muito semelhante a uma forma do plural. Por isso, tenha um pouco mais de atenção com isto. Por outro lado, também deve-se evitar o erro de colocar terminações **-s** ou **-es** nos verbos que são usados com sujeitos no plural, como os pronomes **we** e **they** ou qualquer substantivo no plural.

Verbos irregulares

Hoje é o seu dia de sorte, porque, no momento, só terá de recordar dois verbos irregulares no presente: o verbo **to have** (*tu hév*; ter) e o verbo **to be** (*tu bi*; ser/estar). Aqui estão as conjugações para estes dois excêntricos verbos.

Conjugação	Pronúncia
To have:	
I have	(*ái hév*)
you have	(*iú hév*)
he/she has	(*hi/chi hés*)
it has	(*it hés*)
we have	(*uí hév*)
they have	(*dâi hév*)
To be:	
I am	(*ái ém*)
you are	(*iú ár*)
he/she is	(*hi/chi iz*)
it is	(*it iz*)
we are	(*uí ár*)
they are	(*dâi ár*)

Ser ou não ser: usar o verbo to be

O verbo **to be** é um verbo muito usado, desempenhando uma gama de funções no inglês. A seguir, alguma informação sobre quatro das suas funções (não necessariamente por ordem de importância):

Use to be antes de substantivos e adjetivos para mostrar identidade ou o estado:

✔ **Molly and Dixie *are* cats.** (<u>mó</u>-li énd <u>di</u>-csi ár quéts; A Molly e a Dixie são gatas).

✔ **It *is* a beautiful day.** (*it iz â <u>biú</u>-ti-fâl dâi*; Está um dia lindo).

✔ **I *am* lost!** (*ái ém lóst*; Estou perdido!).

Use **to be** como **helping** (ou **auxiliary**) **verb** com os tempos presente contínuo ou passado contínuo. Veja os seguintes exemplos; o primeiro, no **present continuous**, e o segundo, no **past continuous**:

- ✔ **The world *is turning*.** (*dâ uôrld iz târ-ning*; O mundo está girando).

- ✔ **I *was writing* this book last year.** (*ái uóz rái-ting dis buc lást iâr*; Estava escrevendo este livro no ano passado).

Use **to be** como **helping verb** quando se utiliza a expressão **going to** (*gôu-ing tu*; ir para) para indicar o futuro:

- ✔ **You *are going to* speak English very well.** (*iú ár gôu-ing tu spic in-glich vé-ri uél*; Você vai falar muito bem inglês).

- ✔ **The cats *are going to* sleep all day.** (*dâ quéts ár gôu-ing tu slip ól dâi*; Os gatos vão dormir todo o dia).

Encontrará mais informação sobre os tempos presente e passado contínuos e futuro na seção seguinte.

Use **to be** para indicar a localização:

- ✔ **My home *is* in California.** (*mái hôum iz in qué-li-fór-nia*; A minha casa está na Califórnia).

- ✔ **The bus stop *is* over there.** (*dâ bâs stóp iz ôu-vâr dér*; O ônibus está ali).

Em inglês, usa-se o verbo **to be** (e não o verbo **to have**, como se poderia pensar) para indicar a idade. Diga sempre **I am 25 years old** (*ái ém tuên-tifáiv iârs âuld*; Eu tenho 25 anos) e não **I have 25 years** (*ái hév tuên-ti-fáiv iârs*; Eu tenho 25 anos), que pode querer dizer que você ainda lhe falta cumprir 25 anos de cadeia!

Não se Preocupe com os Tempos

Como a maioria das línguas, o inglês tem uma considerável quantidade de tempos para fins específicos, mas a boa notícia é que conhecer alguns dos mais básicos é o suficiente para ir a qualquer lado. Nesta seção, vou ajudar a eliminar a **tension** (*tên-chân*; tensão) dos **tenses** (*tên-ses*; tempos verbais), oferecendo umas regras fáceis e rápidas para utilizar o presente, o passado e o futuro.

Para começar, observe os seguintes exemplos com o verbo regular **to walk** (*tu uó-que*; ir a pé):

- ✔ Presente: **I walk to school every day.** (*ái uóc tu scul é-vri dâi*; Vou a pé para a escola todos os dias).

- ✔ Passado: **I walked to school yesterday.** (*ái uócd tu scul iés-târ-dâi*; Ontem fui a pé para a escola).

- ✔ Futuro: **I will walk to school again tomorrow.** (*ái uil uóc tu scul â-guén tu-mó-rôu*; Irei outra vez a pé para a escola amanhã).

O presente simples

Vou dar dois pelo preço de um: duas formas do presente para as conversas do dia a dia. O primeiro tempo é o **simple present** (*simpâl prézânt*; presente simples). Use este tempo para falar sobre atividades ou acontecimentos cotidianos ou habituais, por exemplo, **I jog everyday** (*ái djóg é-vri-dâi*; faço jogging todos os dias). O verbo **to be,** neste tempo, também é usado para exprimir um estado ou uma afirmação de um fato, como na frase **The sun is hot** (*dâ sân iz hót*; O sol está quente).

A lista seguinte apresenta mais alguns exemplos do tempo presente simples (em itálico):

- It *rains* everyday. (*it râins é-vri-dâi*; Chove todos os dias).
- Dixie *likes* milk. (*di-csi laics milc*; A Dixie gosta de leite).
- She *is* 3 years old. (*chi iz thri iârs ôuld*; Ela tem três anos).

Os advérbios **always** (*ól-uâis*; sempre), **usually** (*iú-jiú-â-li*; geralmente), **sometimes** (*sâm-táims*; por vezes) e **never** (*né-vâ*; nunca) são frequentemente usados com o presente simples para demonstrar a frequência (ou a raridade) com que as atividades habituais ocorrem. Aqui tem alguns exemplos são apresentados:

- I *always wake up* at seven a.m. (*ái ól-uâis uâic âp ét sé-vân âi-ém*; Acordo sempre às sete da manhã).
- Really? I *never wake up* that early. (*ri-li ái né-vâ uâic âp dét âr-li*; Sério? Nunca acordo tão cedo).
- I *usually sleep* until nine. (*ái iú-jiú-â-li slip ân-til náin*; Geralmente durmo até às nove).

O presente contínuo

O segundo tempo do presente que vou mostrar é o **present continuous tense** (*pré-zânt cân-ti-niú-âs têns*; presente contínuo). Este tempo é usado para falar sobre coisas que estão acontecendo neste preciso momento – ou nesta altura da sua vida. Por exemplo:

- It *is raining* right now. (*it iz râi-ning ráit náu*; Agora está chovendo).
- Dixie *is drinking* milk. (*di-csi iz drin-quing milc*; A Dixie está bebendo leite).
- I *am learning* English. (*ái ém lâr-ning in-glich*; Estou aprendendo inglês).

Para todos os leitores que tiverem uma queda para a matemática, eis uma "fórmula" útil para formar o presente contínuo: **to be + verbo principal + -ing**.

E não se esqueça de usar sempre a conjugação correta do verbo **to be**. Por exemplo:

- ✔ **I am reading this book.** (*ái ém ri-ding dis buc*; Estou lendo este livro).

- ✔ **She is reading this book.** (*chi iz ri-ding dis buc*; Ela está lendo este livro).

Consulte a seção de "Verbos irregulares" deste mesmo capítulo, para mais detalhes sobre a conjugação do verbo **to be**.

Quando alguém fizer uma pergunta no presente contínuo, você deve responder no mesmo tempo. Veja os seguintes exemplos de perguntas e respostas:

What *are* you *doing*?	**I *am* cleaning the house.**
uót ár iú duin	*ái ém cli-ning dâ háus*
O que está fazendo?	Estou limpando a casa.
Where *are* you *going*?	**I *am* going to the store.**
uér ár iú gôu-ing	*ái ém gôu-ing tu dâ stór*
Onde você está indo?	Vou à mercearia.

Verifique sempre que o sujeito da frase é realmente capaz de realizar a ação que vai indicar. Por exemplo, se quiser dizer **I'm reading a book** (*áim riding â buc*; Estou lendo um livro.), tenha cuidado para não dizer **The book is reading** (*dâ buc iz ri-ding*; O livro está lendo)! Em inglês, ou em qualquer outra língua, esta ideia é impossível: um livro não pode ler!

O passado simples

Há algumas pessoas que aconselham "Esqueça-se do passado!". Mas, a verdade é que, para aprender uma língua estrangeira, lembrar-se do passado (ou seja, das formas verbais do passado) abre um grande leque de oportunidades. Em inglês, o passado é quase tão necessário como o presente – talvez mais.

Use o **simple past tense** (*sim-pâl pást têns*; passado simples) para se referir a uma ação ou acontecimento que começou e acabou no passado. Com o passado simples, é normal usar palavras referentes ao passado, como **yesterday** (*iés-târ-dâi*; ontem), **last week** (*lást uíc*; na semana passada), **in 1999** (*in náin-tin náin-ti náin*; em 1999), **ten minutes ago** (*tén mi-nâts âgôu*; há dez minutos), e assim por diante.

O passado simples é formado de uma das seguintes maneiras:

- ✔ Acrescentando **-ed** no final dos verbos regulares no passado.

- ✔ Usando a forma do passado irregular nos restantes verbos.

Os verbos regulares no passado

Em inglês, basta acrescentar **-ed** ao final da maior parte dos verbos regulares para se obter o passado! (Pense assim: O seu amigo Ed é uma pessoa muito regular!). Os seguintes exemplos demonstram esta construção regular do passado:

> ✔ I *called* my mother last night. (*ái cóld mái má-dâr lást náit*; Liguei para minha mãe ontem à noite).
>
> ✔ She *answered* the phone. (*chi én-sârd dâ fôun*; Ela atendeu o telefone).
>
> ✔ We *talked* for a long time. (*uí tócd fór â lóng táim*; Nós conversamos durante muito tempo).

Se o verbo terminar na vogal **-e**, acrescente simplesmente o **-d**. Nos verbos que terminam em consoante mais **-y**, como **study** (*stâ-di*; estudar) ou **try** (*trai*; tentar), o passado é construído mudando o **y** para **i** e depois acrescentando o **-ed**, como em **studied** (*stâ-did*; estudei) ou **tried** (*tráid*; tentei).

Os verbos irregulares no passado

Há cerca de uma centena de verbos comuns com passados irregulares. Mas, não se assuste: vai descobri-los pouco a pouco, à medida que for avançando. Garanto que, em breve, vai conhecer todos eles.

E o melhor é que, exceto o verbo **to be**, todos eles têm uma única forma para todas as pessoas. Por exemplo, o passado simples de **to have** é **had** (*héd*; tive). Você encontrará uma lista exaustiva dos verbos irregulares no passado no Apêndice A.

Nos seguintes exemplos (amorosos), os verbos irregulares no passado estão em itálico:

> ✔ I *wrote* a letter to my sweetheart. (*ái rôut â lé-râr tu mái suít-art*; Escrevi uma carta para a minha namorada).
>
> ✔ She *read* it and *said* "I love you." (*chi réd it énd séd ái lâv iú*; Ela leu-a e disse "Eu te amo").
>
> ✔ I *felt* very happy! (*ái félt vé-ri hé-pi*; senti-me muito feliz!).

O verbo **to be** possui duas conjugações no passado simples: **was** e **were**.

> ✔ **I was** (*ái uóz*; eu fui).
>
> ✔ **you were** (*iú uâr*; você foi).
>
> ✔ **he/she/it was** (*hi/chi/it uóz*; ele/ela/foi).
>
> ✔ **we wer**e (*uí uâr*; nós fomos).
>
> ✔ **they were** (*dâi uâr*; eles foram).

O passado contínuo

Depois de saber fazer o presente contínuo, fazer o **past continuous tense** (*pást cân-ti-niú-âs tens*; passado contínuo) é facílimo. Este tempo é utilizado para falar sobre qualquer coisa que ocorreu durante um período de tempo no passado. Por exemplo:

- **It *was raining* last night.** (*it uóz râi-ning lást náit*; Ontem à noite estava chovendo).

- **We *were walking* in the rain.** (*uí uâr uó-quing in da râin*; Estivemos andando na chuva).

Eis a razão pela qual a construção do passado contínuo é muito fácil: se já sabe como formar o presente contínuo, com o verbo **to be + verbo principal + -ing**, só precisa passar o verbo **to be** para o passado, e pronto! Acaba de criar o passado contínuo. Pode perceber bem isto nos dois exemplos seguintes:

- **I am living in the U.S.** (*ái ém li-ving in da iú és*; Estou vivendo nos EUA).

- **I was living in my country last year.** (*ái uóz li-ving in mái cân-tri lást iâr*; Estava vivendo no meu país no ano passado).

O futuro: will e going to

Há duas formas de se referir ao futuro em inglês. Ambas são perfeitamente corretas, embora geralmente se use uma ou outra forma para diferentes fins (mais à frente, explicarei isto melhor). Pode usar a palavra **will** (*uíl*; vou) ou o verbo **to be** mais **going to** para fazer o futuro. Eis duas fórmulas e exemplos que mostram como usar cada uma das formas:

- **will + verbo principal** (na forma básica):

    • **I *will tell* you a story.** (*ái uíl tél iú â stó-ri*; Vou te contar uma história).

    • **We *will help* you in a minute.** (*uí uíl hélp iú in â mi-nât*; Nós iremos te ajudar dentro de um minuto.)

- Verbo **to be + going to + verbo principal** (na forma básica):

    • **I *am going to tell* you a story.** (*ái ém gôu-ing tu tél iú â stóri*; Vou te contar uma história).

    • **She *is going to graduate* next week.** (*chi iz gôu-ing tu grédiú-âit nécst uíc*; Ela vai acabar os estudos na próxima semana).

Os falantes nativos usam quase sempre contrações com o futuro, e qualquer pessoa que queira falar inglês corretamente também deveria fazê-lo. Use as contrações **I'll**, **you'll**, e assim por diante, para o verbo **will**. Com **going to**, use as contrações de **to be**, como **I'm going to**, **you're going to**, **she's going to**, e assim por diante. Consulte a seção "Usar as contrações como um falante nativo", no princípio deste capítulo, para mais informações.

Na linguagem informal, a maior parte dos nativos abrevia a forma do futuro **going to** de modo que soe como **gonna** (*gó-nâ*; vou). Embora **gonna** não seja exatamente uma palavra, as pessoas usam-na frequentemente, mesmo na linguagem escrita, como na seguinte frase: **It's gonna rain soon** (*its gó-nâ râin sun*; Daqui a um pouquinho vai chover). Não se preocupe em tentar dizer o **gonna** quando falar. Verá que sai naturalmente quando começar a falar inglês de uma forma mais fluida.

Adjetivos: o Tempero da Língua

Os **adjectives** (*a-djé-ctivs*; adjetivos) ajudam a descrever ou dão mais informação sobre nomes e pronomes e mesmo sobre outros adjetivos. Proporcionam cor, textura, qualidade, quantidade, caráter e sabor a uma simples e tosca frase.

Repare nesta frase simples sem quaisquer adjetivos:

> **English For Dummies is a book.** (*in-glich fór dâ-mis iz â buc*; Inglês para Leigos é um livro).

Usando a mesma frase, repare em como os adjetivos (em itálico) temperam a linguagem:

> **English For Dummies is a *fun, helpful, basic English language* book!** (*in-glich fór dâ-mis iz â fân, hélp-ful, bei-sic in-glich lén-guâdj buc*; Inglês Para Leigos é um livro básico, divertido e útil sobre a língua inglesa).

Vê como a frase agora já parece que diz muito mais?

Em inglês, os adjetivos nunca têm formas de plural ou gênero. Ou seja, os adjetivos nunca mudam de acordo com o número ou gênero dos substantivos que descrevem. Por exemplo, nas seguintes duas frases, repare como os adjetivos (em itálico) se mantêm inalteráveis, apesar das mudanças dos substantivos:

- **They are very *active* and *noisy* boys.** (*dâi ár vé-ri é-cti-ve énd nói-si bóiz*; São uns rapazes muito ativos e barulhentos).

- **She is a very *active* and *noisy* girl.** (*chi iz â vé-ri é-cti-ve énd nói-si gârl*; Ela é uma moça muito ativa e barulhenta).

É fácil, não é? A parte mais complicada, muitas vezes, é lembrar-se de não dar gênero e número aos adjetivos, só porque a língua portuguesa os tem!

Cor e quantidade

As **colors** (*có-lôrs*; cores) são adjetivos, bem como os **numbers** (*nâm-bârs*; números). As seguintes frases mostram os números do **one** (*uán*; um) até ao **twelve** (*tuélv*; doze), bem como algum vocabulário básico sobre as cores que pode ajudar a falar de forma mais colorida (por dizer qualquer coisa)! (Repare que o número aparece primeiro, seguido pela cor e pelo substantivo).

Capítulo 2: Princípios Básicos da Gramática Inglesa

- **I'd like one red apple.** (*áid laic uán réd épâl*; Quero uma maçã vermelha).
- **... two yellow bananas.** (*tu ié-lâu bâ-né-nâs*; ... duas bananas amarelas).
- **... three blue shirts.** (*thri blu chârts*; ... três camisas azuis).
- **... four green leaves.** (*fór grin livs*; ... quatro folhas verdes).
- **... five orange oranges.** (*fáiv ó-rân-ge ó-rân-ges*; ... cinco laranjas cor-de-laranja).
- **... six pink roses.** (*sics pinc rôu-zes*; seis rosas cor-de-rosa).
- **... seven purple grapes.** (*sé-vân pâr-pâl grâips*; ... sete uvas púrpura).
- **... eight brown dogs.** (*âit bráun dógs*; ... oito cães castanhos).
- **... nine gray donkeys.** (*náin grâi dân-quis*; nove burros cinzentos).
- **... ten black cats.** (*tén bléc quéts*; ... dez gatos negros).
- **... eleven white gardenias.** (*i-lé-vân uáit gár-di-niâs*; ... onze gardênias brancas).
- **... twelve gold coins.** (*tuélv gôld cóins*; ... doze moedas de ouro).

O que vem antes do número um? O **zero** (*zi-rôu*; zero). Pode descobrir mais números, grandes e pequenos, na folha de cola.

O adjetivo vai antes ou depois?

O inglês, às vezes, parece que faz as coisas ao contrário. Por exemplo, os adjetivos são muitas vezes colocados antes (em vez de depois) do substantivo a que se referem. Ou seja, uma pessoa pode descrever qualquer coisa antes mesmo de dizer do que se trata! Na seguinte frase, você verá que só saberá sobre o quê estou falando no final: **I have a big brown four-legged...** (*ái hév â big bráun fór-légued*; Eu tenho uma grande e marrom, de quatro pernas)... Quê? Um cão? Uma égua? Não, uma **table** (*tâi-bâl*; mesa)! Mas, se quiser, também pode começar a frase com o substantivo seguido pelo verbo **to be** (*tu bi*; ser) e depois acrescentar os adjetivos, como **My table is big, brown, and four-legged** (*mái tâi-bâl iz big bráun énd for-lé-gued*; A minha mesa é grande, castanha e com quatro pernas). Parece esquisito? Um pouquinho, mas é assim a língua inglesa.

Quando os substantivos se tornam adjetivos

Os substantivos podem, por vezes, desempenhar o papel de um adjetivo quando são usados para descrever outro substantivo. Por exemplo, a palavra **university** (*iú-ni-vâr-si-ti*; universidade) é um substantivo, mas na seguinte frase torna-se num adjetivo: **My sister is a university professor** (*mái sis-târ iz â iúni- vâr-si-ti prôu-fé-sâr*; A minha irmã é uma professora universitária). A sua função passou a ser a de descrever o substantivo professor. Aqui tem mais alguns exemplos. As palavras em itálico são substantivos que desempenham funções de adjetivos:

✔ **This is a language book.** (*dis iz â lénguâdj buc*; Isto é um livro de línguas).

✔ **I have a California address.** (*ái hév â quéli- fór-nia é-drés*; Tenho uma morada na Califórnia).

Lembre-se sempre de que os adjetivos não têm formas no plural; por isso, quando um substantivo se torna um adjetivo, perde o plural — mesmo que modifique um substantivo no plural: **These are language books** (*di-ze ár lén-guâdj bucs*; Estes são livros de línguas).

Explicar como uma pessoa se sente

Os adjetivos podem descrever **feelings** (*fi-lings*; sentimentos), **emotions** (*i-môu-châns*; emoções) e o estado geral de saúde. Os verbos **to be** e **to feel** (*tu fil*; sentir) são usados com os seguintes tipos de adjetivos:

✔ **She is happy/tired.** (*chi iz hé-pi / tái-ârd*; Ela está contente/cansada).

✔ **I feel nervous/angry.** (*ái fil nâr-vâs / én-gri*; Sinto-me nervoso/zangado).

✔ **They are in love.** (*dâi ár in lâv*; Eles estão apaixonados.)

Descrever o caráter e as capacidades

Os adjetivos são usados para descrever o caráter, as qualidades e as capacidades das pessoas. Use o verbo **to be** com este tipo de adjetivo:

✔ **He's kind.** (*hiz cáind*; Ele é amável.).

... **generous.** (*djé-ne-râs*; generoso).

... **selfish.** (*sél-fich*; egoísta).

... **intelligent.** (*in-té-li-djânt*; inteligente).

✔ **They're athletic.** (*dér a-thlé-tic*; Eles são atléticos.).

... **patriotic.** (*pâi-tri-ó-tic*; patrióticos.).

... **artistic.** (*ár-tis-tic*; artísticos.).

✔ **You're funny!** (*iór fâ-ni*; Você é engraçado!)

✔ **We're competitive.** (*uír côn-pé-ti-tiv*; Somos competitivos.).

Para dar mais ênfase à sua descrição, use o advérbio **very** (*vé-ri*; muito) antes do adjetivo. Por exemplo:

Capítulo 2: Princípios Básicos da Gramática Inglesa **45**

> ✔ **It's a very hot day.** (*its â vé-ri hót dâi*; Está um dia muito quente).

> ✔ **She's very artistic.** (*chiz vé-ri ár-tis-tic*; Ela é muito artística).

Para descobrir mais coisas sobre os adjetivos descritivos, consulte o Capítulo 3.

Hard e hardly

Em alguns casos, ao acrescentar -ly a um adjetivo, você obterá um advérbio com um significado diferente. Por exemplo: o adjetivo **late** significa "atrasado" ou "tarde", mas o advérbio **lately** significa "nos últimos tempos". Outro exemplo é **hard** (*hárd*; duro) e **hardly** (*hár-dli*; quase não). O adjetivo **hard** significa "duro", "difícil". Mas **hard** também pode ser um advérbio que significa "esforçadamente", como na frase **She works hard** (*chi uôrcs hárd*; Ela trabalha muito). Mas, há outro advérbio proveniente de **hard, hardly**, que significa "quase não" ou "quase nunca"; como na frase **He hardly has any money** (*hi hár-dli hés éni mâ-ni*; Ele quase não tem dinheiro). As pessoas, por vezes, confundem os dois advérbios e usam **hardly** quando querem dizer **hard**. Os americanos brincam muitas vezes uns com os outros de forma amigável perguntando **Are you working hard or hardly working?** (*ár iú uôr-quing hárd ór hár-dli uôr-quing?*; Está trabalhando **muito ou quase nunca?**).

Advérbios: Dar Caráter aos Verbos

Os **adverbs** (*é-dvârbs*; advérbios) ajudam a descrever um verbo ou um adjetivo. (Há mais informação sobre verbos na seção seguinte). Os advérbios podem indicar como ou de que forma se está a realizar qualquer ação se realiza.

Aqui tem uma frase sem um advérbio:

> **I play the piano.** (*ái plâi dâ pi-é-nôu*; Eu toco piano).

Agora acrescente um advérbio e repare como a frase adquire um novo significado:

> **I play the piano badly!** (*ái plâi dâ pi-é-nôu bé-dli*; Eu toco piano mal.) (Uma grande verdade)

Os advérbios também podem indicar a frequência de realização de uma determinada ação, como em **I rarely practice the piano.** (*ái rér-li précti- ce dâ pi-é-nôu*; Eu raramente pratico o piano). E também podem aumentar a informação dada pelo adjetivo, como na frase **My piano teacher is extremely patient** (*mái pi-é-nôu ti-tchâr iz ecs-tri-me-li pâichânt*; O meu professor de piano é extremamente paciente).

A maior parte dos advérbios é formada acrescentando-se -ly a um adjetivo. Por exemplo, o adjetivo **slow** (*slôu*; lento) forma o advérbio **slowly** (*slôuli*; lentamente). A seguir tem algumas frases com mais exemplos desta formação de advérbios:

46 Parte I: Antes de Tudo

✔ Adjetivo: **The turtle is slow.** (*dâ __târ__-tâl iz slôu*; A tartaruga é lenta).

✔ Advérbio: **The turtle walks slowly.** (*dâ __târ__-tâl uócs __slôu__-li*; A tartaruga anda lentamente).

Aqui tem outro exemplo com as palavras **happy** (*__hé__-pi*; feliz) e **happily** (*__hé__-pi-li*; alegremente). Repare que quando o adjetivo acaba em **-y**, perde o **-y** e acrescenta-se **-ily**:

✔ Adjetivo: **The baby is happy.** (*dâ __bâi__-bi iz __hé__-pi*; O bebê está feliz).

✔ Advérbio: **The baby played happily.** (*dâ __bâi__-bi plâid __hé__-pi-ly*; O bebê brincava alegremente).

Alguns advérbios e adjetivos são "clones", o que significa que as palavras são exatamente iguais. Por exemplo, repare na palavra **fast** (*fést*; rápido) nas seguintes duas frases:

✔ Adjetivo: **He has a fast car.** (*hi héz â fést cár*; Ele tem um carro rápido).

✔ Advérbio: **He drives too fast.** (*hi dráivs tu fést*; Ele conduz demasiado rápido).

Um par de adjetivo/advérbio um pouco estranho é **good** e **well**. Uma pessoa pode sentir-se tentada a dizer **good** e **goodly**, porque, afinal de contas, o oposto é **bad** e **badly**. Mas não, o advérbio correspondente ao adjetivo **good** é **well**, embora, ocasionalmente, possa ouvir alguns falantes nativos usar a palavra **good** quando deviam usar **well**. Veja o seguinte exemplo de como usar corretamente estas palavras.

✔ Adjetivo: **Your English is good.** (*iór __in__-glich iz gud*; O teu inglês é bom).

✔ Advérbio: **You speak very well.** (*iú spic __vé__-ri uél*; Você fala muito bem).

Os Três Artigos: A, An e The

Em inglês, quando alguém menciona "essas três palavrinhas", geralmente, refere-se a estas três palavrinhas amorosas que fazem com que os corações saltitem: **I love you** (*ái lâv iú*; Eu te amo). Nesta seção, vou demonstrar como usar as outras três palavrinhas: os artigos **a**, **an** e **the**. Estas também podem fazer com que o coração salte, mas de medo.

Tal como no amor, há pessoas que se preocupam muito com o risco de cometer erros. Por isso, decidem evitar os artigos por completo. Entretanto, a língua inglesa sem artigos é como... a vida sem amor. Bom, isto talvez seja um pouco dramático, mas se percebe onde quero chegar: os artigos são importantes.

A seguir encontrará um curso rápido, especial para leigos, sobre os artigos, que você o ajudará a usá-los destemidamente. Nota: em inglês, os artigos (tal como os substantivos) não têm gênero, isto é, são iguais para o masculino e para o feminino, como se pode ver pelas frases **The boy is tall** (*dâ bói iz tól*; O rapaz é alto) e **The girl is tall** (*dâ gârl iz tól*; A garota é alta).

Capítulo 2: Princípios Básicos da Gramática Inglesa 47

✔ **A/an** em vez de **the** (muito fácil): **a** e **an** são artigos indefinidos e são usados sempre antes de substantivos no singular. **The** é um artigo definido e pode ser usado antes de substantivos no singular e no plural:

- **Molly is *a* cat.** (*mó-li iz â quét*; A Molly é uma gata).
- **She is *an* animal.** (*chi iz ân é-ni-mâl*; Ela é um animal).
- ***The* birds fear her.** (*dâ bârds fir hâr*; Os pássaros têm medo dela).

✔ **A** em vez de **an** (também muito fácil): **a** é usado antes de substantivos ou adjetivos que começam por consoantes. **An** é usado antes de substantivos ou adjetivos que começam por "h" silencioso ou por vogais:

- **We saw *a* movie.** (*uí só â mu-vi*; Nós vimos um filme).
- **The book is *an* autobiography.** (*dâ buc iz ân ó-tó-bi-ó-grâfi*; O livro é uma autobiografia).
- **He's *an* honest man.** (*hiz ân ó-nâst mân*; Ele é um homem honesto).

✔ **The** *versus* nenhum artigo (não muito difícil): **the** é usado antes de substantivos contáveis e incontáveis quando se fala especificamente. Não se usa nenhum artigo antes de substantivos incontáveis quando se fala geralmente:

- ***The* coffee in Mexico is delicious!** (*dâ có-fi in mé-csi-côu iz di-li-châs*; O café no México é delicioso).
- **Coffee is popular in the U.S.** (*có-fi iz pó-piú-lâr in dâ iú-ésse*; O café é popular nos EUA).

✔ **A/an** versus **the** (um pouco difícil): **a** e **an** são usados como os artigos indefinidos (um, uma) da língua portuguesa. **The** é usado como os artigos definidos (o, a, os, as) da língua portuguesa:

- **I read *a* good book.** (*ái réd â gud buc*; Li um bom livro).
- **The book was about *an* artist.** (*dâ buc uóz a-báut ân ártist*; O livro era sobre um artista).
- **The artist lives on *a* ranch.** (*di ár-tist livs ón â réntch*; O artista vive numa fazenda).

✔ **The** (bastante fácil): **the** é usado antes dos nomes de cordilheiras, rios, oceanos e mares:

- ***The* Pacific Ocean is huge.** (*dâ pâ-ci-fic ôu-chân iz iú-dje*; O oceano Pacífico é enorme).
- ***The* Amazon is in South America.** (*di é-mâ-zón iz in sáuth â-mé-ri-câ*; O Amazonas está na América do Sul).

✔ **The** (também bastante fácil): **the** é usado antes do nome de países, cujas denominações incluem referências à forma de governo ou união:

- **The United States** (*dâ iú-nái-ted stâits*; Os Estados Unidos).
- **The People's Republic of China** (*dâ pi-pâls ri-pâ-blic âf tchái-na*; A República Popular da China).

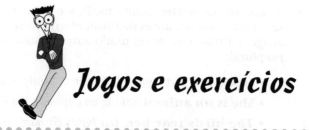

Jogos e exercícios

Tente preencher este *puzzle* gramatical para ver quantas palavras e formas interrogativas se lembra. Complete as perguntas com a palavra interrogativa correta. Deixo uma sugestão: use as respostas da segunda coluna se precisar de ajuda.

1. _____ is she? She's my friend.
2. _____ children do you have? I have 3 children.
3. _____ do you live? I live in Texas.
4. _____ you speak English? Yes, I can.
5. _____ are you? I'm fine thanks.
6. _____ is your name? My name is Sam.
7. _____ does this cost? It's five dollars.
8. _____ you like pizza? Yes, I do!
9. _____ did you come here? I came here last year.
10. _____ you in love? No, I'm not.
11. _____ are you so happy? Because I won the lottery!
12. _____ you born in the U.S.? No, I wasn't.

Parte II
Falar um Pouquinho de Inglês

A 5ª Onda — Por Rich Tennant

"Eu sei que é uma expressão americana, mas não podemos dizer 'Hasta la vista, baby' para uma freira!."

Nesta parte...

Com um pouquinho de inglês pode-se fazer muita coisa! Os capítulos desta parte oferecem um bom vocabulário e construções fáceis e cotidianas para que você possa começar a falar e a conhecer pessoas. Assim, descobrirá saudações simples, bem como formas de se apresentar e de manter uma conversa agradável. Também aprenderá a pedir ajuda, obter direções para ir a qualquer lado e a falar ao telefone (sem medo)! Comece por onde quiser nesta parte... E fale, fale!

Capítulo 3

Muito Prazer em Conhecê-lo

Neste Capítulo

- Dizendo olá e dizer adeus
- Conhecendo pessoas em ambientes informais e formais
- Descobrindo mais sobre os nomes americanos
- Descrevendo as pessoas

Saber um pouquinho de inglês dá para muita coisa. Dizer um simples **hello** (*hé-lôu*; olá) e meia dúzia de palavras de saudação pode abrir uma série de portas. Neste capítulo, irei apresentar algumas frases simples que podem ajudar a conhecer pessoas e a saber mais coisas sobre elas. Também descobrirá como apresentar-se aos seus amigos, quando usar expressões formais e informais, como descrever pessoas e o que dizer depois dos cumprimentos iniciais.

Cumprimentar as Pessoas

Pode-se sempre cumprimentar alguém com um simples **hello** (*hé-lôu*; olá) ou **hi** (*hái*; olá), mas também se pode aplicar uma frase mais adequada para a situação, por exemplo:

- **Good morning.** (*gud mor-ning*; Bom dia): pode-se dizer isto a qualquer hora antes do meio-dia.

- **Good afternoon.** (*gud é-ftâr-nun*; Boa tarde): pode-se dizer isto a qualquer momento entre o meio-dia e cinco da tarde (antes de escurecer).

- **Good evening.** (*gud i-ve-ning*; Boa noite): pode-se dizer isto a qualquer hora depois das cinco ou seis da tarde, ou sempre que já seja noite.

Good night (*gud náit*; Boa noite) não é uma saudação (mesmo a altas horas da noite). É uma expressão para dizer **goodbye** (*gud-bái*; adeus) quando já é de noite. Se encontrar alguém e disser **good night**, vão-lhe perguntar "O quê? Já vai embora? Acabou de chegar!".

Perguntar "Como está?"

Depois de (ou em vez de) dizerem olá, as pessoas fazem, frequentemente, uma pergunta do gênero **How are you?** (*háu ár iú*; Como está?). A seguinte lista oferece alguns cumprimentos normais e formas de resposta se lhe forem dirigidos. Repare que a primeira frase apresentada é muito formal. As seguintes formas de cumprimentar são mais informais.

How are you doing? (*háu ár iú du-ing*; Como está?)	**Very well, thank you. And how are you?** (*vé-ri uél thénc iú énd háu ár iú*; Muito bem, Obrigado. E como está o senhor?)
How are you? (*háu ár iú*; Como está?)	**Not bad. What about you?** (*nót béd uót â-báut iú*; Vou andando. E você?/ o senhor?)
How's it going? (*háuz it gôu-ing*; Como vai a vida?)	**Great. How about you?** (*grâit háu â-báut iú*; Ótima. E com você?)
How are things? (*háu ár things*; Tudo bem?)	**Fine. And you?** (*fáin énd iú*; Bem. E com você?)

Quando disser **How about you?**, pronuncie a palavra **you** com uma forte ênfase. E quando disser **And you?**, pronuncie o **you** com uma entonação crescente no final. Por outro lado, quando disser **How about you?** Ou **What about you?**, pronuncie **you** com um ligeiro som crescendo e depois com uma entonação decrescente no final. Consulte o Capítulo 1 para mais informação sobre a pronúncia, ênfase e entonação.

A frase **How are you *doing*?** possui o mesmo significado que **How are you?**; por isso, pode responder a ambas da mesma forma. E lembre-se de que **How are you doing?** não quer dizer **What are you doing?** (*uát ár iú duing*; O que você está fazendo?). Poucas pessoas, ao encontrar alguém na rua, vão dizer **Hi. What are you doing?** porque a resposta é mais ou menos óbvia: **Um, well, I'm walking down the street!** (Estou passeando na rua!)

How are you? (E o que te importa?)

Os meus alunos, muitas vezes, dizem que os americanos parecem amigáveis e tudo mais, mas que lhes parece estranho que as pessoas os cumprimentem e lhes perguntem como estão e depois continuem o seu passeio sem esperar pela resposta. Falta de educação? Não necessariamente. Na realidade, as pessoas dizem muitas vezes **Hi** ou **How are you?** quando passam por alguém que conhecem na rua. Não querem parar e conversar um pouco nem nada, mas, seja como for, querem cumprimentá-la.

A esta explicação ouvi muitas vezes a réplica que sim, que percebem a parte do querer cumprimentar alguém, mas o que não percebem é por que é que as pessoas fazem uma pergunta como **How are you?**, se não querem saber a resposta. Bom, a verdade é que não tenho uma resposta mágica para este fenômeno cultural, mas parece que **How are you?** se transformou numa espécie de sinônimo de **Hi** ou **Hello** e nem sempre necessita de uma resposta quando é dito assim de passagem. Por isso, diga simplesmente **Hi** ou **Fine. How are you?** e continue a andar.

Independentemente de se sentir fantástico ou terrivelmente mal, quando alguém perguntar **How are you?**, a resposta mais delicada é sempre **I'm fine, thanks. And you?** (*áim fáin théncs énd iú*; Estou bem, obrigado. E o senhor/você?). Quase todas as pessoas dizem isto, especialmente em situações mais formais, e com estranhos e pessoas que não conhecem bem. É claro que com amigos e mesmo com colegas de trabalho as pessoas, muitas vezes, acabam por dizer como se sentem realmente. Por exemplo:

- **terrific** (*te-ri-fic*; estupendo).
- **fantastic** (*fén-tés-tic*; fantástico).
- **wonderful** (*uân-dâr-ful*; maravilhoso).
- **okay** (*ôu-câi*; OK).
- **so-so** (*sôu-sôu*; assim-assim).
- **not so good** (*nót sôu gud*; não muito bem).
- **terrible** (*té-ri-bâl*; terrível).

Dizer **I'm great** (*áim grâit*; Estou fantástico). ou **I'm wonderful** (*áim uândâr- ful*; Estou maravilhoso) quando alguém pergunta **How are you?** É correto — não é se gabar e nem ser arrogante. Está apenas dizendo que se sente bem, e não que é uma pessoa estupenda. E não pense que as pessoas vão se sentir mal pela comparação só porque você diz a elas que se encontra estupendo. A maior parte das pessoas gosta de ouvir que as outras pessoas se sentem bem. É animador.

Diálogo

 A Lori chega ao seu trabalho e cumprimenta a sua colega Becky. (Faixa 5)

Lori: **Good morning, Becky.**
gud mór-ning bé-qui
Bom dia, Becky.

Becky: **Hi, Lori. How's it going?**
hái ló-ri háuz it gôu-ing
Olá, Lori. Como está?

Lori: **Pretty good. How are you?**
pri-ti gud háu ár iú
Muito bem. E você, como está?

Becky: **Well, I'm okay, but not great.**
uél áim ôu-câi bât nót grâit
Bem, estou bem, mas também não estou estupenda.

Lori:	**Oh? What's the matter?** ôu uóts dâ <u>mé</u>-râr Oh? E o que você tem?
Becky:	**I'm a little sick.** áim â <u>li</u>-tâl sic Estou um pouquinho doente.
Lori:	**I'm sorry to hear that.** áim <u>só</u>-ri tu hiâr dét Sinto muito!
Becky:	**Thanks. I'll be okay.** théncs áil bi <u>ôu</u>-câi Obrigada. Ficarei bem.

Saudações informais

Muita gente usa saudações em **slang** (*sléng*; calão/gíria). A seguinte lista apresenta algumas versões mais informais de **How are you?**, bem como algumas respostas possíveis. O último exemplo é de uma gíria bastante contemporânea usada na maioria das vezes por jovens.

What's up? *uáts âp* O que que está acontecendo?	**Not much. What's up with you?** *nót mâtch uáts âp uíth iú* Nada de especial. O que é que acontece com você?
What's happening? *uáts <u>hé</u>-pe-ning?* O que é que está acontecendo?	**Nothing much. How about you?** *<u>ná</u>-thing mâtch háu â-<u>báut</u> iú* Nada de especial. E com você?
What's going on? *uáts <u>gôu</u>-ing ón* O que que está acontecendo?	**Not much. You?** *nót mâtch iú* Nada de especial. E você?
Wassup? *<u>Uá</u>-sâp* Quê?	**Hey.** *hâi* Tá.

Frases como **What's up?** e **What's going on?** possuem o mesmo significado que **What are you doing?** Você pode responder a estas perguntas dizendo o que está fazendo nesse momento, como **I'm studying** (*áim <u>stâ</u>-diing*; Estou estudando) ou **I'm waiting for a friend** (*áim <u>uâi</u>-ting fór â frênd*; Estou à espera de um amigo). Mas, muitas vezes, as pessoas respondem a perguntas do gênero de **What's up?** com **Not much** (*nót mâtch*; Nada de especial) ou **Nothing much** (*<u>ná</u>-thing mâtch*; Nada de especial). E depois é que dizem o que estão realmente fazendo. Pode parecer um pouquinho estranho, mas é assim que os americanos se portam.

Capítulo 3: Muito Prazer em Conhecê-lo 55

Diálogo

O Josh foi com os seus amigos Sid e J.J. a um café onde os jovens costumam parar. Levou consigo o seu amigo Tony, que não é da cidade.

Josh:	**Hey, Sid and J.J.**
	hâi sid énd djâi-djâi
	Ei, Sid e J.J.
J.J. and Sid:	**Hey, what's up?**
	hâi uóts âp
	Ei, o que é que se passa?
Josh:	**Do you guys know Tony? Tony, this is Sid.**
	du iú gáiz nôu tôu-ni tôu-ni dis iz sid
	Vocês conhecem o Tony? Tony, este é o Sid.
Tony:	**Hey, Sid. How's it going?**
	âi sid áuz it gôu-ing
	Ei, Sid. Como está?
Sid:	**Pretty good. You?**
	pri-ti gud iú
	Muito bem. E você?
Tony:	**Not bad.**
	nót béd
	Vou indo.
Josh:	**And this is J.J.**
	énd this iz djâi-djâi
	E este é o J.J.
Tony:	**Hey, J.J. Wassup?**
	hâi djâi-djâi uá-sâp
	Eh, J.J. O que você faz?
J.J.:	**Nothing much. Having some coffee. Good to meet you.**
	ná-thing mâtch hé-ving sâm có-fi gud tu mit iú
	Nada de especial. Estou tomando um café. Muito prazer.
Tony:	**Same here.**
	sâim hiâr
	Igualmente.

56 Parte II: Falar um Pouquinho de Inglês

Dizer adeus

Quando chega o momento das despedidas, existe uma série de formas para encerrar educadamente a conversa antes de ir embora. Aqui tem três exemplos:

 ✔ **I've got to go, now.** (*áiv gát tu gôu náu*; Tenho que ir embora.)

 ✔ **I'd better go.** (*áid bé-târ gôu*; Devia ir embora.)

 ✔ **It was nice talking to you.** (*it uóz náis tó-quing tu iú*; Foi um prazer ter esta conversa com você).

E depois pode dizer:

 ✔ **Goodbye.** (*gúd-bái*; Adeus).

 ✔ **Bye.** (*bái*; Adeus).

 ✔ **So long.** (*sôu lóng*; Até à vista).

 ✔ **See you later.** (*si iú lâi-tâ*; Até logo).

Fazer as Apresentações

Antes de poder dizer **It's nice to meet you** (*its náis tu mit iú*; Muito prazer em conhecê-lo) – o título deste capítulo –, precisa ser apresentado. Conhecer pessoas e saber um pouco mais acerca delas não só é divertido mas é também uma forma fantástica de praticar e melhorar o seu inglês. Por isso, esta seção está dedicada às apresentações (tanto formais como informais). E, para a eventualidade de não haver ninguém para o apresentar, mostrarei também uma forma de você se apresentar.

Apresentando-se

Imagine que foi convidado para uma festa ou um churrasco. Naturalmente, espera que o seu anfitrião o apresente aos restantes dos convidados quando chegarem, mas, em vez disso, a única coisa que faz é acenar do outro lado da sala e gritar que se sirva das bebidas. Então, lá fica o leitor com o seu refresco na mão, sentindo-se estranho e perguntando a si o que é que pode fazer agora.

O meu conselho é o seguinte: apresente-se às pessoas. (É verdade que isso deveria ser a missão do seu anfitrião; mas, se ele estiver ocupado com outras coisas, você deve avançar). É perfeitamente aceitável que uma pessoa se apresente sozinha. Aqui há duas maneiras simples e simpáticas de fazer:

 ✔ **Hi. I'm _____.** (*hái áim*; Olá. Eu sou _____).

 ✔ **Hello. My name is _____.** (*hé-lôu mái nâim iz*; Olá. Chamo-me _____).

Ou se a situação requerer uma apresentação mais formal, pode dizer:

- **I'd like to introduce myself. I'm.** (*áid láic tu in-trôu-diús mái-sélf áim*; Eu gostaria de me apresentar. Eu sou).

- **I don't think we've met. I'm.** (*ái dônt thinc uív mét áim*; Eu acho que ainda não nos conhecemos. Eu sou).

A outra pessoa geralmente responde dizendo-lhe o seu nome. Mas, se não o fizer, ao apresentar-se, pode perguntar: **And what's your name?** (*énd uóts iór nâim*; E o/a senhor/a, como se chama?)

Quando alguém diz **It's nice to meet you** (*its náis tu mit iú*; Muito prazer em conhecê-lo), pode repetir a frase acrescentando a palavra **too** (*tu*; também) no final. Ainda mais fácil, pode responder informalmente com a expressão **Same here** (*sâim hiâr*; Eu também).

Seja como for, não diga **Me too** (*mi tu*; Eu também) quando alguém disser **It's nice to meet you**, porque dizer algo como "Eu também tenho muito prazer em conhecer-me." Tem a sua graça, mas não é exatamente a mensagem que quer transmitir!

Apresentar outras pessoas

Pode haver ocasiões em que tenha de apresentar os seus amigos ou família a outras pessoas. As seguintes apresentações são informais, mas não deixam de ser educadas:

- **This is** _____. (*dis iz*; Este é o _____).

- **Meet my friend** _____. (*mit mái frênd*; Apresento o meu amigo _____).

E quando a situação requerer uma introdução formal, pode escolher um dos seguintes métodos:

- **Please let me introduce** _____. (*pliz lét mi in-trôu-diús*; Permita-me que me apresente _____).

- **I'd like you to meet** _____. (*áid laic iú tu mit*; Gostaria de te apresentar _____).

Por vezes, as pessoas que quer apresentar já se conheciam. Se não tiver a certeza, pode sempre perguntar:

- **Have you met** _____? (*hév iú mét*; Já conhece o _____).

- **Do you know** _____? (*du iú nôu*; Já conhece o _____).

Dominar o aperto de mão

Let me shake your hand! (*lét mi châic iór hénd*; Deixe-me apertar-lhe a mão!) As pessoas usam geralmente esta frase quando querem felicitar alguém. E **Let's shake on it!** (*léts châic ón it*; Demos um aperto de mão!) significa que acaba de chegar a um acordo ou de fechar um negócio. E, claro, no dia a dia, as pessoas dão apertos de mão quando se encontram e, por vezes, quando se despedem.

Qualquer pessoa pode estender a mão para um **handshake** (*hénd-châic*; aperto de mão) — um homem ou uma mulher, um encarregado ou um empregado. E um aperto de mão correto implica uma pressão ligeiramente firme e entre cinco e dez abanões. É óbvio que, no Brasil, também se dão apertos de mão, mas o "aperto de mão americano" é ligeiramente diferente. Por isso, a seguir apresento alguns tipos de aperto de mão que é melhor não dar:

- Dar um aperto de mão só com as pontas dos dedos ou com uma mão mole pode significar: estou chateado; não me interessa; sou muito tímido; estou praticamente morto.

- Apertar muito a mão do interlocutor pode ser interpretado como: eu controlo; eu vou à academia; veja como estou forte!

- Abanar a mão do interlocutor durante muito tempo e muito vigorosamente dá a ideia: tenho muito, muito, muito, muito prazer em conhecê-lo; estou com os nervos em frangalhos; sou um robô — por favor desligue o interruptor!

Diálogo

 Você está morando com a sua família nos Estados Unidos e, num dia em que sai com a sua mãe, encontra uma colega. (Faixa 6)

Leitor: **Oh! Hi, Claudia!**
ôu hái cló-dia
Oh! Olá, Claudia!

Claudia: **Hi!**
hái
Olá!

You: **Have you met my mom?**
hév iú mét mái móm
Já conhece a minha mãe?

Claudia: **No, I haven't. Hi.**
nôu ái hé-vânt hái
Não, não a conhecia. Olá.

You: **This is my mother, Karen. Mom, this is my friend, Claudia.**
dis iz mái má-dâr qué-rân móm dis iz mái frênd cló-dia
Esta é a minha mãe, Karen. Mãe, esta é a minha amiga Claudia.

Claudia: **Hello. It's nice to meet you.**
hé-lôu its náis tu mit iú
Olá. Muito prazer em conhecê-la.

Capítulo 3: Muito Prazer em Conhecê-lo **59**

Karen:	**Hi, Claudia. Nice to meet you, too.**
	hái cló-dia náis tu mit iú tu
	Olá, Cláudia. Também tenho muito prazer em conhê-la.

Palavras a saber

introduce	in-trôu-diús	apresentar
let me introduce	lét mi in-trôu-diús	deixe-me apresentar
to meet	tu mit	conhecer
introduction	in-trôu-dâc-chân	apresentação

Quando é que nos aproximamos demais das pessoas? Como sempre, isso depende muito de onde é a pessoa. A noção de **personal space** (*pâr-sâ-nâl spâis*; espaço pessoal) varia muito, em função de diversos fatores culturais. Os investigadores que se dedicam ao estudo destes temas consideram que, nos EUA, as pessoas geralmente mantêm uma distância de entre 30 e 45 centímetros em relação aos seus interlocutores quando se encontram ou falam informalmente (é uma boa distância para um aperto de mão confortável). Então, repare no que acontece ao se aproximar de um americano alguns centímetros a menos dessa distância, enquanto estiver falando com ele. Nota como dá um passinho para trás para manter a distância desejada?

Por outro lado, se estiver muito longe (talvez à distância culturalmente apropriada para você), vê como a pessoa se aproxima um pouquinho mais de você? Não se preocupe, o seu interlocutor está só respondendo às normas inconscientes do **espaço pessoal**.

Palavras a saber

personal space	pâr-sâ-nâl spâis	espaço pessoal
space	spâis	espaço
close	clôus	perto
far away	fár a-uâi	longe

Como se Chama?

Os nomes americanos são tão ricos e variados como a própria sociedade americana. Afinal, nos EUA, a maior parte dos avós das pessoas (e muitas das pessoas) vieram de algum outro lugar – da Europa, da Ásia e da África.

Por isso, os seus nomes, como McMillan, Goldberg, Yamaguchi, Cisneros, Kwan, Mfume, Johnson, e assim por diante, são também um reflexo do substrato multicultural dos EUA.

Os nomes são importantes; por isso, dedicamos esta seção a este tema: como perguntar o nome a uma pessoa, como apresentar o nosso próprio nome, como usar nomes e títulos de acordo com a formalidade de uma situação e alguma informação sobre como se formam os nomes americanos.

Nomes para tudo

Parece que há várias expressões para os nomes nos EUA. Por exemplo, quando se preenche um impresso, geralmente, pedem-se três nomes: o nome próprio, o nome do meio (que pode ser só uma inicial) e o sobrenome. Mas, quando uma pessoa pensa que já percebeu como funciona o tema dos nomes, vem alguém perguntar qual é o seu **given name** (*gui-vân nâim*; nome próprio), o **surname** (*sâr-nâim*; sobrenome), o **family name** (*fé-mi-li nâim*; sobrenome), o **nickname** (*nic-nâim*; apelido), o **married name** (*mé-rid nâim*; nome de casada), o **maiden name** (*mâi-dân nâim*; nome de solteira) ou o **user name** (*iú-zâr nâim*; nome de usuário)!

Não se preocupe com os diferentes tipos de nomes. As seguintes indicações podem ajudar a compreendê-los:

- O **first name**, também chamado **given name**, é geralmente dito primeiro (que surpresa!). Como no Brasil, os nomes próprios são geralmente escolhidos pelos pais ou por outros membros da família. Alguns nomes próprios também possuem diminutivos ou formas abreviadas, como Katherine e Kathy ou Kate (em alguns casos, os diminutivos são o nome!). Como muitos nomes próprios provinham da Bíblia, também é normal ouvir a expressão **Christian name** (*cristiân nâim*; nome próprio).

- Nem todo mundo possui um **middle name** (*mi-dâl nâim*; nome do meio), mas é bastante comum. Este nome também é escolhido pelos pais ou por um familiar ou amigo próximo. Por vezes, é um nome próprio de um antepassado ou um sobrenome da família. Muitos americanos apenas utilizam o nome do meio, ou a sua inicial, em documentos oficiais.

- **Last name** (*lást nâim*; sobrenome) é um sinônimo de **family name** ou **surname**. Quando uma pessoa se apresenta, diz o sobrenome no final – não no princípio. (Para mais informação sobre sobrenomes, consulte a caixa "A (r)evolução dos sobrenomes", neste capítulo).

- Um **nickname** pode ser tanto esse nome carinhoso com que uma pessoa é conhecida pelos seus familiares (a minha família me chamava

"Miss G.", por exemplo) como esse apelido que uma pessoa recebe na escola ou no trabalho, como "O Cérebro". Os diminutivos dos nomes são frequentemente formados acrescentando **-y** ou **-ie** no final dos nomes, como Joanie ou Joshy. (Há algumas formas abreviadas que já acabam em **-y** ou **-ie**, como Susie ou Tommy. Estas formas não são realmente **nicknames**). Para puxar um pouco de conversa, pode sempre perguntar **Do you have a nickname?** (*du iú hév â <u>nic</u>-nâim*; Tem algum diminutivo?).

Pode usar qualquer das estruturas seguintes para se identificar e falar sobre nomes:

- ✔ **My first name is** _____. (*mái fârst nâim iz*; O meu nome próprio é _____).

- ✔ **My middle name is** _____. (*mái <u>mi</u>-dâl nâim iz*; O meu nome do meio é _____).

- ✔ **My last name is** _____. (*mái lást nâim iz*; O meu sobrenome é _____).

- ✔ **My maiden name is** _____. (*mái <u>mâi</u>-dân nâim iz*; O meu nome de solteira é _____).

- ✔ **My son's name is** _____. (*mái sâns nâim iz*; O nome do meu filho é _____).

- ✔ **I call my son** _____. (*ái cól mái sân*; Chamo o meu filho _____).

- ✔ **It's short for** _____. (*its chórt fór*; É uma forma abreviada de _____).

- ✔ **I'm named after** _____. (*áim nâi-med áftâr*; Chamo-me como _____).

Só com o nome próprio

Nos Estados Unidos, em âmbitos mais informais, muita gente é tratada apenas pelo seu nome próprio, e apresenta-se mesmo só com esse nome. Por exemplo, no trabalho ou na sala de aula, um chefe ou um docente pode perfeitamente dizer **You can call me by my first name** (*iú quén cól mi bái mái fârst nâim*; Podem me chamar pelo meu nome próprio).

Nestas situações, utilizar apenas o nome próprio não é uma falta de respeito Mas, caso se senta melhor usando o sobrenome, força! Há muita gente que nem sequer conhece o sobrenome de alguns dos seus conhecidos, e podem mesmo ter um encontro amoroso com uma pessoa antes de saber o seu nome completo, o que já deve dar uma ideia da pouca importância que os americanos dão aos sobrenomes.

Títulos e formas de tratamento formais

Quando tratar as pessoas pelo seu nome próprio é demasiado informal, e a situação requer um pouco mais de etiqueta, é necessário conhecer e utilizar formas de tratamento que indiquem respeito. Usar **Ms.**, **Mr.** e **Mrs.** com pessoas mais velhas ou em ambientes empresariais ou profissionais é considerado boa educação. Use sempre os títulos de **Dr.** ou **Prof.** enquanto essa pessoa não lhe disser que a pode tratar pelo seu nome próprio. A tabela 3-1 fornece-lhe uma lista das formas de tratamento respeitosas mais utilizadas.

Tabela 3-1	Formas de tratamento com respeito
Título	*Abreviatura*
Ms. (*miz*; Senhora/Menina)	**Ms.**
Mister (*mis-târ*; senhor)	**Mr.**
Miss (*mis*; menina)	**Miss**
Mistress (*mis-trâs*; senhora)	**Mrs.**
Doctor (*dóc-târ*; doutor)	**Dr.**
Professor (*prôu-fé-sâr*; professor)	**Prof.**

A diferença entre chamar e nomear alguém

Em inglês existe uma diferença importante entre **to name** (*tu nâim*; nomear) e **to call** (*tu cól*; chamar). Basicamente, **to name** significa dar um nome a alguém e **to call** significa usar (ou dizer) esse nome para identificar a pessoa (tanto chamando-a como referindo-a a terceiros). Ambos os verbos, **to name** e **to call**, são verbos regulares (consulte o Capítulo 2 para mais informação sobre os verbos regulares). Para outros usos do verbo **to call**, consulte o Capítulo 7.

To name é, frequentemente, usado no passado. Veja, por exemplo, a frase **My father named me** (*mái fá-dâr nâi-med mi*; O meu pai me deu o meu nome). Também pode ser utilizado conjuntamente com outro verbo, encontrando-se no infinitivo, como na frase **She wants to name the baby Sam** (*chi uónts tu nâim dâ bâi-bi sém*; Ela quer que o bebê se chame Sam). (Obtenha mais informação sobre formas e tempos verbais no Capítulo 2). Eis mais alguns exemplos com o verbo **to name**:

- ✔ **They named the baby Natalia.** (*dâi nâi-med dâ bâi-bi nâ-tá-lia*; Eles deram o nome de Natalia ao bebê).

- ✔ **After we name the baby, we'll celebrate.** (*é-ftâr uí nâim dâ bâi-bi uíl sé-lâ-brâit*; Quando tivermos posto um nome ao bebê, celebraremos).

Capítulo 3: Muito Prazer em Conhecê-lo

To call é geralmente usado no presente, como na frase **They call the baby Natalia** (*dâi cól dâ bâi-bi nâ-tá-lia*; Eles chamam o bebê de Natália). Aqui tem mais duas frases de exemplo com o verbo **to call**:

- **We call our son by his nickname.** (*uí cól áur sân bái hiz nic-nâim*; Nós chamamos o nosso filho pelo seu diminutivo).

- **His name is Hans, but we call him Hansy.** (*hiz nâim iz hâns bât uí cól him hân-si*; Ele se chama Hans, mas nós o chamamos de Hansy).

A (r)evolução do Sobrenome

Antigamente, as mulheres quase sempre perdiam o seu sobrenome (ou nome de solteira) quando se casavam, adotando o sobrenome do marido. Muitas mulheres ainda fazem; mas, atualmente, é frequente as mulheres manterem o seu próprio sobrenome ou combinarem o seu sobrenome com o do marido. E, ocasionalmente, um homem também adota o sobrenome da mulher com que se casa. Isto, sim, é uma novidade!

Diálogo

Aaron vai matricular o seu filho, Aaron Junior, na escola. Estão na secretaria falando com a recepcionista que faz algumas perguntas necessárias. (Faixa 7)

Recepcionista: **Last name please?**
lást nâim pliz
Diga-me qual é o sobrenome, por favor.

Aaron: **Bremer.**
bré-mâr
Bremer.

Recepcionista: **First name?**
fârst nâim
Seu primeiro nome?

Aaron: **Aaron.**
âi-rân
Aaron.

Recepcionista: **And your son's name?**
énd íór sôns nâim
E o nome do seu filho?

Aaron: **A.J.**
âi-jâi
A.J.

Parte II: Falar um Pouquinho de Inglês

Recepcionista:	**A.J.?**
	âi-jâi
	A.J.!
Aaron:	**Sorry, that's short for Aaron Junior. His name is also Aaron Bremer.**
	só-ri dats chôrt fór âi-rân jiú-niâr hiz nâim iz ól-sôu âi-rân bré-mâr
	Desculpe, é a abreviatura de Aaron Junior. Ele também se chama Aaron Bremer.
Recepcionista:	**I see. Then, he was named after you?**
	ái si dén hi uóz nâi-med áftâr iú
	Já estou vendo. Então ele recebeu o seu nome?
Aaron:	**Yes, but we call him A.J.**
	ié, bât uí cól him âi-jâi
	Sim, mas nós o chamamos de A.J.
Recepcionista:	**So you're Aaron and he's A.J.?**
	sôu iór âi-rân énd hiz âi-jâi
	Então o senhor é o Aaron e ele é o A.J.?
Aaron:	**Yes, but everyone just calls me Daddy!**
	iés bât é-vri-uón jâst cóls mi dé-di
	Sim, mas todos me chamam de papai!

Palavras a saber

surname	_sâr-nâim_	sobrenome
nickname	_nic-nâim_	apelido
maiden name	_mâi-dân nâim_	nome de solteira
married name	_mé-rid nâim_	nome de casada
to name	_tu nâim_	nomear
to call	_tu cól_	chamar
my name is	_mái nâim iz_	eu me chamo
What's your name?	_uóts iór nâim_	Como se chama?

Capítulo 3: Muito Prazer em Conhecê-lo 65

Descrever as Pessoas – Baixas, Altas, Grandes e Pequenas

Se precisar dizer a alguém como encontrá-lo no aeroporto ou se quiser descrever as virtudes físicas da sua namorada, é bastante útil conhecer algumas palavras descritivas, para que o seu interlocutor possa fazer uma ideia da pessoa descrita. Nos Estados Unidos, vemos pessoas de todos os tamanhos, formas, alturas e cores da pele, dos olhos e do cabelo. Eis algumas palavras para ajudar a descrever outras pessoas (e a si próprio):

- **petite** (*pe-tit*; pequeno)
- **small** (*smól*; pequeno)
- **thin** (*thin*; delgado)
- **skinny** (*squi-ni*; magro)
- **average** (*é-vrâ-dje*; normal)
- **medium build** (*mi-diâm bild*; estatura média)
- **big** (*big*; grande)
- **large** (*lar-dje*; grande)
- **heavy** (*hé-vi*; pesado)

Considera-se mal-educado e insensível referir-se a uma pessoa de grandes dimensões como **fat** (*fét*; gordo) ou **chubby** (*tchâ-bi*; gordo). As palavras socialmente aceitáveis são **large** ou **heavy**. Recorde também que **thin** e **slender** (*slên-dâr*; esguio) são palavras corretas, mas **skinny** não é propriamente um elogio.

Falar sobre os olhos e o cabelo

Há algumas pessoas que dizem que "os americanos parecem todos iguais!" — e talvez as caras pareçam bastante semelhantes. Mas, há características distintivas, como a cor e o tipo de cabelo, a cor dos olhos e as impostas pela moda e pelo estilo pessoal de cada um. Tudo são atributos que podem ser usados para descrever as pessoas.

As palavras seguintes podem ajudar a descrever a cor do cabelo de uma pessoa:

- **black** (*bléc*; preto)
- **brown** (*bráun*; castanho)
- **red** (*réd*; ruivo)
- **blond** (*blónd*; louro)

- ✔ **strawberry blond** (_stró-bé-ri blónd_; louro arruivado)

- ✔ **gray** (_grâi_; grisalho)

- ✔ **white** (_uáit_; branco)

Pode usar as seguintes palavras para descrever o tipo de cabelo de uma pessoa:

- ✔ **straight** (_strâit_; liso)

- ✔ **wavy** (_uâi-vi_; ondulado)

- ✔ **curly** (_câr-li_; encaracolado)

- ✔ **kinky** (_quin-qui_; crespos)

- ✔ **balding/bald** (_ból-ding / bóld_; encalvecido / calvo)

Bom, é verdade que o último termo não descreve exatamente um tipo de cabelo. Refere-se mais à falta dele. Mas, enfim, é importante para descrever uma pessoa.

Se tiver de descrever os olhos de uma pessoa, use as seguintes palavras:

- ✔ **brown** (_bráun_; castanhos)

- ✔ **hazel** (_hâi-zâl_; castanhos claros)

- ✔ **green** (_grin_; verdes)

- ✔ **blue** (_blu_; azuis)

Aqui tem mais algumas palavras para descrever as principais características e adornos corporais de uma pessoa:

- ✔ **beard** (_biârd_; barba)

- ✔ **freckles** (_fré-câls_; sardas)

- ✔ **tattoo** (_té-tu_; tatuagem)

- ✔ **mustache** (_mâs-téch_; bigode)

- ✔ **glasses** (_glé-sâs_; óculos)

- ✔ **piercing** (_pir-cing_; piercing)

Chegar a novas alturas

É muito provável que conheça a sua **height** (_háit_; altura) em unidades do sistema métrico (porque o Brasil é um país que usa quase exclusivamente o sistema métrico). Mas, os americanos não usam o sistema métrico; por isso, pode ter que dar a sua **height** em **inches** (_in-tchâs_; polegadas) e **feet** (_fit_; pés).

Capítulo 3: Muito Prazer em Conhecê-lo 67

Eis algumas das diferentes formas possíveis de expressar altura:

- 🖊 **I'm five feet, ten inches.** (*áim fáiv fit tén* <u>*in*</u>-*tchâs*; Eu tenho cinco pés e dez polegadas).

- 🖊 **I'm five feet, ten.** (*áim fáiv fit tén*; Eu tenho cinco pés e dez polegadas).

- 🖊 **I'm five, ten.** (*áim fáiv tén*; Eu tenho cinco pés e dez polegadas).

Para se medir, pode-se fazer um cálculo com complexas e demoradas conversões matemáticas, ou simplesmente usar um **yardstick** (<u>*iárd*</u>-*stic*; vara de medição) ou uma **measuring tape** (<u>*mé*</u>-*jâ-ring tâip*; fita métrica).

E o que é que isto importa (exceto por curiosidade)? Porque praticamente sempre que tiver de preencher um impresso (por exemplo, um pedido para obter a carta de motorista), vão pedir a sua **height**. Também podem pedir o seu **weight** (*uâit*; peso) – em **pounds** (*páunds*; libras), claro.

Mas, se for dessas pessoas que adora fazer este tipo de cálculos, temos aqui umas fórmulas de conversão aproximada para a altura e o peso:

- 🖊 1 **inch** = aproximadamente 24 milímetros

- 🖊 1 **foot** = aproximadamente 30 centímetros

- 🖊 1 **yard** = aproximadamente 0,9 metros

- 🖊 1 **pound** = aproximadamente 0,45 quilos

Palavras a saber

size	sáiz	tamanho
shape	châip	forma
height	háit	altura
weight	uâit	peso
feet	fit	pés
inches	in-tchâs	polegadas

Jovens e velhos

Embora perguntar a idade de uma pessoa nem sempre seja de boa educação (consulte o Capítulo 4 para mais informações sobre este tema), é normal falar da idade em determinadas situações. E entre **peers** (*pi-ârs*; pares), ou seja, pessoas da mesma idade ou que se encontrem na mesma etapa da vida, falar sobre a idade que se tem é geralmente aceitável. E, como é óbvio, pode-se sempre perguntar às crianças quantos anos têm – e elas adoram contar! Se quiser perguntar a alguém sobre a sua idade, pode dizer:

- **How old are you?** (*háu ôuld ár iú*; Quantos anos tem?).
- **May I ask your age?** (*mâi ái ésc iór âidj*; Posso perguntar-lhe quantos anos tem?).

E aqui tem algumas formas de expressar a idade de alguém – ou a sua:

- **I'm 30 years old.** (*áim thâr-ti iârs ôuld*; Tenho 30 anos).
- **She's a five-year old.** (*chiz â fáiv iâr ôuld*; Ela tem 5 anos).
- **He's in his 50s.** (*hiz in his fif-tis*; Ele está na casa dos cinquenta).

Em inglês, o verbo **to be** (*tu bi*; ser) é usado para exprimir a idade, e não o verbo **to have** (*tu hév*; ter), como seria em português. Os americanos não dizem que têm **years** (*iârs*; anos), dizem frases como **I am X years old** (*áim X iârs ôuld*; Tenho X anos). Dê uma espiada no Capítulo 2 para ver mais usos do verbo **to be**.

Se não souber ou não precisar indicar uma idade exata, pode dizer um termo geral que descreve uma etapa mais ampla da vida. Veja as seguintes palavras e os seus significados:

- **Infant** (*in-fânt*; recém-nascido): um recém-nascido.
- **Baby** (*bâi-bi*; bebé): uma criança de 1 ou 2 anos.
- **Toddler** (*tó-dlâr*; criança): uma criança que começa a andar.
- **Child** (*tcháild*; criança): uma criança com mais de 2 anos.
- **Adolescent** (*â-dô-lés-cênt*; adolescente): um jovem entre os 12 e 14 anos.
- **Teenager** (*tin-âi-djâr*; adolescente) ou **teen** (*tin*; adolescente): um jovem entre os 13 e os 19 anos.
- **Young adult** (*iâng é-dâlt*; jovem adulto): uma pessoa de vinte anos.
- **Adult** (*é-dâlt*; adulto): um adulto, legalmente, nos EUA, a partir dos 21.
- **Middle age** (*mi-dâl âidj*; meia idade): uma pessoa entre a meia-idade e a velhice, tipicamente entre os 40 e os 50 anos.
- **Senior** (*si-niâr*; idoso): uma pessoa com mais de 65 anos.
- **Elderly person** (*él-dâr-li pâr-sôn*; ancião): uma pessoa de idade muito avançada.

Como as pessoas agora têm suas vidas prolongadas, mais saudáveis e mais ativas, os conceitos de meia-idade e velhice foram mudando. Existem muitas pessoas ativas, ou quase tão ativas, aos cinquenta, aos sessenta e mesmo aos setenta como quando eram mais jovens. Embora você possa ouvir a palavra **old** (*ôuld*; velho) para descrever uma pessoa de idade, é geralmente mais educado dizer **elderly**.

Veja a Folha de Cola para descobrir como pronunciar os números mais altos e mais baixos. E consulte o Capítulo 2 para descobrir uma série de adjetivos para descrever personalidades, como engraçado, amável, inteligente, artístico etc.

Capítulo 3: Muito Prazer em Conhecê-lo 69

Diálogo

A Rebecca e a sua amiga Deb vão ao aeroporto buscar a amiga da Rebecca, Sue, e a neta da Sue, Anna. A Deb não conhece nem a Sue nem a Anna, por isso a Rebecca as descreve.

Rebecca: **They should arrive soon.**
dâi chud a-ráiv sun
Elas devem estar chegando.

Deb: **What do they look like?**
uót du dâi luc láic
Que aspecto ela têm?

Rebecca: **Sue is medium height with short blond hair.**
su iz mi-diâm háit uíth chórt blónd hér
A Sue é de altura mediana com cabelo louro curto.

Deb: **How about Anna?**
háu â-báut é-na
E a Anna?

Rebecca: ***She's â very cute 6 year-old and has long brown hair.***
chiz â vé-ri quiút six iâr ôuld énd héz lóng bráun hér.
É uma menina de seis anos, magrinha e
tem o cabelo castanho comprido.

Deb: **Do they have tattoos?**
du dâi hév té-tus
Têm tatuagens?

Rebecca: **Of course not!**
óf córs nót
Claro que não!

Deb: **Just joking.**
djâst djôu-quing
Estava só brincando.

Rebecca: **But Anna has pierced ears.**
bât é-na héz pir-ced irs.
Mas a Anna tem as orelhas furadas.

Deb: **That's pretty common.**
déts pri-ty có-mân
Isso é bastante normal.

Rebecca: **Hey! Here they come!**
hâi hir dâi câme
Ei! Aí vêm elas.

Deb: **And look, Sue got a tattoo!**
énd luc su gót â té-tu
E olhe, a Sue fez uma tatuagem!

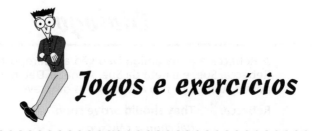

Jogos e exercícios

Agora que já conhece uma boa quantidade de expressões para apresentar, cumprimentar e descrever pessoas, faça a correspondência das seguintes perguntas com as respostas corretas.

Perguntas:

1. **Hey, what's up?** (*hâi uáts âp*; Ei, como está?).

2. **Hello. How are you today?** (*hé-lôu háu ár iú tu-dâi*; Olá. Como você está hoje?).

3. **My name is George. What's yours?** (*mái nâim iz djór-dge uóts iórs*; Chamo-me George. Como se chama?).

4. **What does your mom look like?** (*uót dâz iór móm luc láic*; Que aparência tem sua mãe?).

5. **Have you met my sister, Madonna?** (*hév iú mét mái sis-târ mâ-dó-na*; Conhece a minha irmã, Madonna?).

Respostas:

A. **I'm Sharon.** (*áim ché-rân*; Chamo-me Sharon).

B. **Nothing much. What's up with you?** (*nâ-thing mâtch uáts âp uíth iú*; Nada de especial. E com você?).

C. **She's short, with red hair and green eyes.** (*chiz chórt uíth réd hér énd grin áis*; É baixa, com cabelo ruivo e olhos verdes).

D. **No, we haven't met.** (*nôu uí hé-vânt mét*; Não, não nos conhecemos).

E. **I'm fine, thank you. And you?** (*áim fáin thénc iú énd iú*; Estou bem, obrigado. E o senhor / você?).

Capítulo 4

Puxar Conversa

· ·

Neste Capítulo

▶ Falando sobre o tempo

▶ Conversando sobre temas casuais

▶ Falando sobre a família

▶ Respondendo a estranhos

▶ Evitando temas embaraçosos

· ·

Alguma vez você reparou como os americanos gostam de falar? Os americanos puxam conversa em ônibus, aviões, nas mercearias e nas lojas de roupa – basicamente, em qualquer lugar. Por que os americanos gostam tanto de falar? Geralmente, são pessoas amigáveis – ou talvez sejam pessoas que não se sentem confortáveis com o silêncio. Seja qual for a razão, nos Estados Unidos pode ter a certeza de que lhe aparecerá alguém para dar um pouco de **small talk** (*smól tóc*; conversa fiada).

Falar com as pessoas é uma forma fantástica de descobrir novas palavras e expressões, praticar inglês e de aprender muitos dados interessantes sobre as pessoas e a cultura que o rodeiam – e, além disso, é totalmente gratuito! Neste capítulo, vou mostrar como **to chat** (*tu tchét*; conversar). Apresentarei alguns temas de conversas comuns (como o tempo, os interesses, a família etc.) e outros em que é melhor não tocar em determinadas situações. Também darei algumas sugestões sobre como falar com estranhos e como afastá-los, se for necessário.

Quebrar o Gelo com Algumas Perguntas Simples

Quando conhecer alguém, pode manter a conversa viva se souber como fazer algumas perguntas simples. (Pode reconhecer algumas destas formas para a segunda pessoa, o **you**, que se aplica tanto a situações formais como informais, e tanto no singular como no plural. Aqui vão alguns exemplos:

- **Do you speak English?** (*du iú spic in-glich*; Você fala inglês?).
- **What kind of work do you do?** (*uót táip âf uârc du iú du*; Que tipo de trabalho faz?).
- **What's your name?** (*uóts iór nâim*; Qual é o seu nome?).
- **Where are you from?** (*uér ár iú frôm*; De onde você é?).

As perguntas a seguir também podem ajudá-lo a conhecer melhor alguém (de qualquer forma, não se esqueça de consultar a seção "Evitar temas tabu", no final deste capítulo, antes de começar a fazer muitas perguntas):

- **Are you married?** (*ár iú mé-rid*; É casado?).
- **Do you have children?** (*du iú hév tchil-drân*; Você tem filhos?).
- **How old are you?** (*háu ôuld ár iú*; Quantos anos você tem?).

Pode encontrar mais informações sobre a formação de perguntas com as palavras **what**, **where** e **how**, no Capítulo 2.

Desculpe, Pode Repetir?

Quando uma pessoa está falando numa língua que não domina bem, é normal perguntar aos seus interlocutores que repitam ou expliquem um pouco melhor o que estão dizendo. Mas, não deixe que isso o impeça de apreciar uma conversa com outra pessoa. As seguintes expressões podem ajudar a não perder o fio da meada:

- **Excuse me?** (*écs-quiúz mi*; Desculpe?).
- **I don't understand.** (*ái dônt ân-dâr-sténd*; Eu não compreendo).
- **I'm sorry?** (*áim só-ri*; Desculpe?).
- **Pardon?** (*par-dân*; Desculpe?).
- **Say that again, please.** (*sai dét â-guén pliz*; Pode repetir isso, por favor?).
- **What did you say?** (*uót did iú sâi*; Como disse?).

Nos Estados Unidos, as pessoas também usam a frase **Excuse me** como uma afirmação e não como uma pergunta, com o significado de "desculpe", quando acabam se chocando acidentalmente com outra pessoa, ou com o significado de "com licença", se têm de incomodar alguém para passar ou para entrar numa sala.

Algumas fórmulas básicas de cordialidade

Não importa para onde se dirije uma pessoa, em qualquer ponto do mundo há algumas expressões básicas para a cordialidade na interação verbal, como **Please** (*plíz*, Por favor) e **Thank you** (*thénc iú*, Obrigado). Estas expressões podem abrir as portas para interações agradáveis e para receber ajuda afável. A resposta mais comum para **Thank you** é **You're welcome** (*iór uél-câm*, De nada). Mas também pode ouvir muita gente usar expressões como **No problem** (*nôu próblâm*, Sem problemas), **Don't mention it** (*dônt mên-chân it*, De nada) ou **My pleasure** (*mái plé-jâr*, Foi um prazer).

Capítulo 4: Puxar Conversa **73**

Diálogo

A Sirkka entra num ônibus cheio de gente e vai se sentar num lugar ao lado de outra passageira. Enquanto se senta, Sirkka acidentalmente bate na outra passageira.

Sirkka: **Excuse me. I'm sorry.**
écs-quiúz mi áim só-ri
Desculpe.

Woman: **That's okay.**
déts ôu-câi
Não faz mal.

Sirkka: **The bus is crowded!**
dâ bâs iz cráu-dêd
O ônibus está cheio.

Woman: **Yes, it is. Please sit here.**
iés it iz pliz sit hiâr
É verdade. Sente-se, por favor.

Sirkka: **Thank you.**
thénc iú
Muito obrigada.

Woman: **You're welcome.**
iór uél-câm
De nada.

Passados alguns minutos, Sirkka e a outra mulher começam a conversar.

Woman: **Where are you from?**
uér ár iú frâm
De onde você é?

Sirkka: **I'm from Finland.**
áim frâm fin-lând
Sou da Finlândia.

Woman: **I visited Finland once.**
ái vi-zi-ted fin-lând uáns
Eu fui à Finlândia uma vez.

Sirkka: **Pardon? What did you say?**
par-dân uót did iú sai
Desculpe, como disse?

Woman: **I've been to Finland.**
áiv bin tu fin-lând
Eu estive na Finlândia.

Sirkka: **Really? Do you speak any Finnish?**
ri-li du iú spic é-ni fi-nich
Sério? E fala finlandês?

Woman: **No. I'm sorry, I don't.**
nôu áim só-ri ái dônt
Não. Desculpe-me, mas não.

Falar Sobre o Tempo

O **weather** (*ué-dâr*; tempo) afeta todas as pessoas; por isso, não é de estranhar que seja um dos temas de conversa mais comuns. De fato, a conversa fiada é, por vezes, definida como **talking about the weather** (*tó-quing â-báut dâ ué-dâr*; falar sobre o tempo), porque a conversa sobre o tempo (como as conversas sobre o tempo) é ligeira, impessoal e universal.

Como é óbvio, para falar sobre o tempo, é necessário conhecer algumas palavras e expressões referentes aos fenômenos meteorológicos. A primeira coisa a saber é que se pode referir ao tempo usando o pronome **it** (*it*; isso), como na frase **It is sunny today** (*it iz sâ-ni tu-dâi*; Hoje fez sol). Nesta frase, a palavra **it** não se refere a um nome específico, refere-se às condições meteorológicas gerais. Lembre-se de que os falantes nativos usam quase sempre a contração **it's** (*its*; isso é/está) para **it is**. (Consulte o Capítulo 2 para mais detalhes sobre as contrações).

Aqui tem alguns exemplos de frases sobre o tempo começadas com **it's**:

- **It's hot.** (*its hót*; Está calor).
- **It's cold.** (*its côuld*; Está frio).
- **It's warm.** (*its uórm*; Está um tempo cálido).
- **It's dry.** (*its drái*; Está seco).
- **It's raining.** (*its râi-ning*; Está chovendo).
- **t's snowing.** (*its snôu-ing*; Está nevando).
- **It's windy.** (*its uin-di*; Está ventando).
- **It's humid.** (*its iú-mid*; Está úmido).
- **It's cloudy.** (*its cláu-di*; Está nublado).
- **It's sunny.** (*its sâ-ni*; Faz sol).

O assunto mais típico no âmbito meteorológico costuma ser como o tempo está nesse dia. Por isso, a maior parte dos comentários sobre o tempo, como os exemplos precedentes, usa o verbo **is** – a forma da terceira pessoa do singular do presente do verbo **to be** (*tu bi*; estar). Mas. se quiser falar sobre as condições meteorológicas passadas ou futuras, siga estas indicações:

- Para o tempo de ontem, use a forma verbal **was** (*uóz*; estava), a terceira pessoa do singular do passado do verbo **to be**. Por exemplo: **It was cold yesterday.** (*it uóz côld iés-târ-dâi*; Ontem esteve frio).

- Para o tempo de amanhã, use a forma verbal **will be** (*uíl bi*; estará), o futuro do verbo **to be**. Por exemplo: **It will be cloudy tomorrow.** (*it uíl bi cláu-di tu-mó-rôu*; Amanhã o tempo vai estar nublado).

Quando se fala sobre condições meteorológicas futuras, as pessoas usam, muitas vezes, expressões como **I hope...** (*ái hôup*; Espero que...) ou **It might...** (*it máit*; É possível que...), porque nunca ninguém tem certeza absoluta sobre o tempo do dia seguinte – nem os homens do tempo nem sequer os adivinhos!

Para mais informação sobre o verbo **to be** e os seus tempos, consulte o Capítulo 2.

Se não gosta do tempo...

Em inglês, usa-se, por vezes, a expressão **We're going to get some weather** (*uír gôu-ing tu guét sâm ué-dâr*; Vamos apanhar um temporal). Se não conhecer, a expressão pode parecer estranha, já que pode dar a entender que antes não havia tempo! De fato, significa que vem aí um temporal ou uma tempestade, partindo do princípio que o boletim meteorológico está correto. No leste dos EUA, o tempo pode mudar de uma forma muito rápida, de modo que as pessoas costumam dizer brincando **If you don't like the weather, wait five minutes!** (*if iú dônt laic dâ ué-dâr uâit fáiv mi-nâ-ts*; Se não gosta do tempo, espera cinco minutos).

It's raining buckets! (*its râi-ning bâ-quets*; Está chovendo baldes!) é uma expressão que se usa com bastante frequência para indicar que está chovendo muito. Outra expressão ainda mais estranha é **It's raining cats and dogs!** (*its râi-ning quéts énd dógs*; Está chovendo cães e gatos!). Isso sim seria um espetáculo!

Como se introduz o tema do tempo

Por ser um tema impessoal, o tempo é perfeito para começar uma conversa, especialmente com estranhos ou pessoas que não se conhece muito bem. A seguir encontrará algumas frases (e as respectivas respostas) frequentemente utilizadas para começar a discutir este envolvente tema:

It's a beautiful day, isn't it?	**Yes, it is!**
its â biú-ti-ful dâi i-zânt it	*iés it iz*
Está um dia muito bonito, não está?	Está sim!
It sure is hot today, isn't it?	**It sure is!**
it chôr iz hót tu-dâi i-zânt it	*it chôr iz*
Hoje está um dia quente, não está?	Está sim!
Nice weather, don't you think?	**Yes, I do.**
náis ué-dâr dônt iú thinc	*iés ái du*
Está um tempo agradável, você não acha?	Efetivamente.

As frases usadas para introduzir conversas acabam, muitas vezes, com uma pergunta. Seja na forma afirmativa, seja na forma negativa, estas perguntas, quando aplicadas às frases afirmativas, funcionam de uma forma semelhante às da língua portuguesa (do Brasil). Ou seja, se a frase for afirmativa, como em **It's a nice day, ...** (*its â náis dâi*; Está um dia bonito, ...); a pergunta deve ser negativa: **...isn't it?** (*i-zânt it*; ... não está?). E, se a afirmação for negativa, como **It's not very warm today,** **...** (*its nót vé-ri uórm tu-dâi*; Hoje não está muito calor, ...), a pergunta passa para a afirmativa: **... is it?** (*i-zit*; está?).

Parte II: Falar um Pouquinho de Inglês

Diálogo

Maureen está no ponto de ônibus, à espera de um. O homem que está ao seu lado sorri e começa a falar com ela.

Homem: **It's very hot today, isn't it?**
its vé-ri hót tu-dâi i-zânt it
Hoje está muito calor, não está?

Maureen: **It sure is. And it's humid.**
it chôr iz énd its iú-mid
Está sim. E está um tempo úmido.

Homem: **I hope it's not so hot tomorrow.**
ái hôup its nót sôu hót tu-mó-râu
Espero que não esteja tanto calor amanhã.

Maureen: **It may be a little cooler.**
it mâi bi â li-tâl cu-lâr
Talvez esteja um pouco mais fresco.

Homem: **Good. I don't like hot weather.**
gud ái dônt láic hót ué-dâr
Ótimo. Não gosto do tempo quente.

As estações do ano

A maior parte das áreas do EUA possui as **four seasons** (*fór si-zâns*; quatro estações), mas algumas zonas (como a Florida, a parte sul da Califórnia e algumas zonas do Sudoeste) são geralmente tão quentes e tropicais que parece que só têm uma estação: o Verão. A seguir os nomes das estações:

- ✔ **spring** (*spring*; Primavera)

- ✔ **summer** (*sâ-mâr*; Verão)

- ✔ **fall** (*fól*; Outono) ou **autumn** (*ó-tâm*; Outono)

- ✔ **winter** (*uin-târ*; Inverno)

Se quiser saber mais sobre o tempo numa certa zona ou durante determinado período do ano, pode fazer uma das seguintes perguntas (repare na contração **what's** para **what is**):

- ✔ **What's the weather like in Chicago?** (*uóts dâ ué-dâr láic in tchi-cágôu*; Como é o tempo em Chicago?)

- ✔ **What's it like in the summer?** (*uóts it láic in dâ sâ-mâr*; Como é o tempo no Verão?)

Capítulo 4: Puxar Conversa **77**

Diálogo

 Yang é de Taiwan e está pensando em fazer uma viagem até San Francisco, na Califórnia. Como nunca esteve lá, pergunta a um amigo americano como é o tempo. (Faixa 8)

Yang: **I'm going to San Francisco soon.**
áim gôu-ing tu sén frén-cis-côu sun
Vou a San Francisco dentro em breve.

Americano: **Great idea.**
grâit ái-di-â
É uma ótima ideia.

Yang: **Have you ever been there?**
hév iú é-vâr bin dér
Você esteve lá alguma vez?

Americano: **Sure, it's a wonderful city.**
chôr its â uôn-dâr-ful ci-ti
Sim, é uma cidade maravilhosa.

Yang: **What's the weather like?**
uóts dâ ué-dâr láic
Como é o tempo por lá?

Americano: **In the summer, it can be foggy and chilly.**
in dâ sâ-mâr it quén bi fó-gui énd chi-li
No Verão, o tempo pode estar enevoado e fresco.

Yang: **But California is sunny, isn't it?**
bât qué-li-fór-nia iz sâ-ni i-zânt it
Mas a Califórnia é uma zona com muito sol, não é?

Americano: **In many parts, yes. And even in San Francisco, sometimes.**
in mé-ni párts iés énd i-vân in sén frén-cis-côu sâm-táims
Em muitas zonas, sim. E até em São Francisco, por vezes.

Yang: **What's the weather like in the winter?**
uóts dâ ué-dâr láic in dâ uin-târ
Como é o tempo no Inverno?

Americano: **Usually cold and windy.**
iú-juâ-li côld énd uín-di
Geralmente, frio e ventoso

Palavras a saber

It's hot	itz hót	está calor
cold	côld	frio
weather	ué-dâr	tempo
season	si-zân	estação do ano
small talk	smól tóc	conversa fiada
to chat	tu tchét	conversar
It's raining	itz _râi_-ning	está chovendo

Manter a Conversa

O tempo é um tema fantástico para iniciar uma conversa, mas, passado um pouco, talvez queira falar sobre temas mais interessantes, como a família, o trabalho, interesses pessoais e os acontecimentos recentes – se quiser manter a conversa num tom ligeiro (é claro que algumas notícias e acontecimentos recentes não são temas ligeiros, por isso as pessoas acabam por discuti-los de formas muito apaixonadas). As seguintes seções abordam alguns dos temas de conversa mais comuns nos Estados Unidos.

Falar sobre o lugar onde se vive

Pouco depois de conhecer alguém, é normal que essa pessoa pergunte de onde você é. E, à medida que for conhecendo uma pessoa, é provável que tenham interesse em trocar endereços e números de telefone. Aqui tem as formas de fazer essas perguntas em inglês:

- ✔ **Where do you live?** (_uér du iú liv_; Onde você mora?).

- ✔ **What's your address?** (_uóts iór é-drés_; Qual é o seu endereço?).

- ✔ **Can I have your phone number?** (_quén ái hév iór fôun nâm-bâr_; Pode me dar o seu número de telefone?).

Se lhe fizerem essas perguntas, pode usar uma das seguintes estruturas na resposta:

- ✔ **I live in Dallas, Texas.** (_ái liv in dé-lâs té-csâs_; Eu vivo em Dallas, Texas).

- ✔ **I live in an apartment.** (_ái liv in ân â-párt-ment_; Eu vivo em um apartamento).

- ✔ **I live at 220 Forest Road.** (_ái liv ét tu tuén-ti fó-râst rôud_; Eu vivo na Forest Road, número 220).

Capítulo 4: Puxar Conversa 79

Atualmente, as pessoas dão o seu endereço de correio eletrônico com mais frequência do que dão o de moradia. Em inglês, quando der o seu endereço de correio eletrônico, refira-se ao símbolo @ (arroba) como **at** (*ét;* em) e ao ponto como **dot** (*dót;* ponto).

Para mais informação sobre como dizer direções e moradias, consulte o capítulo 5. E consulte o Quadro para ver como dizer os números.

Falar sobre o trabalho e a escola

O trabalho e/ou a escola consomem uma grande parte do dia para a maioria das pessoas, por isso são típicos temas de conversa em quase todo o mundo, incluindo nos EUA. Deste modo, é imprescindível proporcionar algumas formas possíveis de fazer perguntas sobre esse tema a uma pessoa que acaba de conhecer:

What kind of work do you do? (*uót cáind óf uôrc du iú du;* Que tipo de trabalho você faz?).

- **Where do you work?** (*uér du iú uôrc;* Onde você trabalha?)

- **What school are you going to?** (*uót scul ár iú gôu-ing tu;* Em que escola você está indo?).

- **What are you studying?** (*uót ár iú stâ-di-ing;* O que é que está estudando?).

Em inglês, quando se diz a profissão, pode-se utilizar uma frase do gênero **I'm a teacher** (*áim â ti-tchâr;* Sou professora.) ou **She is an artist** (*chi iz ân ár-tist;* Ela é artista). Use os artigos **a** ou **an**. (Lembre-se de que os artigos não têm gênero em inglês – são neutros. Consulte o Capítulo 2 para mais informação sobre este tema).

Se quiser praticar mais o tema das profissões, consulte o Capítulo 14.

O sotaque o denuncia

É provável que não tenha problemas em manter a conversa, porque é certo e sabido que, assim que disser a primeira palavra, o seu interlocutor vai reparar no seu **accent** (*écsent;* sotaque) e perguntar **Where are you from?** (*uér ár iú frôm;* De onde você é?). A seguir, pode perguntar **How long have you been here?** (*háu lóng hév iú bin hiâr;* Há quanto tempo está aqui?), e a seguir vai querer saber por que foi para os EUA, quanto tempo pensa em ficar por aí, e assim por diante. Um inquérito informal aos meus alunos revelou que, em 99 vezes de cada 100, a primeira pergunta que as pessoas fazem é **Where are you from?** É normal que as pessoas tenham curiosidade sobre você, sobre o seu país e a sua cultura; por isso, não se surpreenda se ouvir esta pergunta frequentemente.

Diálogo

 Você está num ônibus, quando uma moça chamada Lin entra e se senta ao seu lado. Ela sorri e começa a falar com você. (Faixa 9)

Lin: **Hello.**
hé-_lôu_
Olá.

Leitor: **Hi.**
hái
Olá.

Lin: **Nice day, huh?**
náis dâi hâ
Está um dia bonito, não está?

Leitor: **Yes, it is.**
iés it iz
Está, sim.

Lin: **May I ask where you're from?**
mâi ái ésc uér iór frôm
Posso perguntar-lhe de onde é?

Leitor: **I'm from Guadalajara, Mexico.**
áim frôm guá-dâ-lâ-_há_-ra mé-_csi_-côu
Sou de Guadalajara, no México.

Lin: **I've never been there.**
áiv _né_-vâr bin dér
Nunca estive lá.

Leitor: **You should go. It's a beautiful city.**
iú chud gôu its â _biú_-ti-ful ci-ti
Devia ir. É uma cidade muito bonita.

Lin: **Are you here on vacation?**
ár iú hiâr ón vâi-_câi_-chân
Está aqui de férias?

Leitor: **No, I'm a student.**
nôu áim â _stiú_-dânt
Não, estou estudando.

Lin: **Me too. What are you studying?**
mi tu uót ár iú _stâ_-di-ing
Eu também. O que é que você estuda?

Leitor: **Engineering. And you?**
én-ge-_ni_-rin énd iú
Engenharia. E você?

Lin:	**I'm a theatre major.**
	áim a <u>thiâ</u>-târ <u>mâi</u>-djâr
	Sou diretora de Teatro.
Leitor:	**Here's my stop.**
	hiârs mái stóp
	Aqui está a minha parada.
Lin:	**It was nice talking to you.**
	it uóz náis <u>tó</u>-quing tu iú
	Foi muito agradável falar com você.
Leitor:	**Same here.**
	sâim hiâr
	Também gostei de falar com você.

Palavras a saber

address	<u>é</u>-drés	endereço
phone number	fôun <u>nâm</u>-bâr	número de telefone
to live	tu liv	viver
to work	tu uôrc	trabalhar
to study	tu <u>stâ</u>-di	estudar
school	scul	escola

Expressar gostos e aversões

A simples e útil pergunta **Do you like...?** (*du iú láic*; Gosta de...?) pode dirigir uma conversa para os seus interesses, preferências, estilos de música preferidos, etc. Observe as seguintes perguntas e respostas:

Do you like jazz?	**Yes, I do.**
du iú láic djéz	*iés ái du*
Você gosta de jazz?	Gosto, sim.
Do you like computer games?	**No, not much.**
du iú láic com-<u>piú</u>-târ gâimz	*nôu nót mâtch*
Você gosta de jogos de computador?	Não, não muito.
Do you like cats?	**Not really. I prefer dogs.**
du iú láic quéts	*nót <u>ri</u>-li ái <u>pri</u>-fâr dógs*
Você gosta de gatos?	Não muito. Prefiro cães.

Outra pergunta fácil para prosseguir uma conversa é **How do you like...?**

(*háu du iú láic*; Que lhe parece...?). Esta pergunta pede a sua opinião ou sentimentos sobre qualquer coisa, enquanto a questão **Do you like...?** exige apenas uma resposta de sim ou não. Repare nas seguintes perguntas e respostas:

How do you like this town?	**I like it. It's great!**
háu du iú láic dis táun	*ái láic it its grâit*
Que lhe parece esta cidade?	Gosto muito dela. É ótima.
How do you like your psychology class?	**It's interesting.**
háu du iú láic iór sai-có-lâ-ji clés	*its in-tres-ting*
O que você acha das suas aulas de psicologia?	São interessantes.
How do you like my haircut?	**Hmm. It's very short.**
háu du iú láic mái hér-cât	*mm its vé-ri chórt*
O que você acha do meu cabelo?	Mmm. É muito curto.

Para conhecer mais formas de usar o verbo **to like** como modo de expressar interesses, consulte o Capítulo 15.

Ainda não consegue falar muito bem inglês? Mas, mesmo assim, gostaria de conversar um pouco com as pessoas? Experimente este truque: quando alguém fizer uma pergunta, responda e devolva a pergunta, usando uma das seguintes frases:

- **And you?** (*énd iú*; E o senhor?).
- **How about you?** (*háu â-báut iú*; E a senhora?).
- **What about you?** (*uót â-báut iú*; E você?).

Aqui tem algumas perguntas e respostas para ir praticando:

Are you a student?	**Yes, I am. What about you?**
ár iú â stiú-dânt	*iés ái ém uót â-báut iú*
Você é um estudante?	Estou, sim. e você?
Do you have any pets?	**Yes, two cats. How about you?**
du iú hév é-ni péts	*iés tu quéts háu â-báut iú*
Tem algum animal de estimação?	Sim, dois gatos. E o senhor?
Have you seen the Statue of Liberty?	**Not yet. And you?**
hév iú sin dâ sté-tiú óf li-bâr-ti	*nót iét énd iú*
Você já viu a Estátua da Liberdade?	Ainda não. E a senhora?

A que tribo pertence?

Os temas de conversa variam muitíssimo por esse mundo afora. Na África, por exemplo, as pessoas perguntavam-me muitas vezes **What tribe do you belong to?** (*uót tráib du iú bi-lóngtu*; A que tribo pertence?). Ouvi esta pergunta tantas vezes como o leitor pode ouvir **Where are you from?** (*uér ár iú frôm*; Donde é que é?).

Sendo descendente de europeus (e não pertencendo a nenhuma tribo), devo confessar que fiquei surpreendida quando me fizeram esta pergunta, mas a verdade é que as pessoas ficavam muito mais surpresas do que eu quando dizia que não pertencia a nenhuma tribo. Pensavam "Como é que esta pessoa não pertence a nenhuma tribo? Todas as pessoas pertencem a uma tribo". De fato, há uma boa quantidade de pessoas nos EUA que pertence realmente a uma tribo ou outra, já que na América do Norte há centenas de tribos nativas americanas.

Conversar Sobre a Família

A maior parte das pessoas gosta de falar sobre a sua **family** (*fé-mi-li*; família). Pode-se aprender muita coisa sobre a cultura, a sociedade e mesmo a história americana (sem fazer nenhum curso, nem ler grandes livros) perguntando simplesmente às pessoas sobre a sua família. Aqui tem algumas palavras para começar:

- **mom** (*móm*; mãe)
- **dad** (*déd*; pai)
- **parents** (*pé-rânts*; pais)
- **children/kids** (*tchil-drân quids*; crianças/filhos)
- **daughter** (*dó-târ*; filha)
- **son** (*sân*; filho)
- **sister** (*sis-târ*; irmã)
- **brother** (*brá-dâr*; irmão)
- **siblings** (*si-blings*; irmãos)

E aqui tem os nomes de outros **relatives** (*ré-lâ-tivs*; familiares):

- **aunt** (*ónt*; tia)
- **uncle** (*ân-câl*; tio)
- **cousin** (*câ-zên*; primo)
- **niece** (*nis*; sobrinha)
- **nephew** (*né-fiú*; sobrinho)
- **grandmother** (*grénd-má-dâr*; avó)
- **grandfather** (*grénd-fá-dâr*; avô)
- **stepmom** (*stép-móm*; madrasta)
- **stepdad** (*stép-déd*; padrasto)
- **stepchild** (*stép-tcháild*; enteado)

Quantos pais tem o leitor? Tenha cuidado, especialmente se estiver muito apegado ao português, porque a língua inglesa também pode ser um pouquinho traiçoeira. Em inglês, o seu pai e a sua mãe são os seus **parents**, não **fathers**. Se disser **fathers** (*fá-dârs*; pais), está a dizer que tem dois pais do sexo masculino. Nos EUA, atualmente, a frase talvez não seja muito errônea, já que muita gente tem um pai e um padrasto, mas mesmo assim não custa nada fazer as coisas bem. Também é bom evitar dizer **sons** para os seus filhos e filhas, e chamar **brothers** quando se refere a irmãos e irmãs (**sons** e **brothers** são palavras que se referem a indivíduos do sexo masculino). Em vez disso, deve-se dizer **children** e **siblings** para falar de filhos e irmãos de ambos os sexos. Claro que, se todos os seus filhos ou irmãos forem do sexo masculino, pode perfeitamente referir-se a eles por **sons** e **brothers.**

Falar sobre a família é fácil quando se sabe fazer algumas perguntas simples. Para pessoas que acabaram de te conhecer, pergunte:

- **Do you have any children?** (*du iú hév é-ni tchil-drân*; Tem filhos?).
- **Where does your family live?** (*uér dâz iór fé-mi-li liv*; Onde vive a sua família?).

Para pessoas que já conhece, pode perguntar:

- **How are your parents?** (*háu ár iór pé-rânts*; Como estão os seus pais?).
- **How's your husband?** (*háuz iór hás-bând*; Como está o seu marido?).
- **How's your wife?** (*háuz iór uáif*; Como está a sua mulher?).
- **How old are your children now?** (*háu ôuld ár iór tchil-drân náu*; Quantos anos já têm os seus filhos?).

Como a família é uma unidade (um grupo de pessoas), a palavra **family** é seguida pelo verbo no singular, como na frase **My family is in Peru** (*mái fémi- li iz in pe-ru*; A minha família está no Peru.). Mas, o pronome para a palavra **family** é o plural **they** (*dâi*; eles), que requer obviamente uma forma verbal também no plural, como na frase **They are coming to visit me** (*dâi ár câ-ming tu vi-zit mi*; Eles vêm visitar-me). Por que esta palavra funciona desta forma? Bem, digamos que há coisas inexplicáveis em todas as línguas.

Se ouvir alguém falar sobre os seus **in-laws** (*in lós*; sogros), não, não se refere à legislação atual ou a advogados. Está falando sobre a família do seu marido ou da sua mulher. Assim, os pais do seu marido ou da sua mulher são a sua **mother-in-law** (*má-dâr in ló*; sogra) e o seu **father-in-law** (*fá-dâr in ló*; sogro). E essa relação faz de si uma **daughter-in-law** (*dó-târ in ló*; nora) ou um **son-in-law** (*sân in ló*; genro).

Palavras a saber

mother	má-dâr	mãe
father	fá-dâr	pai
stepchild	<u>stép</u>-tcháild	enteado
relative	<u>ré</u>-lâ-tivs	familiar
husband	hâz-bând	marido
wife	uáif	mulher
in-law	in ló	sogros

Há muitas pessoas que vivem nos EUA numa família unicelular (uma família constituída por um pai ou uma mãe com os seus filhos). Outras famílias vivem em famílias alargadas (famílias com pais, filhos, avós e outros parentes que vivem todos na mesma casa). É normal que as famílias unicelulares vivam a alguma distância – mesmo a milhares de quilômetros – de outros familiares. O conceito de autosuficiência, a capacidade financeira de relocalização e a concentração de emprego nas cidades contribuem para a dispersão por todo o país dos **family members** (<u>fé</u>-mi-li <u>mêm</u>-bârs; membros da família).

Como Falar com Desconhecidos

No Brasil, não se pode dizer que seja normal duas pessoas que não se conhecem de lugar nenhum sorrirem uma para a outra, digam, **hi** (hái; Olá) e comecem a conversar. No entanto, é uma situação bastante comum nos EUA. Como este tipo de interação pessoal pode não soar familiar, é normal que se sinta ligeiramente desconfortável, e mesmo desconfiado, quando um estranho lhe sorrir e disser **hi**. Mas, não se preocupe, é uma situação perfeitamente natural.

E o que se deve fazer, se um estranho lhe disser **hi** ao passar por ela na rua, ou estando ao seu lado, na fila do supermercado? Simples. Sorria e diga **hi** também.

Pode puxar conversa com um estranho mesmo que não saiba muito inglês. Basta estabelecer contato ocular com uma pessoa perto de si, sorrir ou acenar e dizer **hello** (hé-<u>lôu</u>; olá).

Quando os estranhos são demasiadamente friendly

Por vezes, até uma pessoa bem-intencionada pode ser muito amistosa, fazendo com que você se sinta encurralado. Pode ignorá-la e afastar-se ou, se não puder afastar-se facilmente (se estiver dentro de um ônibus, por exemplo), pode tomar uma das seguintes ações:

- Seja direto e assertivo. Se um estranho perguntar se pode acompanhá-lo a sua casa, diga **No!** (*nôu*; Não!).

- Minta, se lhe parecer melhor. Se um estranho perguntar onde vive, diga **No speak English!** (*nôu spic in-glich*; Não falar inglês!). Repare que esta frase não é gramaticalmente correcta, mas a ideia é precisamente essa.

Se o desconhecido insistir, entre numa loja ou numa repartição pública, por exemplo, conte o seu problema a alguém e peça ajuda. (O Capítulo 16 dará mais algumas indicações sobre como se ver livre de estranhos).

As pessoas, geralmente, só iniciam conversa com alguém depois de terem estabelecido algum tipo de contato ocular. Mas, se não quiser seguir a conversa depois de um estranho o cumprimentar, pode pura e simplesmente evitar o contato ocular com essa pessoa. A sua linguagem corporal dirá que deseja terminar a interação e a maior parte das pessoas respeita esse comportamento.

Já sei que o que vou dizer agora pode parecer um pouco paternalista, mas a verdade é que não deixa de ser importante! Nunca, e quero dizer realmente nunca, dê o seu número de telefone ou endereço a um desconhecido, e nunca, nunca, nunca entre no carro de uma pessoa que não conhece. Essa pessoa pode perfeitamente ter a melhor das intenções, mas nunca se sabe; por isso, o melhor é não arriscar.

Diálogo

Sirkka, uma moça finlandesa, está num ônibus, quando entra um homem e se senta ao seu lado. O homem começa a falar com ela, mas Sirkka rapidamente se sente incomodada com a situação, quando o homem começa a fazer perguntas inadequadas.

Homem: **Hi.**
hái
Olá.

Sirkka: **Hello.**
hé-lôu
Olá.

Homem: **What's your name?**
uóts iór nâim
Qual é o seu nome?

Sirkka: **It's Sirkka.**
its sir-ca
Chamo-me Sirkka.

Homem:	**Are you from around here?** *ár iú frôm a-<u>ráund</u> hiâr* Você é dessa região?
Sirkka:	**No, I'm from Finland.** *nôu áim frôm <u>fin</u>-lând* Não, eu sou da Finlândia.
Homem:	**Do you have a place to stay?** *du iú hév â plâis tu stâi* Você tem onde ficar?
Sirkka:	**Uh... yes, I do.** *âh iés ái du* Aah... Tenho sim.
Homem:	**Where are you staying?** *uér ár iú <u>stâi</u>-ing* Onde você está morando?
Sirkka:	**I don't give out my address.** *ái dônt guiv áut mái <u>é</u>-drés* Não costumo dar o meu endereço, assim, às pessoas.

Se alguma vez se encontrar numa situação incômoda, pode parar de falar com a pessoa e virar-se para outro lado ou afastar-se dela. Se a pessoa continuar a importunar, deve dirigir-se a alguém responsável (como o condutor do ônibus, um funcionário do estabelecimento em que se encontrar, um professor ou alguma pessoa com funções semelhantes) e explicar-lhe o problema. Para mais informação essencial sobre como lidar com situações problemáticas ou de emergência, consulte o Capítulo 16.

Evitar Temas Tabu

Oh! Acaba de dizer qualquer coisa que não devia? Acaba de **put your foot in your mouth** (*put iór fut in iór máuth;* dizer o que não devia)? Saber o que se deve evitar numa conversa é quase tão importante como saber sobre o que falar. De fato, pode mesmo ser mais importante! Por exemplo, em algumas culturas, é normal perguntar a idade às pessoas assim que se conhecem, para se saber que tipo de tratamento dar a essa pessoa. Mas, nos EUA, perguntar a idade a uma pessoa pode ser indelicado, especialmente se essa pessoa parecer mais velha do que o leitor.

As questões seguintes são consideradas muito pessoais para conversas casuais ou com pessoas que não se conhece bem:

- ✔ **How old are you?** (*háu ôuld ár iú;* Qual a sua idade?).

- ✔ **How much money do you make?** (*háu mâtch <u>mâ</u>-ni du iú mâic;* Quanto você ganha?).

✔ **Are you pregnant?** (*ár iú pré-gnânt*; Você está grávida?).

✔ **Why don't you have children?** (*uái dônt iú hév tchil-drân*; Por que você não tem filhos?).

✔ **Why are you divorced?** (*uái ár iú di-vórsd*; Por que você está divorciado?).

✔ **Why aren't you married?** (*uái á-rânt iú mé-rid*; Por que você não está casado?).

✔ **How much do you weigh?** (*háu mâtch du iú uâi*; Quanto você ganha?).

Mas é claro que, com os seus melhores amigos, pode falar de praticamente qualquer coisa. Mesmo assim, se tiver alguma dúvida sobre se a pessoa vai se ofender, pode usar uma das seguintes frases para começar a pergunta:

✔ **Do you mind if I ask...?** (*du iú máind if ái ésc*; Posso perguntar-lhe...?).

• **... your age?** (*iór âidj*; ... a sua idade?).

• **... how old you are?** (*háu ôuld iú ár*; ... quantos anos tem?).

✔ **May I ask...?** (*mâi ái ésc*; Posso perguntar-lhe...?).

• **... if you're married?** (*if iór mé-rid*; ... se está casada?).

• **... where you live?** (*uér iú liv*; ... onde mora?).

E o que é que uma pessoa pode fazer quando alguém lhe faz uma pergunta a qual prefere não responder? Aqui tem algumas respostas rápidas e eficazes (sem deixarem de ser amistosas e educadas):

✔ **I'd rather not say.** (*áid ré-dâr nót sâi*; Prefiro não dizer).

✔ **It's personal.** (*its pâr-sâ-nâl*; É um assunto pessoal).

✔ **It's private.** (*its prái-vât*; É um tema privado).

✔ **It's a secret!** (*its â si-crât*; É um segredo).

Palavras a saber

pregnant	pré-gnânt	grávida
married	mé-rid	casado
divorced	di-vórsd	divorciado
private	prái-vât	privado
personal	pâr-sâ-nâl	pessoal
secret	si-crât	segredo

Invocar a quinta emenda

Quando as pessoas não querem responder a uma pergunta pessoal, podem dizer, humoristicamente, **I take the fifth!** (Ái tâic dâ fifíti; Invoco a quinta emenda!). O que significa esta expressão? Bem, refere-se à Quinta Emenda da Constituição dos Estados Unidos, que, basicamente, determina que uma pessoa não pode ser forçada (em casos de justiça penal) a testemunhar contra si própria. O que, na prática, permite que uma pessoa que esteja sendo interrogada possa se recusar a responder a uma pergunta que a incrimine. Esta frase saltou dos tribunais para a cultura americana e hoje pode ser ouvida tanto em uma série de advogados como em uma comédia.

Se disser esta frase na brincadeira, as pessoas podem ficar bastante impressionadas, primeiro pela surpresa ao ver que conhece a expressão, e, depois, porque invocar a quinta emenda significa que tem segredos a esconder!

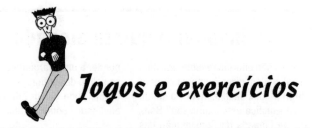

Jogos e exercícios

Faça de conta que é o homem do tempo. Apresente o boletim meteorológico para o mapa dos EUA completando as seguintes frases. Aqui tem um exemplo: **It's raining in Ohio.**

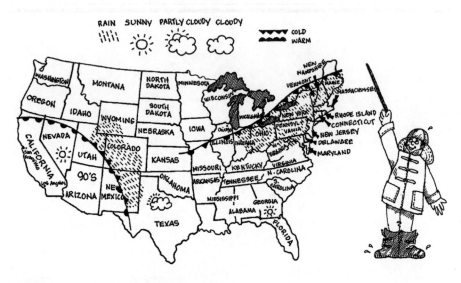

1. It's_____ in Nevada.

2. It's_____ in New York.

3. Texas is_____ .

4. It's not _____ in Georgia.

5. It's_____ and_____ in Arizona.

6. Ohio is_____ and_____ .

Capítulo 5

Onde Estou? – Como Pedir Direções

Neste Capítulo

▶ Aprendendo como encontrar os locais

▶ Pedindo ajuda

▶ Compreendendo as direções dadas

Um dia, estava à procura de uma estação de correios num país estrangeiro, parei e abanei as cartas na frente de uma pessoa que passava por ali, dizendo "Post Office?", assim mesmo, em inglês, já que não sabia uma única palavra da língua local. Não me admira que o assustado indivíduo se afastasse rapidamente de mim. A verdade é que não foi uma atitude muito correta. E, como pode imaginar, também não tive muito êxito em chegar onde queria.

Mas quando estiver longe de casa à procura do **post office** (*pôust ó-fis*; posto dos correios), o leitor já não terá este problema. Como é que eu sei disso? Porque está lendo este capítulo, que proporcionará diversas expressões úteis e uma grande quantidade de informação para pedir ajuda, entender **directions** (*di-réc-châns*; direções) e encontrar o lugar onde quer ir – como o banco, a casa de banho, a praia e até mesmo a estação de correios.

Pedir Delicadamente

Quando estiver viajando ou tentando encontrar qualquer coisa numa localidade que não conhece, pode ter que pedir informação. É perfeitamente normal aproximar-se de alguém na rua ou entrar numa loja e falar com o empregado. E as pessoas ficarão mais inclinadas em ajudar se você conhecer algumas frases delicadas para chamar a atenção, por exemplo:

▶ **Excuse me.** (*écs-quiúz mi*; Desculpe-me).

▶ **Pardon me.** (*par-dân mi*; Perdoe-me).

▶ **Can you help me?** (*quén iú hélp mi*; Poderia me ajudar?).

92 Parte II: Falar um Pouquinho de Inglês

Agora que já sabe como chamar a atenção de alguém para as suas necessidades, veremos nas seções seguintes como pedir direções.

Como Pedir Direções

Não importa em que canto do mundo se encontra, as suas necessidades básicas são as mesmas. Geralmente precisa encontrar **food** (*fud*; comida), um **place to sleep** (*plâis tu slip*; lugar para dormir), **money** (*mâ-ni*; dinheiro) e a **bathroom** (*béth-rum*; casa de banho). Sim, talvez tenha outras necessidades, como amizade, amor, felicidade e um bom par de sapatos. Mas, antes de encontrar um amigo ou o amor da sua vida, é muito provável que tenha que **eat** (*it*; comer) ou **use the restroom** (*iúz dâ réstrum*; ir à casa de banho), de modo que saber como pedir direções para chegar lá é importantíssimo. Depois de ter chamado delicadamente a atenção do seu interlocutor, pode perguntar como encontrar o lugar de que está à procura. Por exemplo:

- ✔ **How do I get to a bank?** (*háu du ái guét tu â bénc*; Como chego ao banco?).

- ✔ **Where's the grocery store?** (*uérs dâ grôu-se-ri stór*; Onde está a mercearia?).

- ✔ **Is there a public restroom nearby?** (*iz der â pâ-blic rést-rum nir-bái*; Há algum banheiro público aqui perto?)

- ✔ **How do I find_____?** (*háu du ái fáind*; Onde é que eu posso encontrar_____?).

- ✔ **Please direct me to_____.** (*pliz dái-réct mi tu*; Podia me dizer como ir para_____?).

Bathrooms, restrooms, toilets e johns

Quando estiver "aflito" (ou "aflita"), pergunte **Where's the ladies' room?** (*uérs dâ lai-dis rum*; Onde é o banheiro feminino?) ou **Where's the men's room?** (*uérs dâ méns rum*; Onde é o banheiro masculino?). Ou pode perguntar pelo **bathroom** (*béthrum*; banheiro) ou **restroom** (*rést-rum*; banheiro). Todas as anteriores são palavras educadas, socialmente aceitáveis, para se referir a **toilet** (*tói-let*; banheiro). Mas evite dizer **Where's the toilet?** Por alguma razão, esta expressão parece um pouco grosseira aos ouvidos americanos. As pessoas preferem geralmente as formas mais indiretas e delicadas **bathroom** e **restroom**, mesmo que não queiram nem tomar banho nem descansar! Quanto à palavra **john** (*djón*; banheiro), que é considerada gíria, pode parecer um pouco menos grosseira que **toilet**, mas também está longe de ser adequada para ambientes formais.

Como é óbvio, as suas necessidades mais imediatas e mais prementes dependem da sua situação específica; por isso, pode ter de alterar as perguntas anteriores. Por exemplo, se estiver escalando as Montanhas Rochosas, é pouco provável que sinta necessidade de perguntar **How do I get to a bank?** Seria mais comum querer perguntar algo do gênero de "Por onde é que se desce?".

Capítulo 5: Onde Estou? – Como Pedir Direções **93**

A lista seguinte contém algumas palavras relacionadas com localizações, que você pode usar para pedir informações:

✔ Excuse me, where is ...

- ... **the freeway?** (*dâ fri-uâi*; a via rápida?).
- ... **the main part of town?** (*dâ mâin párt óf tâun*; o centro da cidade?).
- ... **the bus station?** (*dâ bâs stâi-chân*; a estação rodoviária?).
- ... **a good restaurant?** (*â gud rés-tâ-rânt*; um bom restaurante?).
- ... **a pharmacy?** (*â fár-mâ-ci*; uma farmácia?).
- ... **Carnegie Hall?** (*cár-ne-gi hól*; Carnegie Hall?).

Palavras a saber

public restroom	*pâ-blic rést-rum*	banheiro público
grocery store	*grôu-se-ri stór*	mercearia
bank	*bénc*	banco
pharmacy	*fár-mâ-ci*	farmácia
ladies' room	*lai-dis rum*	banheiro feminino
men's room	*méns rum*	banheiro masculino
post office	*pôust ó-fis*	estação de correios

Ir na direção certa

Quando receber indicações de alguém sobre como chegar a qualquer lugar, pode ouvir uma ou várias das seguintes palavras:

✔ **straight** (*strâit*; em frente)

✔ **right** (*ráit*; direita)

✔ **left** (*léft*; esquerda)

✔ **on the corner of** (*ón dâ cór-nâr óf*; na esquina de)

✔ **block** (*blóc*; quarteirão)

✔ **stoplight** (*stóp-láit*; semáforo) ou light (*láit*; semáforo)

✔ **stop sign** (*stóp sáin*; sinal de pare)

✔ **intersection** (*in-târ-sec-chân*; cruzamento)

✔ **road** (*rôud*; estrada)

- **street** (*strit*; rua)
- **avenue** (*é-ve-niú*; avenida)

Diálogo

Javier está à procura de uma livraria para comprar o popular *Inglês Para Leigos*, e depois quer ir à praia descansar um pouco e ler o seu novo livro. Então, dirige-se a uma pessoa que encontra na rua para pedir informações. (Faixa 10)

Javier: **Excuse me. Can you help me?**
écs-*quiúz* mi quén iú hélp mi
Com licença. Pode me ajudar?

Pessoa: **I'll try.**
áil trái
Farei aquilo que puder.

Javier: **I'm looking for a bookstore.**
áim *lu*-quing fór â *buc*-stór
Estou à procura de uma livraria.

Pessoa: **There's a great one on College Avenue.**
dérs a grâit uón ón *có*-lâdj *é*-ve-niú
Há uma muito boa em College Avenue.

Javier: **Good. How do I get there?**
gud háu du ái guét dér
Ótimo. Como que eu chego lá?

Pessoa: **Go up this street one block and turn right on College Avenue.**
gôu âp dis strit uón blóc énd târn ráit ón *có*-lâdj *é*-ve-niú
Suba esta rua um quarteirão e vire à direita na College Avenue.

Javier: **Okay. One block; turn right.**
ôu-*cái* uón blóc târn ráit
OK. Um quarteirão, virar à direita.

Pessoa: **Then go up College Avenue two blocks to River Road.**
dén gôu âp *có*-lâdj *é*-ve-niú tu blócs tu *ri*-vâr rôud
Depois, suba College Avenue dois quarteirões até chegar a River Road.

Javier: **River Road?**
ri-vâr rôud
River Road?

Pessoa:	**Yes. The bookstore is on the corner. You can't miss it.** *iés dâ buc-stór iz ón dâ cór-nâr iú quént mis it.* Sim. A livraria está na esquina. Não tem como errar.
Javier:	**Thanks.** *théncs* Obrigado.
Pessoa:	**My pleasure.** *mái plé-jâr* Não tem de que.

Usar as preposições de lugar: next to, across, in front of e outras

As preposições de lugar indicam onde é que qualquer coisa está colocada em relação a outro ponto de referência. Como pode imaginar, é quase impossível compreender ou dar direções sem estas palavras. Estaria, literalmente, perdido! Por exemplo, a preposição **next to** (*nécst tu*; ao lado de) na frase **My house is next to the bakery** (*mái háus iz nécst tu dâ bâicâ- ri*; A minha casa está ao lado da padaria) indica que a minha casa e a padaria se encontram lado a lado (e que é provável que eu coma muitos bolos!). Eis uma lista com algumas das preposições mais utilizadas para dar direções:

- **before** (*bi-fór*; antes)

- **after** (*éf-târ*; depois)

- **near** (*ni-âr*; perto de)

- **next to** (*nécst tu*; ao lado de)

- **across from** (*â-crós frôm*; do outro lado de)

- **in front of** (*in frônt óf*; em frente de)

- **around the corner** (*â-ráund dâ cór-nâr*; ao dobrar a esquina)

- **on the right** (*ón dâ ráit*; à direita)

- **on the left** (*ón dâ léft*; à esquerda)

- **in the middle** (*in dâ mi-dâl*; no meio)

- **at the end** (*ét di ênd*; no fim)

Parte II: Falar um Pouquinho de Inglês

Diálogo

 Ezra está no Havaí pela primeira vez e quer deslizar nas ondas, mas não tem prancha, nem qualquer experiência. Dirige-se a uma pessoa para que o ajude a encontrar uma loja onde possa comprar uma prancha de surf. (Faixa 11)

Ezra:	**Excuse me. Is there a surf shop nearby?**
	écs-_quiúz_ mi iz dér a sârf chóp _nir_-bái
	Desculpe. Há alguma loja de surf aqui perto?
Transeunte:	**There's one a few blocks away.**
	dérs uón â fiú blocs â-_uâi_
	Há uma a poucos quarteirões daqui.
Ezra:	**How do I get there?**
	háu du ái guét dér
	Como é que se vai para lá?
Transeunte:	**Turn right at the intersection; then keep going; after the third light, you'll see the surf shop.**
	târn ráit ét dâ in-târ-_séc_-chân dén quip _gôu_-ing _éf_-târ dâ thârd láit iúl si dâ sârf chóp
	Vire à direita no cruzamento e continue por essa rua. Depois do terceiro semáforo, encontrará a loja.
Ezra:	**Is it on the right or the left side of the street?**
	iz it ón dâ ráit ór dâ léft sáid óf dâ strit
	Está no lado direito ou esquerdo da rua?
Transeunte:	**The right... in the middle of the block.**
	dâ ráit in dâ _mi_-dâl óf dâ blóc
	No lado direito... No meio do quarteirão.
Ezra:	**Okay, thanks.**
	ôu-_câi_ théncs
	OK, obrigado.

 Leve com você um pequeno caderno (e um lápis ou uma caneta) para poder pedir às pessoas que façam um mapa quando te derem informações. Basta dizer **Can you draw me a map, please?** (_quén iú dró mi â mép pliz_; Podia desenhar-me um mapa, por favor?).

 A maior parte dos americanos é bem solicita ao dar direções e em ajudar um visitante estrangeiro; por isso, não precisa se preocupar em incomodar as pessoas. Procure alguém que não pareça ter muita pressa e que não pareça ser um turista. (Boa sorte em São Francisco e Nova York –, vai precisar!).

Compreender Verbos de Direção: Follow, Take e Turn

As pessoas usam determinados verbos para dar direções. Os seguintes verbos de "direção" podem realmente **take you places** (*tâic iú plâi-ses*; levá-lo longe):

- ✔ **To follow** (*tu fá-lôu*; continuar)
- ✔ **To turn** (*tu târn*; virar)
- ✔ **To take** (*tu tâic*; meter-se)

To follow e **to turn** são verbos regulares (que acabam com **-ed** no passado e no particípio). No entanto, **to take** é um verbo irregular, com **took** e **taken** como passado e particípio. Consulte o Capítulo 2 e o Apêndice A para mais informação sobre verbos regulares e irregulares.

Usar o verbo "to follow"

To follow pode ter dois significados quando se está falando sobre direções. Um deles é seguir, no sentido de ir atrás de alguém. Por exemplo, se estiver de carro, é normal que alguém diga **Follow me. I'll show you where it is.** (*fá-lôu mi áil chôu iú uér it iz*; Siga-me. Mostro-lhe onde é isso).

O outro significado é continuar numa determinada direção, como na frase:

- ✔ **Follow this road for a few miles.** (*fá-lôu dis rôud fór â fiú máils*; Continue por esta estrada algumas milhas).
- ✔ **This road follows the coast.** (*dis rôud fá-lôuz dâ côust*; Esta estrada segue a costa).

Usar o verbo "to take"

Se alguém der direções com o verbo **to take**, pode estar te aconselhando a tomar um caminho específico ou dizendo o caminho que geralmente essa pessoa toma. Os seguintes exemplos demonstram estes dois significados do verbo **to take**:

- ✔ **Take this road for two blocks.** (*tâic dis rôud fór tu blócs*; Entre nesta estrada durante dois quarteirões).
- ✔ **I usually take highway 80 to Salt Lake City.** (*ái iú-juâ-li tâic háiuâi âi-ti tu sált lâic ci-ti;* Geralmente apanho a via rápida 80 para Salt Lake City).

Para descobrir mais usos em deslocações do verbo **to take**, consulte o Capítulo 12.

Usar o verbo "to turn"

Turn right (*târn ráit*; virar à direita), **turn left** (*târn léft*; virar à esquerda) ou **turn around** (*târn â-ráund*; dar meia volta) – vá como quiser menos em frente! Quando virar, mude de direção e quando **turn around** (*târn âráund*; dar meia volta), volte para direção de que veio (lembre-se só de nunca fazer isto numa via rápida!).

Às vezes, as ruas podem **turn into** (*târn in-tu*; passar a ser) outra rua, o que significa que a rua **changes names** (*tchâin-djes nâi-mes*; muda de nome). Neste caso, **turn into** significa o mesmo que **become** (*bi-câm*; tornar-se).

Repare nas seguintes frases com o verbo **turn**:

- **Turn right at First Street.** (*târn ráit ét fârst strit*; Vire à direita em First Street).

- **Mission Street turns into Water Street after the light.** (*michân strit târns in-tu uó-târ strit éf-târ dâ láit*; A Mission Street transforma-se em Water Street depois do semáforo).

- **She went the wrong way, so she turned around.** (*chi uént dâ róng uâi sôu chi târnd â-ráund*; Ela foi no sentido contrário, por isso deu meia volta).

Nos EUA, os **pedestrians** (*pe-dés-triâns*; pedestres) têm prioridade sobre os carros – pelo menos em princípio. Por isso, não se surpreenda se os condutores pararem e esperarem educadamente que atravesse a rua. Mas nunca parta do princípio que eles vão parar, porque há alguns que não param. Lembre-se também que nos EUA os carros vão pelo **right-hand side** (*ráit hénd sáid*; lado da direita) da estrada, por isso olhe sempre para a esquerda para ver **oncoming traffic** (*ón-câ-ming tré-fic*; trânsito que vem em sua direção). Mas o melhor é seguir o conselho da minha mãe: olhe para os dois lados antes de atravessar a rua, mantenha-se na **crosswalk** (*crós-uóc*; faixa de pedestres) e só atravesse com a luz verde para os pedestres!

Palavras a saber

pedestrian	*pe-dés-triâns*	pedestres
crosswalk	*crós-uóc*	faixa para pedestres
traffic	*tré-fic*	trânsito
highway	*hái-uâi*	via rápida
to turn	*tu târn*	virar
to take	*tu tâic*	apanhar
to follow	*tu fá-lôu*	continuar

Capítulo 5: Onde Estou? – Como Pedir Direções **99**

Virar Para Norte – ou Para Sul?

Algumas pessoas possuem um senso de direção fantástico. Sabem sempre onde é o **north** (_nórth_; norte), o **south** (_sáuth_; sul), o **east** (_ist_; leste) e o **west** (_uést_; oeste). Minha avó era assim e, quando apontavam a direção às pessoas, dizia sempre "vá para oeste nesta rua e depois vire para sul naquela". Mas, enfim, eu cresci na costa da Califórnia, onde **going west** (_gôu-ing uést_; ir para oeste) deixa uma pessoa no meio do Oceano Pacífico! E onde **going south** (_gôu-ing sáuth_; ir para sul) é uma atividade exclusiva das aves migratórias no Inverno. Eu precisaria de uma bússola para seguir as orientações de minha avó!

Embora todas as pessoas saibam que o sol se levanta no leste e se põe no oeste, não deixa de ser fácil **get turned around** (_guét târnd â-_<u>_ráund_</u>; desorientar-se) quando uma pessoa se encontra num lugar novo. Por isso, se alguém que estiver dando informações e disser para ir para leste ou para oeste e não tiver bem a certeza para que lado fica isso, faça uma das seguintes perguntinhas para pedir esclarecimentos:

- ✔ **Do you mean left?** (_du iú min léft_; Quer dizer para a esquerda?).

- ✔ **Do you mean right?** (_du iú min ráit_; Quer dizer para a direita?).

- ✔ **Is that right or left?** (_iz dát ráit ór léft_; Isso quer dizer para a direita ou para a esquerda?).

Para mais informação sobre **getting from one place to another** (_guéting frôm uón plâis tu â-ná-dâr_; ir de um lugar para outro) – em transportes públicos ou num carro alugado – consulte o Capítulo 12.

Diálogo

O Ezra encontrou a loja de artigos de surf e já tem a sua nova prancha atada ao rack do seu jipe alugado. Mas não tem a menor ideia de como chegar à praia. Por isso, para e pede direções. (No Capítulo 15, descobrirá como correu a primeira experiência de surf do Ezra).

Ezra:	**Excuse me, sir. Which way to the beach?**
	écs-<u>_quiúz_</u> _mi sâr uítch uâi tu dâ bitch_
	Desculpe, senhor. Como faz para ir à praia?
Transeunte:	**Get on the freeway going east. You'll see freeway signs about a mile down this road.**
	guét ón dâ <u>_fri_</u>_-uâi_ <u>_gôu_</u>_-ing ist iúl si_ <u>_fri_</u>_-uâi sáins â-_<u>_báut_</u> _â máil dáun dis rôud_
	Entre na via rápida para o leste. Verá os sinais da via rápida nesta estrada uma milha mais à frente.
Ezra:	**Okay.**
	_ôu-_<u>_câi_</u>
	OK.

100 Parte II: Falar um Pouquinho de Inglês

Transeunte:	**Follow the freeway a few miles, and then take the Harbor Road exit.**
	fó-lôu dâ fri-uâi â fiú máils énd dén tâic dâ hár-bâr rôud é-csit
	Vá pela autoestrada algumas milhas e depois entre na saída de Harbor Road.
Ezra:	**Then which way do I go?**
	dén uítch uâi du ái gôu
	E depois para onde você vou?
Transeunte:	**Go south.**
	gôu sáuth
	Continue para o sul.
Ezra:	**South?**
	sáuth
	Para o sul?
Transeunte:	**Yes, turn right and stay on Harbor Road to the end.**
	iés târn ráit énd stâi ón hár-bâr rôud tu di énd
	Sim, vire à direita e vá por Harbor Road até o final.
Ezra:	**Does Harbor Road take me to the beach?**
	dâs hár-bâr rôud tâic mi tu dâ bitch
	E a Harbor Road me leva até à praia?
Transeunte:	**Yes, Harbor Road ends at the beach. You can't miss it.**
	iés hár-bâr rôud ênds ét dâ bitch iú quént mis it
	Sim, a Harbor Road acaba na praia. É impossível se enganar.
Ezra:	**Thanks a lot.**
	théncs â lót
	Muito obrigado.

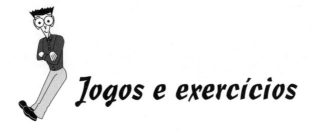

Jogos e exercícios

O leitor convidou alguns amigos americanos a acompanhá-lo numa festa de fim de período na escola onde está tendo aulas de inglês. Escreveu as direções necessárias para chegar em português, mas agora tem que traduzir para os seus amigos, que, como tantos americanos, só falam uma língua: o inglês.

Pegue a autoestrada na direção sul._____

Saia na saída de Harvest Road._____

Continue sempre em frente durante 3 milhas._____

Vire à esquerda no semáforo._____

Continue durante três quarteirões._____

Vire à direita em Oak Street._____

Depois do cruzamento siga mais um quarteirão._____

A escola está nessa esquina._____

Está em frente à biblioteca._____

102 Parte II: Falar um Pouquinho de Inglês

Capítulo 6

Me Telefone

● ●

Neste Capítulo

▶ Fazendo e responder ligações

▶ Recebendo e deixar mensagens

▶ Resolvendo problemas ao telefone

▶ Obtendo ajuda da operadora

● ●

Um **phone** (*fâun*; telefone) é só um telefone – uma invenção muito útil que usou durante toda a sua vida, não é? De fato, o mais provável é que também tenha um celular para poder falar onde e quando quiser. Falar ao telefone (em português normal e corrente) deve ser uma das atividades que está mais habituado. Mas quando precisa fazer ou receber uma **call** (*cól*; chamada) em inglês, as coisas mudam de figura.

Fica com as mãos suadas? A sua voz torna-se fraca até ficar reduzida a um murmúrio? Esquece-se de repente daquilo que queria dizer? Chega mesmo a evitar usar o telefone? Compreendo perfeitamente. Sinto exatamente a mesma coisa quando tenho que usar o telefone em outro país. Mas não tenha medo de usar o telefone. Levante o fone, digite e diga **Hello?** (*hé-lôu*; Está lá?). E depois? Continue lendo que já explico.

Este capítulo pode te ajudar a falar ao telefone com menos ansiedade e mais êxito. Aqui você encontrará as palavras e frases mais normais usadas ao telefone, juntamente com alguns truques úteis para ajudar os seus interlocutores a entenderem melhor o que lhes dizendo. Também dá informação sobre como **take or give messages** (*tâic ór guiv mé-sâ-djâs*; receber ou deixar mensagens) e sobre o que deve dizer, se marcar um **wrong number** (*róng nâm-bâr*; número errado) e como obter ajuda da **information operator** (*in-fâr-mâi-chân ó-pe-râi-târ*; operadora de informação).

Trim, Trim! – Atender uma Chamada

O que é que as pessoas dizem em inglês quando **answer the phone** (*én-sâr dâ fôun*; atendem o telefone)? Bom, há várias possibilidades, mas a frase mais típica que se ouve quando alguém atende o telefone é simplesmente **Hello** (*hé-lôu*; Olá) ou a mesma palavra mas de forma interrogativa: **Hello?** (*hélôu*; Alô?).

Também poderá ouvir alguém atender o telefone com uma das seguintes frases:

- **Yes?** (*iés*; Sim?).

- **Einstein residence, Albert speaking.** (*áin-stáin ré-zi-dâns él-bârt spi-quing*; Residência dos Einstein, Albert falando).

Por vezes, as pessoas atendem o telefone dizendo o seu próprio nome seguido da palavra **here** (*hi-âr*; aqui), por exemplo **Al here.** (*él hi-âr*; Aqui Al). Mas o melhor, quando for atender o telefone, é dizer um simples **Hello**. Atender o telefone com **Yes?** ou **Al here!** pode parecer um pouco frio ou impessoal (e é muito provável que o seu nome não seja Al, o que causa ainda mais problemas!).

Fazer uma Chamada

Digamos que precisa **make a call** (*mâic â cól*; fazer uma chamada), já que foi incapaz de convencer, induzir ou coagir qualquer um dos seus amigos que falam inglês para que a façam por você. O telefone **rings** (*rings*; toca), e então alguém responde e diz **Hello?**.

Agora é a sua vez. Qual parece ser o melhor caminho a seguir?

- Entrar em pânico e **hang up** (*héng âp*; desligar).

- Dizer **Fine, thank you.** (*fâin thénc iú*; Bem, obrigado).

- Dizer **Who is this?** (*hú iz dis*; Quem está falando?).

- Dizer **Hello?** e depois esperar que a outra pessoa diga mais qualquer coisa.

- Nenhuma das opções anteriores.

Esperemos que tenha selecionado a última hipótese, porque qualquer das outras poderia fazer com que a pessoa **on the other end** (*ón di ó-dâr ênd*; do outro lado) pensasse que era muito mal-educado.

E, como é óbvio, isto não é motivo para entrar em pânico. Afinal, é só um telefonema. A melhor coisa a fazer é dizer **Hello**, falar lentamente e identificar-se com uma das seguintes frases:

- **This is** (diga o seu nome). (*dis iz*; Aqui fala _____ .). Use esta frase se a pessoa que atender o telefone já o conhecer.

- **My name is**_____ . (*mái nâim iz*; Chamo-me _____ .). Use esta frase se a pessoa que atender o telefone não o conhecer.

Depois, pergunte pela pessoa com quem quer falar, da seguinte forma:

- **Is**_____ **there?** (*iz*_____ *dér*; O _____ está?).

- **May/can I speak to**_____ **?** (*mâi/quén ái spic to*; Posso falar com _____ ?).

E depois, o que é que a pessoa do outro lado diz? Bom, depende. Imagine que está ligando para o seu amigo Devin. O leitor liga e diz **Hello. Is Devin there?** (*hé-lôu iz dé-vin dér*; Olá. O Devin está?). Veja diferentes respostas possíveis que podem te dar.

- ✔ O Devin atende o telefone e diz:

    - **This is Devin.** (*dis iz dé-vin*; Está falando com o Devin).

    - **Speaking.** (*spi-quing*; É o próprio.).

- ✔ Não foi o Devin que atendeu o telefone, mas está em casa. A pessoa que atendeu diz:

    - **Just a minute.** (*djâst â mi-nât*; Espere um momento).

    - **Hold on a minute. Who's calling please?** (*hôld ón â minât húz có-ling pliz*; Espere um momento. Quem fala?).

- ✔ O Devin está em casa, mas não pode atender o telefone. A pessoa do outro lado pode dizer:

    - **Devin can't come to the phone now. Can I have him call you back?** (*dé-vin cánt câm tu dâ fôun náu quén ái hév him cól iú béc*; O Devin não pode atender o telefone neste momento. Quer que eu diga que você ligou?).

    - **Can he call you back? He's busy.** (*quén hi cól iú béc hiz bi-zi*; Ele pode ligar para você daqui a um pouquinho? Agora está ocupado).

Se o Devin não estiver em casa, pode ser mais fácil para você deixar uma mensagem. Consulte a seção "Deixar uma mensagem", neste capítulo, para mais informação sobre o que pode dizer nesse caso.

Se um **caller** (*có-lâr*; pessoa que liga) disser **Who is this?** (*hú iz dis*; Quem fala?) assim que alguém atender o telefone, está demonstrando possuir uma péssima educação. Mas, por outro lado, se ligar para alguém e não se identificar, é perfeitamente normal que a pessoa que atende o telefone pergunte **Who is this?** ou **Who's speaking?** (*huz spi-quing*; Quem fala?).

Precisa fazer uma chamada? Se tiver tempo, por que não ensaia um pouquinho antes? Escreva todas as perguntas e afirmações que sabe que quer fazer, e depois pratique-as durante algum tempo. (As pessoas que estiverem mais perto de você podem te ver falando com você mesmo e pensar que é um pouquinho estranho, mas não se preocupe com elas – continue que está em um bom caminho).

Palavras a saber

telephone	té-lâ-fôun	telefone
phone	fôun	telefone
cell phone	sél fôun	celular
the other end	di ó-dâr ênd	do outro lado
to make a call	tu mâic â cól	fazer uma chamada
to receive a call	tu ri-civ â cól	receber uma chamada

Discar Um Número — Não Mais

As pessoas ainda dizem **dial a number** (*dái-âl â nâm-bâr*; discar um número), mas a verdade é que são muito poucas as pessoas que ainda discam os números. Os telefones de disco são uma coisa já quase de museu. Agora toda a gente tem **touch-tone phones** (*tâtch-tôun fôuns*; telefones de tonalidades de multifrequência; ou seja, um telefone de teclas), e **press** (*prés*; pressionam) ou **punch** (*pântch*; batem) os números. Mas as pessoas ainda usam o verbo **dial** por hábito, como na frase **I dialed the wrong number** (*ái dái-âld dâ róng nâm-bâr*; Enganei-me no número). A tecnologia avança a passos de gigante, mas a linguagem cotidiana, por vezes, necessita de um pouco mais de tempo para se atualizar.

Os Típicos Verbos Telefônicos: To Call, To Phone e Outros

No inglês da América, os verbos mais comuns para descrever a ação de fazer um telefonema são **to call** (*tu cól*; ligar) e **to phone** (*tu fôun*; telefonar). Ambos são verbos regulares (consulte o Capítulo 2 para as explicações sobre os verbos regulares e irregulares).

Experimente usar estas expressões com os seus amigos:

- **Call me sometime.** (*cól mi sâm-táim*; Ligue-me um dia destes).
- **Okay, I'll phone you this weekend.** (*ôu-câi áil fôun iú diz uíc-énd*; Está bem, telefono neste final de semana).

Não diga **call to**, como **I'll call to you tomorrow** (*áil cól tu iú tu-mó-rôu*; Eu chamarei por ti amanhã). **Call to** (*cól tu*; chamar por alguém) significa gritar o nome de alguém para chamar a sua atenção. Diga sempre **I'll call you tomorrow**.

To ring (*tu ring*; tocar) — ou **to beep** (*tu bip*; tocar) se for um celular— é o som que o telefone faz, como na frase **The phone is ringing. Someone please answer it!** (*dâ fôun iz rin-guing sâm-uón pliz én-sâr it*; O telefone está tocando. Que alguém o atenda, por favor!)

To answer (*tu én-sâr*; atender) é o verbo para receber uma chamada ou para levantar a antena, como na frase **I called her house, but nobody answered** (*ái cóld hâr hâus bât nôu-bâ-di én-sârd*; Liguei para casa dela mas ninguém atendeu).

Quando alguém quer te ligar, você pode falar uma das seguintes frases coloquiais:

- **I'll give you a ring.** (*áil guiv iú â ring*; Eu lhe dou um toque).
- **I'll give you a buzz.** (*áil guiv iú â bâz*; Eu lhe dou um toque).

Palavras a saber

to phone	tu fôun	telefonar
to call	tu cól	telefonar
to answer (the phone)	tu én-sâr dâ fôun	atender o telefone
to hang up (the phone)	tu héng âp dâ fôun	desligar o telefone

"N" de Nancy: Soletrar as Palavras

Ao falar inglês, é bastante comum que as pessoas **spell out** (*spél óut*; soletrem) a informação que estão tentando transmitir. Por vezes, por mais lenta e cuidadosa que seja a sua forma de falar, a outra pessoa não entende o que está falando; por isso, conhecer o **ABC** (*âi-bi-si*; abecedário) pode ser bastante útil

Diálogo

O Tran Vu está fazendo uma chamada. Digitou o número e alguém atende o telefone.

Outra pessoa: **Hello?**
hé-lôu
Alô?

Tran Vu: **Hello. This is Tran Vu.**
hé-lôu dis iz trén vu
Olá. Aqui fala Tran Vu.

108 Parte II: Falar um Pouquinho de Inglês

Outra pessoa:	**What? Who is this?** *uát hú iz dis* O quê? Quem fala?
Tran Vu:	**Tran Vu. This is Tran Vu.** *trén vu dis iz trén vu* Tran Vu. Aqui fala Tran Vu.
Outra pessoa:	**I'm sorry. What did you say?** *áim só-ri uát did iú sâi* Desculpe? Como disse?
Tran Vu:	**This is Tran Vu — T-R-A-N V-U. My name is Tran Vu.** *dis iz trén vu ti ár âi én vi iú mái nâim iz trén vu* Aqui fala Tran Vu. T-R-A-N V-U. Eu me chamo Tran Vu.
Outra pessoa:	**Sorry. I still didn't catch your name. Say that again.** *só-ri ái stil di-dânt quétch iór nâim sâi dát â-guén* Desculpe. Continuo sem entender o seu nome. Poderia repetir?

Se a pessoa do outro lado não o compreender, não precisa apanhar o próximo avião de volta para o Brasil, nem deixar completamente de usar o telefone. Em vez disso, comece lentamente e soletre o seu nome usando a seguinte tabela. Este sistema de soletração é especialmente útil quando está dezendo letras que se parecem muito, como B, C, D, E, G, P, T, V e Z (algumas pessoas chamam **zéd esta** letra, e a maior parte dos americanos diz **zee**). Para descobrir como pronunciar as letras do alfabeto inglês, consulte o Capítulo 1.

Pode reparar que a tabela não cobre todo o alfabeto, basicamente, porque há algumas letras – como o **W**(*dâ-bâl-iú*) — que são fáceis de compreender e raramente se confundem com outras letras.

A as in apple (*âi éz in é-pâl*; A de maçã)

B as in boy (*bi éz in bói*; B de rapaz)

C as in cat (*si éz in quét*; C de gato)

D as in dog (*di éz in dóg*; D de cão)

E as in elephant (*i éz in é-le-fânt*; E de elefante)

F as in Frank (*éf éz in frénc*; F de Frank)

G as in George (*dji éz in djórdj*; G de George)

H as in Hank (*âitch éz in hénk*; H de Hank)

I as in Italy (*ái éz in i-tâ-li*; I de Itália)

J as in John (*djâi éz in djón*; J de John)

Capítulo 6: Me Telefone **109**

M as in Mary	(_ém éz in mé-ri_; M de Mary).
N as in Nancy	(_én éz in nén-si_; N de Nancy.)
P as in Paul	(_pi éz in pól_; P de Paul).
R as in Robert	(_ár éz in ró-bârt_; R de Robert).
S as in Sam	(_és éz in sém_; S de Sam).
T as in Tom	(_ti éz in tôm_; T de Tom).
U as in unicorn	(_iú éz in iú-ni-córn_; U de unicórnio).
V as in Victor	(_vi éz in vi-ctâr_; V de Victor).
Z as in zebra	(_zi éz in zi-brâ_; Z de zebra).

Diálogo

Repare agora como Tran Vu se desenrola, com este método de soletração.

Outra pessoa:
Sorry. I still didn't catch your name. Say that again.

só-ri ái stil di-dânt quétch iór nâim sâi dát â-guén
Desculpe. Ainda não entendi o seu nome. Poderia repeti-lo?

Tran Vu:
Let me spell it. My first name is Tran: T as in Tom, R as in Robert, A as in Apple, N as in Nancy. My last name is Vu: V as in Victor, U as in Unicorn.

lét mi spél it mái fârst nâim iz trén ti éz in tôm ár éz in róbârt âi éz in é-pâl én éz in nén-si mái lást nâim iz vu vi éz in vi-ctâr iú éz in iú-ni-córn
Deixe-me soletrar: T de Tom, R de Robert, A de maçã, N de Nancy. E o meu sobrenome é Vu: V de Victor e U de unicórnio.

Outra pessoa:
Oh! Tran Vu!
ôu trén vu
Ah! Tran Vu.

Tran Vu:
Yes. Tran Vu.
iés trén vu
Exatamente. Tran Vu.

Outra pessoa:
Hi, Mr. Vu. How can I help you?
hái mis-târ vu háu quén ái hélp iú
Olá, senhor Vu. Como posso ajudar?

Talvez se pergunte por que aparecem tantos nomes próprios no método de soletração N de Nancy. A explicação é muito simples: é que os nomes próprios não são facilmente confundíveis com outras palavras.

Também há outra razão: repare, por exemplo, que o português pronuncia a letra I como a letra inglesa E. Com este método, mesmo que não pronuncie o I corretamente, quando disser I as in Italy a pessoa compreenderá imediatamente a palavra e perceberá a que letra se refere. Para mais ajuda com a pronúncia do inglês, consulte o Capítulo 1.

Se não compreender o que alguém está dizendo, também pode solicitar que soletre as palavras. Basta dizer:

- **Please spell that.** (*pliz spél dét*; Por favor, soletre)
- **Can you spell that, please?** (*quén iú spél dét pliz*; Pode soletrar isso, por favor?)
- **Will you please spell that for me?** (*uíl iú pliz spél dét fór mi*; Poderia soletrar isso para mim, por favor?)

Deixar uma Mensagem

Quando faz uma ligação, talvez tenha sorte e atenda uma pessoa, mas também é normal que atenda uma **answering machine** (*én-sâ-ring mâtchin*; secretária eletrônica) ou **voice mail** (*vóis mâil*; correio de voz) que diga só **Please leave a message** (*pliz liv â mé-sâdj*; Deixe uma mensagem, por favor) ou **Leave me a message** (*liv mi a mé-sâdj*; Deixe-me uma mensagem). Nesta seção, dou algumas ideias sobre como tratar as mensagens de voz e como deixar mensagens com pessoas de carne e osso.

Esperar o sinal: secretária eletrônica e correio de voz

"Olá, ligou para a casa da Sharon, do Peewee e do Pookie." (O Peewee e o Pookie são gatos). "Eles estão, mas eu não. Por isso, deixe uma mensagem depois do sinal." Isto é o que diz o secretária eletrônica de uma das minhas amigas. Gosto muito desta mensagem porque é curta e engraçada, mas nem todas as mensagens são assim tão concisas. Há muitas que são longas ou completamente incompreensíveis, e há algumas que consistem, basicamente, nuns compassos intermináveis de uma música abominável. Não se preocupe se não entender bem o que diz a mensagem. Quando (finalmente) acabar, poderá deixar a sua mensagem. Uma coisa mais ou menos como:

This is Sam. My number is 252-1624. Please give me a call. Thank you. Goodbye. (*dis iz sém mái nâm-bâr iz tu fáiv tu uón sics tu for pliz guiv mi â ócl thénc iú gud bái*; Aqui fala o Sam. O meu número é o 252-1624. Ligue-me, por favor. Muito obrigado. Até logo).

Capítulo 6: Me Telefone **111**

É claro que se estiver telefonando para um amigo que já conhece o seu número de telefone não precisa deixá-lo, pode dizer só a mensagem. E, então, tudo o que tem que fazer é esperar que o seu amigo te ligue.

Ligar para uma empresa pode ser um pouquinho diferente do que fazer chamadas pessoais, porque as secretárias eletrônicas, algumas vezes, apresentam menus com uma série de opções estranhas. Pense que mesmo as pessoas com total domínio da língua inglesa podem ter problemas para lidar com essas máquinas. Aqui tem uma sugestão: experimente discar 0. Por vezes, desta forma consegue-se falar com uma operadora. Mas, se preferir, também pode ouvir as opções as vezes que forem necessárias para descobrir qual é a que deseja. Boa sorte!

Cartões de chamadas – uma invenção ótima

Hoje em dia, nos Estados Unidos, quase todos nós usamos **phone cards** (*fôun cárds*; cartão telefônico) para fazer chamadas de longa distância quando estão longe de casa. Os cartões de chamadas são fáceis de usar, bastante rápidos e, geralmente, mais baratos do que telefonar de qualquer outra forma. Em princípio, não se deve ter qualquer problema em encontrar cartões de chamadas nos Estados Unidos. Geralmente, são vendidos nos supermercados e em muitos outros estabelecimentos. Os cartões podem ser vendidos pelo valor em dólares ($5, $10, $20 etc.) ou pelos minutos que disponibilizam. Quando precisar de um cartão de chamadas, pode perguntar **Where can I buy a phone card?** (*uér quén ái bái â fôun cárd*; Onde posso comprar um cartão telefônico?).

Pedir a alguém que tome nota de um recado

Provavelmente, já passou alguma vez por esta situação: liga para alguém, essa pessoa não está em casa e acaba de pedir a quem atendeu o telefone que diga à pessoa com quem queria falar que **call you back** (*cól iú béc*; ligue de volta) ou se pode **leave a message** (*liv â mé-sâdj*; deixar um recado). Imagino que a situação seja igual ou muito parecida em qualquer parte do mundo, por isso pode fazer exatamente o que faria no Brasil, usando algumas das expressões que encontrará nesta seção.

Parte II: Falar um Pouquinho de Inglês

Dizer os números de telefone – a forma correta

Na América, se disser 42-75-713 ou 4-2757-13, o seu interlocutor dificilmente reconhecerá que acaba de dizer um número de telefone. Mas se disser 427-5713, o reconhecimento será imediato! Um **phone number** (*fôun nâmbâr*, número de telefone) normal consiste de três números, seguidos por uma pausa e depois mais quatro números.

Diga os primeiros três números individualmente, assim: **four-two-seven** (*fór tu sé-vân*, quatro-dois-sete). Não diga quatrocentos e vinte e sete ou quatro vinte e sete. Os últimos quatro números podem ser ditos individualmente ou em blocos de unidades e dezenas, como para o exemplo anterior: **fifty-seven thirteen** (*fif-ti sé-vân thâr-tin*, cinquenta e sete treze). Mas tenha cuidado! Quando começar a dizer **13** (*thâr-tin*, 13), algumas pessoas podem esperar que diga **30** (*thâr-ti*, 30), e podem começar a marcar o 30 antes de ter acabado.

Para a pronúncia dos números, dê uma olhadela no quadro nas primeiras páginas deste livro. Para incluir o **area code** (*é-riâ côud*, indicativo), diga **area code 307**, faça uma pequena pausa e depois continue com o resto do número.

Diálogo

 Yumi Sato liga para a sua amiga Lynn, mas é a companheira de quarto de Lynn que atende o telefone. (Faixa 12)

Companheira da Lynn:	**Hello?**
	hé-lôu
	Alô?
Yumi Sato:	**Hello. This is Yumi Sato.**
	hé-lôu dis iz iú-mi sâi-tôu
	Alô. É a Yumi Sato.
Companheira da Lynn:	**Excuse me?**
	écs-quiúz mi
	Não entendi?
Yumi Sato:	**This is Yumi Sato. Yu-mi Sa-to.**
	dis iz iú-mi sâi-tôu iú mi sai tôu
	É a Yumi Sato. Yu-mi Sa-to
Companheira da Lynn:	**Oh, yes. Hello, Yumi.**
	ôu iés hé-lôu iú-mi
	Ah, sim. Olá, Yumi.
Yumi Sato:	**Is Lynn there?**
	iz lin dér
	A Lynn está?
Companheira da Lynn:	**No, but she'll be back this afternoon. Would you like to leave a message?**
	nôu bât chil bi béc dis é-ftâr-nun uúd iú láic to liv â mé-sadj
	Não, mas volta esta tarde. Quer deixar um recado?

Capítulo 6: Me Telefone 113

Yumi Sato:	**Yes. Please ask her to call Yumi.** *iés pliz ésc hâr tu cól iú-mi* Sim. Peça, por favor, que ele me ligue.
Companheira da Lynn:	**Okay.** *ôu-câi* OK.
Yumi Sato:	**My phone number is 423-9876.** *mái fôun nâm-bâr iz fór tu thri náin âit sé-vân sics* O meu número de telefone é 423-9876.
Companheira da Lynn:	**Okay. I'll give her the message.** *ôu-câi aíl guiv hâr dâ mé-sâdj* OK. Darei a ela o recado.
Yumi Sato:	**Thank you very much. Bye.** *thénc iú vé-ri mâtch bái* Muito obrigada. Até logo.
Companheira da Lynn:	**Bye.** *bái* Até logo.

Aqui tem algumas variações sobre o assunto de deixar e aceitar recados.

✔ A pessoa que recebe a chamada pode dizer:

• **Can I take a message?** (*quén ái tâic â mé-sâdj*; Quer deixar um recado?).

• **Do you want me to have him call you back?** (*du iú uánt mi tu hév him cól iú béc*; Quer que eu diga para ele te ligar?)

• **Should I ask her to call you?** (*chud ái ésc hâr tu cól iú*; Falo para ele te ligar?).

✔ A pessoa que quer deixar o recado pode dizer:

• **May I leave a message?** (*mâi ái liv â mé-sâdj*; Posso deixar um recado?).

• **Could you give her a message?** (*cud iú guiv hâr a mé-sâdj*; Poderia dar-lhe um recado?).

• **Would you tell him I called?** (*uúd iú tél him ái cóld*; Poderia dizer-lhe que liguei?).

• **Please ask her to return my call.** (*pliz ésc hâr to ri-târn mái cól*; Por favor, diga-lhe que retorne a minha ligação).

As palavras **could** (*cud*; poder) e **would** (*uúd*; poder) são formas educadas de **can** (*quén*; pode) e **will** (*uíl*; auxiliar do futuro). É bastante normal as pessoas usarem **could** e **would** quando falam ao telefone com alguém que não é um amigo íntimo.

Palavras a saber

to take a message	tu tâic â _mé_-sâdj	receber um recado
to leave a message	tu liv â _mé_-sâdj	deixar um recado
to give her a message	tu giv hâr â _mé_-sâdj	deixar-lhe um recado
tell him I called	tél him ái cóld	dizer-lhe que eu liguei
call someone back	cól _sâm_-uón béc	ligar de volta
return someone's call	ri-târn _sâm_-uóns cól	retornar a ligação

Telefonar para o Número Errado

No Brasil, quando uma pessoa se engana ao ligar para um número e acaba ligando para um **wrong number** (_róng nâm-bâr_; número errado), o normal é pedir desculpa, desligar e voltar a tentar. Nesta seção, vou mostrar como fazer precisamente isso, mas em inglês. Se descobrir que se enganou ao ligar, diga:

- **Oops, sorry.** (_ups só-ri_; Desculpe!)
- **I think I dialed the wrong number. Sorry.** (_ái thinc ái dáild dâ róng nâm-bâr só-ri_; Acho que discou o número errado. Desculpe.)

Mas também se pode dar o caso de alguém se enganar e ligar para o seu número. Se a pessoa que fez a chamada perguntar para que número está ligando, nunca diga o seu número de telefone. Em vez disso, pergunte à pessoa para que número queria ligar. Não se esqueça: nunca dê o seu número de telefone a estranhos, mesmo que a pessoa que ligou realmente tenha se enganado.

Diálogo

Esther estuda nos EUA e está em casa com os dois filhos, no seu apartamento alugado, quando o telefone toca. (Faixa 13)

Esther: **Hello?**
hé-lôu
Sim?

Interlocutor: **Hello. Is Cory home?**
hé-lôu iz có-ri hôum
Alô? O Cory está?

Esther:	**Excuse me?**
	ecs-quiúz mi
	Desculpe?
Interlocutor:	**Is Cory there?**
	iz có-ri dér
	O Cory está?
Esther:	**There's no Cory here.**
	dérs nôu có-ri hiâr
	Aqui não há nenhum Cory.
Interlocutor:	**Hmm. What number is this?**
	mm uót nâm-bâr iz dis
	Hmm. Para que número estou ligando?
Esther:	**What number did you call?**
	uót nâm-bâr did iú cól
	Para qual número queria ligar?
Interlocutor:	**I called 333-6789.**
	ái cóld thri thri thri sics sé-vân âit náin
	Queria ligar para o 333-6789.
Esther:	**I think you dialed the wrong number.**
	ái thinc iú dáild dâ róng nâm-bâr
	Parece que ligou para o número errado.
Interlocutor:	**Oh. Sorry to bother you.**
	ôu só-ri tu bá-dâr iú
	Oh. Desculpe por incomodar.
Esther:	**That's alright. Goodbye.**
	déts ól-ráit gud-bái
	Não tem importância. Tchau.
Interlocutor:	**Bye.**
	bái
	Tchau.

O que fazer com as chamadas indesejadas

No preciso momento em que a família se senta para o jantar, toca o telefone. É uma empresa qualquer que quer vender uma assinatura para uma revista ou um programa de descontos. Ou uma organização que pede uma doação para caridade ou a sua opinião para uma sondagem. Há muitas destas chamadas que oferecem bons produtos — ou promovem boas causas — mas há algumas que não! Se ligarem de uma destas últimas, pode usar uma das seguintes expressões e depois desligar.

✔ **I'm not interested.** (*áim nót in-trâs-ted*; Não estou interessado).

✔ **I don't give money over the phone.** (*ái dônt guiv mâ-ni ôu-vâr dâ fôun*; Não dou dinheiro pelo telefone).

✔ **Sorry. No speak English!** (*só-ri nôu spic in-glich*; Desculpe! Não falar inglês!).

E se alguém persistir em incomodá-lo, chame a polícia. O assédio telefônico é ilegal nos EUA.

Alô, Operadora?

Uma empresa americana tem o seguinte *slogan*: Quando precisar de ajuda, encontre-a rapidamente com as **Yellow Pages** (*ié-lôu pâi-djâs*; Páginas Amarelas), referindo-se à conhecida **phone book** (*fôun buc*; lista telefônica). A lista telefônica é um ótimo recurso para encontrar números de telefone, mas nem sequer os próprios nativos os encontram assim com tanta facilidade, se é que os chegam a encontrar! E é aí que as pessoas – as operadoras – podem ajudar.

Usar auxílio a lista: 411

Está à procura de um número de telefone, endereço ou indicativo de área? Ligue para o 411 para obter a ajuda de um operador de assistência da lista. Os operadores de informação atendem, frequentemente, o telefone com a frase **What city?** (*uót ci-ti*; Que cidade?), que quer dizer "Para que cidade deseja fazer o telefonema?". É normal o operador fornecer o número de telefone de forma eletrônica. Pode ser um pouco difícil de entender por isso é sempre melhor ter papel e caneta à mão para tomar nota.

Obter ajuda do operador "O"

Se marcar "0", será atendido por uma **long-distance operator** (*lóng distâns ó-pe-rái-tôr*; operadora de longa distância), que o pode ajudar a fazer **long-distance calls** (*lóng dis-tâns cóls*; chamadas de longa distância), ligá-lo a uma operadora de outro país e aceitar **emergency calls** (*i-mâr-djân-ci cóls*; chamadas de emergência). Estes operadores, geralmente, respondem com o nome da sua companhia telefônica como Ameritech ou Pacific Bell.

Capítulo 6: Me Telefone

Palavras a saber

operator	ó-pe-râi-târ	operadora
directory assistance	di-ré-ctâ-ri a-sis-tâns	auxílio a lista
yellow pages	ié-lôu pâi-djâs	páginas amarelas
wrong number	róng nâm-bâr	número errado
phone bill	fôun bil	conta do telefone
phone card	fôun cárd	cartão telefônico

Os Celulares!

Os celulares estão por todos os lugares. Já é quase impossível ir a qualquer lado — ao cinema, ao restaurante e mesmo à praia — sem ter que ouvir o irritante toque dos celulares. (Já pode imaginar o que penso sobre este tema!) Como praticamente todas as pessoas têm celular, aqui vai algumas sugestões de etiqueta para usá-los em público nos EUA:

✔ Desligue o telefone em restaurantes, cinemas ou em qualquer lugar onde as pessoas esperam usufruir de uma atmosfera tranquila. Se tiver que deixá-lo ligado, diminua o volume do toque e, se receber uma chamada, saia da sala ou dirija-se para um local afastado. Fale baixo e seja breve!

✔ Se conduzir nos EUA, lembre-se de que algumas (muitas) zonas têm leis que proíbem o uso dos celulares durante a condução de veículos.

✔ E desligue sempre o celular nas aulas de Inglês — especialmente na minha! (Muito obrigada).

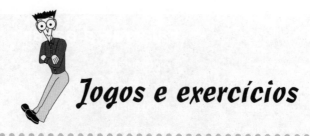

Jogos e exercícios

Tente descobrir as palavras que faltam na seguinte conversa telefônica. O Forrest ligou para o seu amigo Colin, e outra pessoa atendeu o telefone.

Bye, there, phone number, This is, are you, Hello, leave, message, fine, Forrest, 487-7311, call

1. Colega do Colin:_____ ?
2. Forrest: Hi._____ Forrest.
3. Colega do Colin: Hi Forrest. How_____ ?
4. Forrest: I'm_____ , thanks. Is Colin_____ ?
5. Colega do Colin: No. Do you want to_____ a message?
6. Forrest: Yes, please. Just tell him that_____ called.
7. Forrest: And ask him to_____ me back.
8. Colega do Colin: Okay. What's your_____ ?
9. Forrest: It's_____ .
10. Colega do Colin: Okay. I'll give him your_____ .
11. Forrest: Thanks_____

Parte III
Só de Visita

A 5ª Onda   Por Rich Tennant

" Ainda estamos aprendendo a língua e o Martin costuma representar por gestos as coisas que ele não sabe dizer. Outro dia, tentou comprar um assento para o vaso sanitário e quase o expulsaram da loja. "

Nesta parte...

Esta parte dará tudo de que você precisa para ter sucesso na estrada em inglês. Foi pensada para o viajante que todos temos dentro de nós, e que, provavelmente, precisa desesperadamente de vocabulário, estruturas e algumas boas sugestões para passar pela alfândega, meter-se num ônibus ou usar outros meios de transporte, dar entrada num hotel, ir a um restaurante e, claro, trocar dinheiro – para não falar em gastá-lo!

Capítulo 7

Dinheiro, Dinheiro, Dinheiro,

* *

Neste Capítulo

▶ Identificando o dinheiro americano

▶ Cambiando o dinheiro

▶ Usando caixas automáticos

▶ Pagando com cartões de crédito

* *

*H*á pessoas que dizem que o dinheiro não pode comprar a felicidade. É muito possível que tenham razão, mas uma pessoa continuará precisando de dinheiro para pagar as coisas essenciais. E quando estiver viajando ou longe de casa, pode preocupar-se menos (e divertir-se mais) se souber como obter e usar a moeda correta. Este capítulo fornece o vocabulário e a informação necessários para compreender a moeda americana, acessar suas contas bancárias e tratar das suas necessidades financeiras básicas enquanto estiver longe de casa. (Consulte os Capítulos 8, 9 e 10 para obter mais informação sobre compras, gorjetas e pagar a conta em estabelecimentos de restauração).

Compreender os Dólares e os Centavos

O dinheiro dos Estados Unidos é em **dollars** (*dó-lârs*; dólares), que circula em papel-moeda, e em **cents** (*sênts*; centavos), que circulam como moedas. Todas as notas dos EUA têm, basicamente, o mesmo aspecto e todas têm a efígie de um presidente dos Estados Unidos. Como é óbvio, nem todas têm o mesmo valor. As **bills** (*bils*; notas) americanas vêm nas seguintes **denominations** (*de-nó-mi-nâichâns*; denominações):

✔ **ones** (*uóns*; de um)

✔ **fives** (*fáivs*; de cinco)

✔ **tens** (*téns*; de dez)

✔ **twenties** (*tuê-nis*; de vinte)

✔ **fifties** (*fif-tis*; de cinquenta)

✔ **one hundreds** (*uón hân-dreds*; de cem)

✔ **five hundreds** (*fáiv hân-dreds*; de quinhentos)

Se alguém disser **It costs five bucks** (*it cósts fáiv bâcs*; Custa cinco dólares), não está falando sobre um veado (que também se chama **buck**). Está dizendo cinco dólares! Um **buck** (*bâc*; dólar) é uma palavra informal para um dólar. Outra expressão informal para dinheiro é **that green stuff** (*dét grin stâf*; essa coisa verde) — uma referência geral ao papel-moeda. Se quiser usar esta expressão, não se esqueça da palavra **that**.

O valor das diferentes **coins** (*cóins*; moedas) é expresso em **cents** (¢). 100 centavos é igual a um dólar. A seguinte lista proporciona uma vista rápida aos nomes das moedas e aos seus valores.

- **penny** (*pé-ni*; um centavo)   1¢
- **nickel** (*ni-câl*; cinco centavos)   5¢
- **dime** (*dáim*; dez centavos)   10¢
- **quarter** (*cuór-târ*; vinte e cinco centavos)   25¢

Outra forma de escrever os centavos é a seguinte: $.05 para 5 centavos, $.10 para 10 centavos, e assim por diante. Os montantes em dólares são escritos da seguinte forma: $10 ou $10.00. Repare que se usa um **decimal point** (*dé-si-mâl póint*; ponto decimal) e não uma vírgula para indicar os centavos.

Se usar uma nota de 100 dólares (ou, por vezes, mesmo uma de 20 ou de 50 dólares) para pagar qualquer coisa, não se surpreenda se a pessoa que a receber verificar se a nota é verdadeira ou não. Os empregados são obrigados a verificar a autenticidade de notas de grande valor para evitar o dinheiro falso.

Quando se diz **This is ten dollars** (*dis iz tén dó-lârs*; Isto custa dez dólares), a palavra **dollars** é um substantivo plural, por isso termina com -s. Mas quando se diz **This is a ten-dollar bill** (*dis iz â tén dó-lâr bil*; Isto é uma nota de dez dólares), o **-s** da palavra **dollar** desaparece. Por quê? A resposta é lógica: na segunda frase, a palavra **dollar** não é um substantivo, é um adjetivo que descreve (ou dá mais informação sobre) a palavra **bill**. Em inglês, os adjetivos não têm singular ou plural, mesmo que se apliquem a substantivos no plural. (Encontrará mais informação sobre os adjetivos no Capítulo 2).

Palavras a saber

dollar	dó-lâr	dólar
bill	bil	nota
paper money	pâi-pâr mâ-ni	papel-moeda
cents	sênts	centavos
coin	cóin	moeda
denomination	de-nó-mi-nâi-chân	denominação

Trocar Reais por Dólares

Nos Estados Unidos, só se pode usar **U.S. currency** (*iú és câ-rân-si*; dinheiro americano); por isso, uma das primeiras coisas que vai querer saber é onde trocar o seu dinheiro e como efetuar essa **transaction** (*trén-zéc-chân*; transação) em inglês.

Nas grandes cidades, pode-se trocar o dinheiro em agências de câmbio e nos grandes hotéis. Também existem locais para trocar dinheiro nos aeroportos e em bancos, embora nem todos os bancos aceitem moeda estrangeira. Tendo isto presente, talvez não seja má ideia adquirir dinheiro americano antes de sair do Brasil. Assim, já terá alguns dólares no bolso quando chegar.

As seguintes frases podem ajudar a arranjar alguns dólares (se tiver dinheiro para trocar, claro):

- **Where can I exchange money?** (*uér quén ái écs-tchénj mâ-ni*; Onde posso trocar dinheiro?).
- **Where can I find a bank?** (*uér quén ái fáind â bénc*; Onde posso encontrar um banco?).
- **Do you exchange foreign currency here?** (*du iú écs-tchénj fó-rân câ-rân-si hiâr*; Aqui trocam moeda estrangeira?).

Onde quer que vá trocar seu dinheiro, vai querer sempre saber qual é a **exchange rate** (*écs-tchénj râit*; taxa de câmbio). Pode descobrir a taxa de câmbio (e se há alguma comissão pela operação de câmbio) perguntando à pessoa que o atender.

Aqui tem algumas frases que você poderá necessitar para a transação:

- **What is the exchange rate today?** (*uáts di écs-tchénj râit tu-dâi*; Qual é a taxa de câmbio hoje?).
- **Do you charge a fee?** (*du iú tchardj a fi*; Cobram alguma comissão?).
- **I'd like to exchange money, please.** (*áid láic tu écs-tchénj mâ-ni pliz*; Eu gostaria de trocar dinheiro, por favor).

Palavras a saber

to exchange	tu écs-tchénj	trocar
exchange rate	écs-tchénj râit	taxa de câmbio
currency	câ-rân-si	moeda
transaction	trén-zéc-chân	transação
fee	fi	comissão

Ir ao Banco

Atualmente, os funcionários do setor bancário nos Estados Unidos já não gozam dos maravilhosos horários curtos pelos quais eram famosos em todo o país. A maior parte dos bancos atualmente abre das 9 da manhã até às 5 ou às 6 da tarde, de segunda a sexta, e das 9 da manhã até às 2 ou mais tarde ainda aos sábados. E não fecham à hora do almoço. De fato, essa é precisamente a sua hora de maior movimento.

Quando entrar num banco, encontrará, geralmente, uma área rodeada de cordas onde as pessoas fazem fila para se dirigirem ao **teller** (*té-lâr*; caixa) disponível. Entre na fila. Quando chegar a sua vez, o caixa dirá qualquer coisa como:

- **Next!** (*nécst*; O seguinte!).
- **May I help you?** (*mâi ái hélp iú*; Posso ajudá-lo?).
- **I can help you down here.** (*ái quén hélp iú dáun hir*; Posso ajudá-lo aqui).

Então dirija-se para o caixa e explique o que deseja. As seguintes expressões devem cobrir a maior parte das suas necessidades bancárias, por assim dizer, exceto as relativas transações bancárias mais complexas, do câmbio as quais tratamos nas seções anteriores.

- **I'd like to cash some travelers' checks.** (*áid láic tu quéch sâm tréve- lârs tchécs*; Eu gostaria de trocar uns Traveller Checks).
- **I need to cash a check.** (*ái nid tu quéch â tchéc*; Eu preciso trocar um cheque).
- **I want to make a deposit**. (*ái uánt tu mâic â di-pó-zit*; Eu quero fazer um depósito).
- **I'd like to open an account.** (*áid láic tu ôu-pân ân â-cáunt*; Eu gostaria de abrir uma conta).

Para mais informações sobre as expressões **I'd like**, **I want** e outros termos úteis, consulte o Capítulo 3.

Diálogo

Fuji acaba de chegar da Dinamarca e está no banco para trocar o seu dinheiro por dólares. (Faixa 14)

Caixa: **Next! What can I do for you today?**
nécst uát quén ái du fór iú tu-dâi
Próximo! Em que posso ajudá-lo hoje?

Fuji: **Do you exchange foreign currency?**
du iú écs-tchénj fó-rân câ-rân-si
Você troca moedas estrangeiras?

Capítulo 7: Dinheiro, Dinheiro, Dinheiro 125

Caixa:	**Yes, some currencies. What do you have?**
	iés sâm câ-rân-sis uót du iú hév
	Sim, algumas moedas. Qual você tem?
Fuji:	**Euros. Can you exchange that?**
	iu-rôus quén iú écs-tchénj dâm
	Euros. Pode trocá-los?
Caixa:	**Yes, I can. How much would you like?**
	iés ái quén háu mâtch uúd iú láic
	Posso. Quanto é que gostaria?
Fuji:	**I'd like to get 200 dollars.**
	What's the exchange rate today?
	áid láic to guét tu hân-dred dó-lârs
	uóts di écs-tchénj râit tu-dâi
	Queria levar 200 dólares.
	Como está a taxa de câmbio?
Caixa:	**.988.**
	póint náin âit âit
	0,988.
Fuji:	**Okay, that's fine.**
	ôu-câi déts fáin
	OK. Perfeito.

Fuji conta os euros necessários e, então, o caixa pergunta em que notas quer os dólares.

Caixa:	**How would you like your money? Are fifties okay?**
	háu uúd iú láic iór mâ-ni ár fi-ftiz ôu-câi
	Como quer o dinheiro?
	Em notas de cinquenta está bem?
Fuji:	**Two fifties and the rest in twenties, please.**
	tu fi-ftis énd dâ rést in tué-nis pliz
	Duas de cinquenta e o resto em notas de vinte,
	por favor.
Caixa:	**Okay, here's your money and your receipt.**
	ôu-câi hiârs iór mâ-ni énd iór ri-sit
	OK. Aqui está o seu dinheiro e o recibo.
Fuji:	**Thank you. Good-bye.**
	thénc iú gud-bái
	Muito obrigado. Tchau.

Lembre-se sempre de conferir o dinheiro e o **receipt** (*ri-sit*; recibo) antes de sair do banco para confirmar que deram o montante exato em dólares. E guarde todos os seus recibos para conferi-los com a sua conta bancária quando voltar para casa.

Palavras a saber

cash a check	quéch â tchéc	descontar um cheque
open an account	ôu-pân ân â-cáunt	abrir uma conta
make a deposit	mâic â di-pó-zit	fazer um depósito
teller	té-lâr	caixa
traveler's checks	tré-ve-lârs tchécs	Traveller's Checks
receipt	ri-sit	recibo

As **Automated Teller Machines** (*ó-tó-mâi-ted té-lâr mâ-tchins*; caixas automáticos) ou **ATM** (*âi-ti-éms*; caixas automáticos) são muito comuns nos Estados Unidos. Pode encontrar **ATM** em centros comerciais, supermercados, aeroportos, estações de ônibus e de trens, em alguns cinemas e, claro, nos bancos. Usar uma **ATM** com o seu **credit card** (*cré-dit cárd*; cartão de crédito) ou **bank card** (*bénc cárd*; cartão de débito) é definitivamente a forma mais simples e mais rápida de acessar ao seu dinheiro (para assim poder gastar!).

Não há grandes diferenças entre as formas como os caixas automáticos funcionam no Brasil ou nos EUA, à exceção da linguagem e terminologia que apresentam nas telas. Nos Estados Unidos, algumas **ATM** são "bilingues", oferecendo a possibilidade de escolher entre inglês e espanhol, inglês e chinês, ou outras línguas, dependendo da demografia da zona. Por isso, se tiver (muita) sorte, talvez encontre uma **ATM** que fale português. Mas, pelo sim ou pelo não, aqui tem uma lista passo-a-passo daquilo que poderá encontrar na tela da **ATM** e como interpretar essa informação. (As palavras textuais podem variar ligeiramente, mas as seguintes frases dão uma ideia bastante aproximada).

1. **Please insert your card.** (*pliz in-sârt iór cárd*; Introduza o seu cartão).

    Nesse momento, poderá ter a opção de escolher outra língua se a ATM for bilingue.

2. **Enter your PIN (or secret code) and then press Enter.** (*ên-târ iór pin ór si-cret côud énd dén prés ên-târ*; Introduza o seu PIN e pressione Aceitar).

3. **Choose the type of transaction that you want to make.** (*tchuz dâ táip óf trén-zéc-chân dét iú uónt tu mâic*; Escolha o tipo de transação que deseja realizar.) Por exemplo:

    Withdraw cash (*uít-dró quéch*; Sacar dinheiro).

Capítulo 7: Dinheiro, Dinheiro, Dinheiro 127

Deposit (*di-pó-zit*; Depositar).

Account balance (*â-cáunt bé-lâns*; Extrato de Conta).

Transfer/Electronic payment (*trens-fâr i-léc-tró-nic pâi-mânt*; Transferências / Pagamentos eletrônicos).

Se quiser sacar dinheiro, a máquina pedirá que selecione a conta de onde deseja levantar o dinheiro: da sua **checking account** (*tché-quing â-cáunt*; conta corrente), **savings account** (*sâi-vings â-cáunt*; conta poupança) ou **credit card** (*cré-dit cárd*; cartão de crédito). Quando tiver feito a sua escolha, algumas ATM apresentam vários montantes de $20 a $300 para escolher, enquanto outras pedem que introduza a quantia desejada.

Tenha cuidado ao digitar quantias em dólares e centavos. Se quiser pegar 200 dólares, não introduza só 2-0-0, já que isso aparecerá na tela como $2.00 (dois dólares!).

4. Quando tiver escolhido ou digitado o montante que deseja levantar, verá as seguintes indicações:

> **You entered $200.00. Is that correct? Yes or No?** (*iú ên-târd tu hân-dred dó-lârs iz dét côu-réct iés nôu*; Selecionou $200. Está correto? Sim ou Não?).
>
> **Your request is being processed.** (*iór ri-cuést iz bi-ing pró-césd*; O seu pedido está sendo processado).
>
> **Please remove your cash.** (*pliz ri-muv iór quéch*; Retire o seu dinheiro).
>
> **Would you like another transaction? Yes or No?** (*uúd iú láic â-ná-dâr trén-zéc-chân iés ór nôu*; Gostaria de efetuar outra transação? Sim ou não?).
>
> **Please remove your card and receipt.** (*pliz ri-muv iór cárd énd ri-cit*; Retire o seu cartão e o recibo).

Palavras a saber

to choose	tu tchuz	escolher
to enter	tu ên-târ	introduzir
to remove	tu ri-muv	retirar
to press	tu prés	pressionar
to withdraw	tu uít-dró	sacar
card	cárd	cartão
cash	quéch	dinheiro
checking	tché-quing	conta corrente
savings	sâi-vings	poupança
balance	bé-lâns	extrato

Uso dos Cartões de Crédito

Os cartões de crédito e os cartões de débito facilitam muito a vida – e as viagens! Dão acesso imediato a qualquer tipo de bens e serviços (e ao seu dinheiro). Mas nem todos os estabelecimentos aceitam cartões de crédito – alguns apenas aceitam determinados tipos de cartões de crédito.

E também pode deixar o talão de cheques em casa, já que é muito raro que aceitem cheques de entidades estrangeiras.

Diálogo

Megumi está numa loja perguntando sobre as formas de pagamento com as quais a loja trabalha. (Faixa 15)

Megumi:	**Do you take credit cards?**
	du iú tâic cré-dit cárds
	Aceitam cartões de crédito?
Empregado:	**Yes, Visa and MasterCard.**
	iés vi-zâ énd más-târ-cárd
	Sim, Visa e MasterCard.
Megumi:	**No Discover card?**
	nôu diz-câ-vâr cárd
	Cartões Discover não?
Empregado:	**No, I'm sorry.**
	nôu áim só-ri
	Não, desculpe.
Megumi:	**Can I use my bank card?**
	quén ái iúz mái bénc cárd
	Posso usar o meu cartão de débito?
Empregado:	**Does it say Visa or MasterCard on it?**
	dâz it sâi vi-zâ ór más-târ-cárd ón it
	Tem a indicação Visa ou MasterCard?
Megumi:	**No, it doesn't.**
	nôu it dâ-zânt
	Não, não tem.
Empregado:	**I'm sorry. I can't accept it.**
	áim só-ri ái quént â-csépt it
	Desculpe-me, mas não posso aceitar.

Megumi:	**May I write a check?**
	mâi ái ráit â tchéc
	Posso passar um cheque?
Empregado:	**Is it local?**
	iz it lôu-câl
	É local?
Megumi:	**No, it's from my bank in Japan.**
	nôu its frôm mái bénc in djâ-pén
	Não, é do meu banco do Japão.
Empregado:	**I'm sorry. We only take local checks.**
	áim só-ri uí ôn-li tâic lôu-câl tchécs
	Desculpe-me, mas só aceitamos cheques locais.
Megumi:	**Well, may I pay with cash?**
	uél mâi ái pâi uít quéch
	Bom, posso pagar com dinheiro?
Empregado:	**Did you say cash? Of course, we always take cash!**
	did iú sâi quéch óf córs uí ól-uâis tâic quéch
	Disse dinheiro? Claro que sim, sempre aceitamos dinheiro!

Duas preposições para pagar: by e with

Quando os empregados perguntarem como deseja pagar, responda com as preposições **by** (*bái*; por) ou **with** (*uíth*; com). Estas preposições ligam o verbo **pay** (*pâi*; pagar) com a forma de pagamento. Observe os seguintes exemplos:

- ✔ **I'll pay by check.** (*áil pâi bái tchéc*; Pagarei com cheque).

    ... **by credit card.** (*bái cré-dit cárd*; com cartão de crédito).

- ✔ **I'll pay with a check.** (*áil pâi uíth â tchéc*; Pago com cheque).

    ... **with a credit card.** (*uíth â cré-dit cárd*; com cartão de crédito)
    ... **with cash.** (*uíth quéch*; em dinheiro).

Nota: Também pode dizer **I'll pay in cash** (*áil pâi in quéch*; Pagarei em dinheiro) — mas, geralmente, não se diz **by cash** (*bái quéch*; por dinheiro).

Reparou no artigo **a** depois da preposição **with**? Use um artigo sempre que o substantivo que o seguir for um nome contável (um nome que tenha uma forma plural). A palavra **cash** é um substantivo incontável (porque não tem um plural), por isso não precisa de artigo. (Para mais informação sobre substantivos contáveis e incontáveis, consulte o Capítulo 10. E para mais detalhes sobre artigos, consulte o Capítulo 2.)

Dois verbos para pagar:
"to accept" e "to take"

Tanto **accept** (*â-csépt*; aceitar) como **take** (*tâic*; tomar) são verbos usados para falar sobre as formas de pagamento que um estabelecimento aceita. **Accept** é um verbo regular e **take** é irregular. Nos seguintes exemplos, repare em como se usa **accept** e **take em algumas** expressões comuns:

- ✔ **Do you accept Visa?** (*du iú â-csépt vi-zâ*; Aceitam Visa?).

- ✔ **We take major credit cards.** (*uí tâic ól mâi-djâr cré-dit cárds*; Aceitamos todos os principais cartões de crédito).

- ✔ **We accept all forms of payment.** (*uí â-csépt ól fórms óf pâi-ment*; Aceitamos todas as formas de pagamento).

Se quiser ver as formas do verbo **to take**, consulte o Apêndice A. E agora pode descobrir os outros usos do verbo **to take** nos Capítulos 5, 6 e 9.

Capítulo 7: Dinheiro, Dinheiro, Dinheiro 131

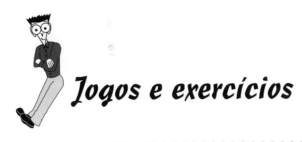

Jogos e exercícios

Como está o seu conhecimento em relação a dinheiro? Aqui tem uma boa oportunidade para descobrir. Identifique as notas e moedas nas imagens e faça-as coincidir com os seguintes termos monetários:

ten-dollar bill, quarter, 45 cents, 50 dollars, penny, 2 twenties, nickel, $.30, $30, 5 bucks, 50¢

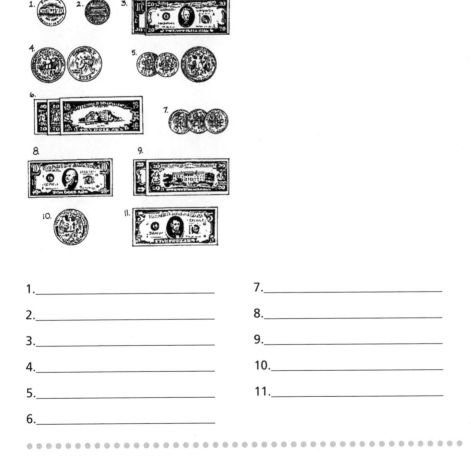

1._____
2._____
3._____
4._____
5._____
6._____

7._____
8._____
9._____
10._____
11._____

Capítulo 8

Ficar num Hotel

Neste Capítulo
- Escolhendo entre um hotel ou um motel
- Reservando um quarto
- Mencionando as datas
- Fazendo o registo
- Usando artigos e pronomes possessivos

Por vezes, a melhor parte de chegar a um lugar novo é chegar ao hotel e guardar as malas. Quer prefira a segurança de reservar o alojamento com antecedência quer procure a espontaneidade de encontrar um lugar quando chegar ao seu destino, você estará certamente mais descansado se souber algumas palavras e frases básicas em inglês antes de chegar. (Também pode levar este livro com você e consultá-lo sempre que for necessário.)

Neste capítulo, você verá como localizar e reservar um quarto, falar com o pessoal dos hotéis e dos motéis e compreender os serviços que esses estabelecimentos te proporcionam. Também encontrará informação sobre como usar os artigos e pronomes possessivos.

Decidir Entre um Hotel ou Um Motel

Tanto em hotéis como em motéis você poderá usufruir de um quarto limpo e confortável com banheiro privativo, de um serviço afável e, muitas vezes, de uma piscina. A grande diferença entre hotéis e motéis reside na gama de serviços e comodidades oferecida e, obviamente, no preço.

Os hotéis são mais caros porque são **full service** (*ful sâr-vis*; serviço completo), o que significa que, geralmente, incluem um restaurante e um bar, arrumadores e boys, serviços de informática e, muitas vezes, um centro ou um balcão empresarial perto do hall onde se podem fazer fotocópias e enviar fax.

Mas, se não precisar de todas as facilidades de um hotel com serviço completo e desejar uma opção menos cara, o motel é o estabelecimento ideal. Os motéis encontram-se, geralmente, situados perto de restaurantes

134 Parte III: Só de Visita

idôneos para famílias e costumam oferecer pelo menos uma parte dos serviços disponibilizados pelos hotéis.

Independentemente da opção que escolher – desde o mais básico motel até um hotel **five-star** (*fáiv-stár*; cinco estrelas) ou grande luxo –, as ofertas de quartos e os preços podem variar muito. Por isso, antes de tomar uma decisão definitiva, informe-se sobre os preços com as seguintes perguntas:

- ✔ **What is the price range of your rooms?** (*uót iz dâ práis réndj óf iór rums*; Qual é a média de preços dos quartos?).

- ✔ **What type of accommodations do you have?** (*uót táip óf â-cómâ- dâi-châns du iú hév*; Que tipo de serviços oferecem?) Se os preços forem mais do que deseja pagar, pode sempre perguntar

- ✔ **Do you have anything less expensive?** (*du iú hév é-ni-thing lés êc-spên-siv*; Têm alguma coisa mais acessível?).

Palavras a saber

hotel	*hôu-tél*	hotel
motel	*môu-tél*	motel
room	*rum*	quarto
bed-and-breakfast	*béd énd bréc-fâst*	hospedaria
price range	*práis réndj*	preços
accommodations	*â-có-mâ-dâi-châns*	serviços

Fazer uma Reserva

Se quiser ter a certeza de que encontrará um lugar para dormir (uma comodidade que as pessoas geralmente apreciam depois de uma longa viagem), não é má ideia fazer uma reserva. A maior parte dos hotéis e motéis tem **toll-free numbers** (*tôl-fri nâm-bârs*; números de telefone gratuitos) – que, geralmente, começam por 1-800 – que pode usar para reservar sua acomodação com a conveniente antecedência.

As seguintes frases podem ajudar a iniciar o processo de reserva:

- ✔ **I'd like to make a reservation for June 15.** (*áid láic tu mâic âi rézâr- vâi-chân fór djiún fif-tin*; Eu gostaria de fazer uma reserva para o dia 15 de Junho).

- ✔ **Do you have any vacancies for the night of July 8?** (*du iú hév éni vâi-cân-sis fór dâ náit of djiú-lái âith*; Você tem algum quarto disponível para a noite de 8 de Julho?).

- ✔ **I'd like to reserve a room for two people for August 22.** (*áid láic tu ri-zârv â rum fór tu pi-pâl fór ó-gâst tuén-ni tu*; Eu gostaria de reservar um quarto para duas pessoas para o dia 22 de Agosto).

Capítulo 8: Ficar num Hotel *135*

Optar por um "bed-and-breakfast"

Se estiver à procura de uma experiência de alojamento única, talvez possa interessar ficar num **bed-and-breakfast** (*béd énd bréc-fâst;* hospedaria) ou **B&B** (**bi-én-bi**). Este popular tipo de alojamento está frequentemente situado numa antiga casa ou quinta delicadamente restaurada e o seu nome provém do fato de o pequeno-almoço estar incluído no preço. Mas, lembre-se de que os **B&Bs** são geralmente lugares mais baratos, e talvez tenha de partilhar o banheiro com outros hóspedes. Além disso, a abundância e o tipo de café da manhã variam consideravelmente. Alguns **B&Bs** oferecem um café da manhã completo ou tipo bufet, enquanto outros podem dar apenas alguns bolos, sucos, chá e café (o que, na minha opinião, dificilmente se pode considerar um café da manhã respeitável!). Os **B&Bs** são, muitas vezes, fantásticos para escapadinhas românticas, mas não são geralmente apropriados para famílias com filhos.

Consulte a seção "Mencionar a data com números ordinais" neste mesmo capítulo para ver como se dizem as datas.

Para finalizar a sua reserva, o hotel vai precisar certamente das seguintes informações:

- **arrival date** (*â-rái-vâl dâit;* data de chegada).

- **departure date** (*di-pár-tchâr dâit;* data de saída).

- **number of people staying in the room** (*nâm-bâr óf pi-pâl stâi-ing in dâ rum;* número de pessoas que ficarão no quarto).

- **credit card number** (*cré-dit cárd nâm-bâr;* número de cartão de crédito).

- **special needs** (*spé-châl nids;* necessidades especiais), como berços, acessibilidade para cadeiras de rodas e requisitos dietéticos.

Se for esperar até chegar ao seu destino para encontrar alojamento, pode pedir às pessoas que lhe recomendem um hotel ou um motel, dirigindo-se a um centro de informações ou limitando-se a dar uma olhada na cidade. Quando vir um letreiro que diga **vacancy** (*vâi-cân-si;* quartos livres) é porque o estabelecimento tem quartos disponíveis. E, como pode imaginar, um letreiro com a indicação **no vacancy** (*nôu vâi-cân-si;* cheio) significa que terá de procurar em outro lugar porque esse hotel ou motel está cheio ou **booked** (*bucd;* cheio). Se não vir nenhum letreiro e o lugar parecer bom, entre e pergunte: **Do you have any vacancies?** (*du iú hév éni vâi-cân-sis;* Há quartos livres?).

Se tiverem, pode perguntar qual é o preço com uma das perguntas da seção anterior. Se não tiverem, também pode pedir ao empregado que recomende outro hotel ou motel com uma das seguintes perguntas:

- **Could you recommend another hotel/motel?** (*cud iú ré-câ-mênd â-ná-dâr hôu-tél môu-tél;* Poderia recomendar-me outro hotel/motel?)

- **Do you know where I can find a vacancy?** (*du iú nôu uér ái quén fáind â vâi-cân-si;* Poderia me dizer onde eu posso encontrar um quarto livre?)

Mencionar a Data com Números Ordinais

Imagine que você chega ao hotel depois de uma longa viagem e descobre que realmente há uma reserva em seu nome, mas que é para o mês que vem! Por isso, pode ajudar a garantir que o quarto vai estar no seu destino à sua espera, expressando a sua data de chegada de uma forma especialmente clara e precisa no momento de fazer a reserva. A primeira coisa que você deve saber é que, em inglês, as datas são escritas na seguinte ordem: **month/day/year** (*mânth dâi iír*; mês/dia/ano).

Por exemplo, a data 3/1/2008 significa o dia 1 de Março de 2008 (e não 3 de Janeiro de 2008). Quando estiver falando, pode indicar a data de uma das seguintes formas:

- ✔ **March first, two thousand and eight** (*mártch fârst tu tháu-zând énd âit*; 1 de Março de 2008).

- ✔ **The first of March, two thousand eight** (*dâ fârst óf mártch tu tháu-zând âit*; 1 de Março de 2008).

Talvez você tenha alguma dificuldade para se habituar a ver e a escrever o mês primeiro, mas, com certeza se lembrará disto sempre que vir uma data como 5/13/2008. Qual será esse décimo terceiro mês!?

Para expressar uma data como 3/1/2008, usam-se números ordinais – como primeiro, segundo, terceiro e assim por diante, ou seja, palavras que referem a ordem ou posição numa série numérica. Abaixo você encontra regras simples que mostram como formar os números ordinais:

- ✔ Para números que acabem em 1 (exceto o 11), diga **first** (*fârst*; primeiro).

- ✔ Para números que acabem em 2 (exceto 12), diga **second** (*sé-când*; segundo).

- ✔ Para números que acabem em 3 (exceto 13), diga **third** (*thârd*; terceiro).

- ✔ Para o 11, 12, 13 e para todos os outros números, acrescente o sufixo **-th** (*-th*; -ésimo).

Para obter informações exaustiva sobre os números ordinais, consulte a tabela 9-1, que contém os números mais comuns para tratar de datas.

Tabela 9-1	Números ordinais
Palavra (abreviatura)	*Pronúncia / Tradução*
first (1st)	*fârst;* primeiro
second (2nd)	*sé-când;* segundo
third (3rd)	*thârd;* terceiro
fourth (4th)	*fórth;* quarto

continua

Palavra (abreviatura)	Pronúncia / Tradução
fifth (5th)	*fifth;* quinto
sixth (6th)	*sicsth;* sexto
seventh (7th)	*sé-vânth;* sétimo
eighth (8th)	*âith;* oitavo
ninth (9th)	*náinth;* nono
tenth (10th)	*ténth;* décimo
eleventh (11th)	*i-lé-vânth;* décimo primeiro
twelfth (12th)	*tuélvth;* décimo segundo
thirteenth (13th)	*thâr-tinth;* décimo terceiro
fourteenth (14th)	*fór-tinth;* décimo quarto
fifteenth (15th)	*fif-tinth;* décimo quinto
sixteenth (16th)	*sics-tinth;* décimo sexto
seventeenth (17th)	*sé-vân-tinth;* décimo sétimo
eighteenth (18th)	*âi-tinth;* décimo oitavo
nineteenth (19th)	*náin-tinth;* décimo nono
twentieth (20th)	*tuên-ti-âth;* vigésimo
twenty-first (21st)	*tuên-ti fârst;* vigésimo primeiro
thirtieth (30th)	*thâr-ti-âth;* trigésimo
one-hundredth (100th)	*uón hân-drâth;* centésimo

Diálogo

 Nettie Abbott liga para um hotel para fazer uma reserva para ela e para o seu marido, Charlie. (Faixa 16)

Recepcionista: **Mattison Hotel. How can I help you?**
mé-ti-sân hôu-tél háu quén ái hélp iú
Mattison Hotel. Como posso ajudá-lo?

Mary: **Hello. I'd like to make a reservation for February 9th and 10th.**
hé-lôu áid láic tu mâic â ré-zâr-vâi-chân fór fé-briú-é-ri náinth énd ténth
Olá. Gostaria de fazer uma reserva para os dias 9 e 10 de Fevereiro.

Recepcionista: **How many adults will there be, ma'am?**
háu mé-ni é-dâlts uíl dér bi, mém
Quantos adultos serão, minha senhora?

Mary:	**Two.** *tu* Dois.
Recepcionista:	**Any children?** *é-ni <u>tchil</u>-drân* Virão algumas crianças?
Mary:	**Oh my, no! Our children are grown.** *ôu mái nôu áur <u>tchil</u>-drân ár grôun* Não, imagine! Os nossos filhos já são crescidos.
Recepcionista:	**Do you want a smoking or non-smoking room?** *du iú uónt â <u>smôu</u>-quing ór nón <u>smôu</u>-quing rum* Vocês querem um quarto para fumantes ou não fumantes?
Mary:	**Non-smoking.** *nón <u>smôu</u>-quing* Não fumantes.
Recepcionista:	**I can give you a room with a queen or king-size bed.** *ái quén guiv iú â rum uíth â cuín ór quing sáiz béd* Posso dar a vocês um quarto com uma cama de tamanho grande ou extra-grande.
Mary:	**We'll take the king.** *uíl tâic dâ quing* Nós ficaremos com a extra-grande.
Recepcionista:	**Okay. That room will be $85 per night.** *<u>ôu</u>-câi dét rum uíl bi <u>âi</u>-ti fáiv <u>dó</u>-lârs pêr náit* Ok. O quarto fica por $85 por noite.
Mary:	**That's fine.** *déts fáin* Perfeito.
Recepcionista:	**I need a credit-card number to hold your reservation.** *ái nid â <u>cré</u>-dit cárd tu hôuld iór ré-zâr-<u>vái</u>-chân* Preciso de um número de cartão de crédito para fazer a reserva.
Mary:	**Okay. Here it is.** *ôu-<u>câi</u> hir it iz* OK. Aqui está.

Os americanos usam os termos **ma'am** (*mém*; minha senhora) e **sir** (*sâr*; senhor) como formas de demonstrar respeito pelos interlocutores. É bastante comum ser tratado deste modo nos estabelecimentos mais orientados para o serviço. A palavra **miss** (*mis*; menina) é geralmente usada para se dirigir a uma moça ou a uma jovem.

Queens e kings — o reino das camas

Não importa o seu tamanho, necessidades ou preferências, nos Estados Unidos há uma cama para você. Uma cama pequena para uma pessoa é chamada uma **twin** (*tuín*; individual). Com o dobro desse tamanho, tem uma **double** (*dâ-bâl*; dupla). Ainda mais larga é a **queen** (*cuín*, rainha). E muito mais larga e comprida é a **king** (*quing*; rei). Muitos quartos de hotel e motel têm duas camas **queen-sized**, mas pode encontrar outras opções ou combinações de camas num quarto. Pergunte ao empregado e tenha cuidado com essas camas **king-sized**, porque são realmente enormes!

Palavras a saber

reservation	ré-zâr-vâi-chân	reserva
arrival	â-rái-vâl	chegada
vacancy	vâi-cân-si	quartos livres
a room	â rum	um quarto
queen-size bed	cuín sáiz béd	cama grande
king-size bed	quing sáiz béd	cama extragrande

Fazer o Registro

A hora de **check-in** (*tchéc in*; fazer o registo) na maior parte dos hotéis e motéis é por volta das 2 ou 3 da tarde. Como é óbvio, você pode fazer o registo a qualquer momento, mas não garantirão que o seu quarto esteja pronto antes da hora de **check-in** estabelecida.

A **front desk** (*frônt désc*; recepção) é geralmente um bom lugar para descobrir informações sobre a região, incluindo mapas, folhetos sobre restaurantes, museus e outros pontos de interesse. Os empregados dos hotéis estão, geralmente, preparados para responder às suas perguntas e oferecer sugestões. Eles também são as pessoas que se deve chamar, ao descobrir que precisa de qualquer coisa, como mais toalhas, um secador de cabelo, um ferro de passar, etc.

Parte III: Só de Visita

Diálogo

Mary e Charlie Abbott chegaram ao hotel. O Sr. Abbott vai fazer o registo enquanto a Sra. Abbott dá uma vista de olhos à recepção e ao restaurante.

Empregado:	**May I help you?**
	mâi ái hélp iú
	Posso ajudar?
Mr. Abbott:	**Yes, I want to check in. My wife and I have reservations for tonight and tomorrow night.**
	iés ái uónt tu tchéc in mái uáif énd ái hév ré-zâr-vái-châns fór tu-náit énd tu-mó-rôu náit
	Sim, quero fazer o registo. Eu e a minha esposa temos reservas para as noites de hoje e de amanhã.
Empregado:	**Your name, sir?**
	iór nâim sâr
	Como é que o senhor se chama?
Mr. Abbott:	**Charles Abbott.**
	tchárls é-bât
	Charles Abbott.
Empregado:	**Yes, your room is ready.**
	iés iór rum iz ré-di
	Sim, seu quarto está pronto.
Mr. Abbott:	**That's wonderful.**
	déts uân-dâr-ful
	Maravilhoso.
Empregado:	**Here's your room key, and I'll call a porter to get your bags.**
	hiârs iór rum qui énd áil cól â pór-târ tu guet iór bégs
	Aqui está a chave, e eu chamarei um ajudante para levar as suas malas.
Mr. Abbott:	**Thank you.**
	thénc iú
	Muito obrigado.

Capítulo 8: Ficar num Hotel **141**

Ser Possessivo: Usar os Adjetivos e Pronomes Possessivos

Quando se trata de amor, ser possessivo pode causar problemas, mas para aprender inglês, as características possessivas são muito importantes. Usar as partículas possessivas o ajudará a identificar o que pertence a quem. (Consulte o Capítulo 2 para ver os princípios básicos da gramática inglesa).

Os **possessive adjectives** (*pôu-sé-siv éd-jéc-tivs*; adjetivos possessivos) vêm antes dos substantivos e indicam propriedade – ou seja, ajudam a descrever a quem ou a que pertence esse substantivo. Os adjetivos possessivos são os seguintes:

- **my** (*mái*; meu/minha/meus/minhas)
- **your** (*iór*; teu/tua/teus/tuas, vosso/vossa/vossos/vossas)
- **her** (*hâr*; seu/sua/seus/suas, dela)
- **his** (*hiz*; seu/sua/seus/suas, dele)
- **its** (*its*; seu/sua/seus/suas, disso)
- **our** (*áuâr*; nosso/nossa/nossos/nossas)
- **their** (*dér*; seu/sua/seus/suas, deles ou delas)

Em inglês, os **possessive adjectives** (como todos os adjetivos) não têm formas próprias para o singular e para o plural. Esta característica pode ser observada nas seguintes frases:

- **These are *her* bags.** (*diz ár hâr bégs*; Estas são as bolsas dela).
- **This is *her* suitcase.** (*dis iz hâr sut-câis*; Esta é mala dela).

Escolher o adjetivo possessivo correto pode ser um pouquinho difícil a princípio, principalmente porque o adjetivo tem que concordar com o género do proprietário e não com o objeto ou a pessoa possuída. Ou seja, se o possuidor for feminino, use a palavra **her** para mostrar a posse, mesmo que o objeto possuído seja masculino. Observe os seguintes exemplos com Nettie e Charles Abbott (os viajantes que você encontrará ao longo deste capítulo):

- **Nettie travels with *her* husband.** (*né-ti tré-vâls uíth hâr hâz-bând*; A Nettie viaja com o seu marido).
- ***His* wife made a reservation.** (*hiz uáif mâid â ré-zâr-vâi-chân*; A mulher dele fez uma reserva).

Os **possessive pronouns** (*pôu-sé-siv prôu-náuns*; pronomes possessivos) mostram a que pessoa gramatical pertence um substantivo anteriormente mencionado. Os pronomes possessivos aparecem no princípio ou no final de uma frase e podem ser sujeito ou complemento direto. Aqui estão os pronomes possessivos:

- **mine** (*máin*; meu/minha/meus/minhas)
- **yours** (*iórs*; teu/tua/teus/tuas, vosso/vossa/vossos/vossas)
- **hers** (*hârs*; seu/sua/seus/suas, dela)
- **his** (*hiz*; seu/sua/seus/suas, dele)
- **its** (*itz*; seu/sua/seus/suas, disso)
- **ours** (*áuârs*; nosso/nossa/nossos/nossas)
- **theirs** (*dérs*; seu/sua/seus/suas, deles)

Como os adjetivos possessivos, os pronomes possessivos não têm uma forma para o plural. O **-s** nas palavras **yours**, **hers**, **its**, **ours** e **theirs** tem unicamente um significado de posse. Aqui tem alguns exemplos dessa ausência de dicotomia singular/plural:

- **This luggage is *yours*.** (*diz lâ-gâdj iz iórs*; Esta bagagem é sua).
- ***Mine* is still in the car.** (*máin iz stil in dâ cár*; A minha ainda está no carro).

Diálogo

O mensageiro de um hotel aproxima-se para levar as bagagens de Mary e Charlie para seu quarto (Faixa 17)

Mensageiro: **Are these your bags?**
ár diz iór bégs
Estas são suas malas?

Mary: **Yes, they're ours. This is my husband's bag, and these three are mine.**
iés dér áuârs diz iz mái hâz-bânds bég énd diz thri ár máin
Sim, são as nossas. Esta é a mala do meu marido e estas três são minhas.

Charlie: **Be careful with hers. They're filled with her best shoes!**
bi quér-ful uíth hârs dér fild uíth hâr bést chuz
Tenha cuidado com as dela. Estão cheias dos seus melhores sapatos!

Mary: **And be careful with his. They're filled with his favorite travel magazines!**
énd bi quér-ful uíth hiz dér fild uíth hiz fâi-vu-rit tré-vâl mé-gâzins
E tenha cuidado com as dele. Estão cheias das suas revistas de viagens preferidas!

Mensageiro:	**No problem. I'll lift them on to my cart.**
	nôu pró-blâm áil fit dâm ón tu mái cárt
	Não se preocupem. Eu mesmo as coloco no meu carrinho.
Charlie:	**Your shoes!**
	iór chuz
	Os seus sapatos!
Mary:	**Your magazines!**
	iór mé-gâ-zins
	As seus revistas!
Mensageiro:	**Oh! My back!**
	ôu mái béc
	Oh! As minhas costas!

Palavras a saber

front desk	frônt désc	recepção
a tip	â tip	uma gorjeta
porter	pór-târ	paquete
bellhop	bél-hóp	recepcionista / porteiro
luggage	lâ-gâdj	mensageiro
bags	bégs	malas
suitcase	sut-câis	bolsas

Algumas Sugestões Sobre as Gorjetas

Dar gorjetas ao pessoal dos hotéis e motéis é bastante habitual. Se o serviço for excepcional, pode sempre deixar uma **generous tip** (*djé-ne-râs tip*; gorjeta generosa); mas, lembre-se sempre de que não dar gorjeta é considerado má educação (e ofensivo). Por isso, aqui tem algumas sugestões sobre a quem dar gorjetas e quanto dar.

- **Porter/bellhop** (*pór-târ bel-hóp*; porteiro / mensageiro): $1 por mala.

- **Valet attendant** (*vé-let â-tên-dânt*; estacionador): $2–5.

- **Housekeeper/maid** (*háus-qui-pâr mâid*; criada de quarto): $1–2 por dia.

- **Room service** (*rum sâr-vis*; serviço de quartos): 15% serviço incluído; $1 para a pessoa que faz a entrega.

Para mais informações sobre a moeda norte-americana, consulte o Capítulo 7.

Usar There, Their e They're

Estas três palavrinhas dão muito trabalho? Não se preocupe! Até os próprios falantes nativos, por vezes, as misturam. É fácil enganar-se porque as três palavras têm basicamente a mesma pronúncia. No entanto, diferem em significado, função e, como já deve ter visto, grafia. A tabela 9-2 proporciona-lhe mais informação sobre essas diferenças. Repare que a palavra **there** (*dér*; ali) tem duas funções.

Tabela 9-2	There, their e they're	
Palavra	*Função; significado*	*Frase de exemplo*
There	Advérbio; em ou para um lugar ou uma localização específica.	**Our bags are over there.** (*áur bégs ár ôu-vâr dér*; As nossas bolsas estão ali).
There	Pronome; que existe (usado para começar uma oração)	**There is (There's) a charge for room service.** (*dérs â tchárdj fór rum sâr-vis*; Há uma taxa pelo serviço de quartos).
Their	Adjetivo possessivo; pertencente a duas ou mais pessoas ou coisas.	**Their bags are heavy.** (*dér bégs ár duas hé-vi*; As bolsas deles são pesadas).
They're	Contração (**they + are**); usa-se como combinação de sujeito e verbo. **They** é um pronome pessoal.	**They're checking into a motel.** (*dér tché-quing in-tu â môu-tél*; Eles estão dando entrada num motel).

Esses pequenos extras: o que é gratuito e o que não é

Serviços adicionais significam, muitas vezes, despesas adicionais na conta do hotel. O **laundry service** (*lón-dri sâr-vis*; serviço de lavandaria), o **room service** (*rum sâr-vis*; serviço de quartos), o **Internet time** (*in-târ-net táim*; tempo na Internet) e as chamadas locais (embora não em todos os lugares) serão cobrados à parte. E tenha cuidado com esses apetitosos snacks do **minibar** (*mi-ni-bar*; minibar). Geralmente, são caríssimos! Por isso, para evitar grandes e desagradáveis surpresas mais tarde, consulte o folheto do hotel ou os as listas de preços que geralmente se encontram nos quartos para descobrir o que é que precisa pagar — e quanto! Por outro lado, comodidades como o **wake-up service** (*uâic âp sâr-vis*; serviço de despertar), **cribs** (*cribs*; berços), **towels** (*táu-âls*; toalhas extras), **pillows** (*piâus*; almofadas) e **blankets** (*bléncâts*; cobertores) adicionais são gratuitos em quase qualquer lugar.

Pode descobrir mais informações sobre as contrações nos Capítulos 2 e 3.

Sair do Hotel

Na maior parte dos hotéis e motéis, a hora do **check-out** (*tchéc áut;* saída) é entre às onze da manhã e o meio-dia. Quando se faz o **check out**, paga-se a conta, incluindo quaisquer serviços extra que se tenham usado. Depois do **check-out**, se não quiser partir nesse preciso momento, geralmente é possível deixar a bagagem na recepção ou numa sala especial durante uma parte do dia.

Nos EUA, você verá que a conta inclui uma taxa local de hotelaria que varia entre os 7 e os 20 por cento, dependendo da cidade. A média é de uns 10 por cento.

Diálogo

O casal Abbott ficou duas noites no hotel e pôde comer no restaurante e apreciar outras das comodidades oferecidas. E agora chegou o momento de irem embora.

Empregado: **Yes, sir. How can I help you?**
iés sâr háu quén ái hélp iú
Sim? Como posso ajudar o senhor?

Charlie: **We'd like to check out. The name is Abbott.**
uíd láic tu tchéc áut dâ nâim iz é-bât
Nós gostaríamos de ir embora. O nome é Abbott.

Empregado: **What was your room number, sir?**
uót uóz iór rum nâm-bâr sâr
Qual era o número do quarto, senhor?

Charlie: **Room 240.**
rum tu hân-drâd for-ti
Quarto 240.

Empregado: **Was everything alright?**
uóz é-vri-thing ól-ráit
Esteve tudo a seu gosto?

Charlie: **Yes, it was very nice.**
iés it uóz vé-ri náis
Sim, esteve tudo muito bem.

Empregado: **How would you like to pay?**
háu uúd iú láic tu pâi
Como gostaria de pagar?

Parte III: Só de Visita

Charlie:	**By credit card. Do you take MasterCard?** *bái cré-dit cárd du iú tâic más-târ-cárd* Com cartão de crédito. Vocês aceitam MasterCard?
Empregado:	**Yes, we do.** *iés uí du* Sim, nós aceitamos.
Charlie:	**May we leave our bags here for the day?** *mâi uí liv áur bégs hir fór dâ dâi* Podemos deixar aqui as nossas malas durante o dia?
Empregado:	**Certainly. We'll put them in our locked storage room.** *sâr-tân-li uíl put dâm in áur lócd stó-râdj rum* Claro que sim. Nós as colocaremos trancadas no nosso quarto de armazenagem.
Charlie:	**Thanks.** *théncs* Obrigado.

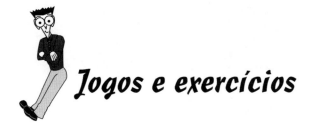

Jogos e exercícios

Una com uma linha cada palavra ou expressão da Lista 1 com a palavra ou expressão da Lista 2 que tenha um significado semelhante.

Lista 1	Lista 2
porter	vacancy
bags	top quality
five star	luggage
full	leave the hotel
rooms available	bellhop
check out	no vacancy

Agora, escolha o termo correto para completar as frases seguintes, usando uma das seguintes palavras: **there, their, theirs, they're**. Nota: Você poderá ter de usar alguma das palavras mais do que uma vez.

1. _____ looking for _____ luggage.

2. Is that _____ luggage over _____ ?

3. No, that's not _____ .

4. Oh, _____ it is!

Capítulo 9

Comer Fora e Saborear uma Boa Refeição

Neste Capítulo

▶ Descobrindo palavras relacionadas comer

▶ Fazendo reservas em restaurantes

▶ Compreendendo a ementa

▶ Pedindo comida e bebida

*Q*uando você pensa na melhor cozinha do mundo, é muito provável que não se lembre da comida dos países de língua inglesa. De fato, pode até mesmo se perguntar se a palavra "cozinha" é adequada para os alimentos que, geralmente, estão associados aos Estados Unidos da América, como hambúrgueres, cachorros quentes, batatas fritas e pizza congelada (é verdade que a pizza é italiana, mas a pizza congelada é um dos pratos mais típicos dos EUA!).

Felizmente, a experiência culinária nos Estados Unidos inclui muito mais do que simplesmente **fast food** (*fést fud*; comida rápida). Pessoas de todos os cantos do mundo conjugaram aqui diferentes paladares e tradições culinárias, influenciando gastronomias regionais como a **Cajun** (*câi-djân*; cozinha própria dos descendentes de franceses do estado de Louisiana) e **Tex-Mex** (*técs mécs*; cozinha própria da zona do Texas que inclui fortes influências mexicanas). Este capítulo contêm algumas expressões básicas sobre comer e beber que o ajudarão a escolher e a pedir comida em restaurantes nos EUA. E sim, também se fala um pouquinho sobre fast-food. Por isso, bom apetite!

Expressar Fome e Sede

Quando a sua barriga disser que está na hora de comer, ou quando precisar matar a sua sede, pode usar uma das seguintes expressões que o ajudarão a obter qualquer coisa para **eat** (*it*; comer) ou **drink** (*drinc*; beber).

> ## Palavras esfomeadas
>
> **I'm hungry** (*áim hân-gri*; Tenho fome) é uma frase direta e precisa – qualquer pessoa entenderá que quer comer! Mas, há outras expressões bastante comuns que não são tão óbvias. Por exemplo, quando tiver muita fome, pode dizer **I'm so hungry, I could eat a horse!** (*áim sôu hân-gri ái cud it â hórs*; Eu tenho tanta fome que seria capaz de comer um cavalo). Isso já é realmente muita fome. Também pode dizer **I'm starving** (*áim stár-ving*; Estou morrendo de fome), o que não é geralmente verdade, no sentido mais literal, ou **I'm famished** (*áim fé-michd*; Estou esfomeado). De qualquer forma, qualquer pessoa ficará sabendo que você tem fome!

- **I'm hungry.** (*áim hân-gri*; Tenho fome).
- **I'm thirsty.** (*áim thârs-ti*; Tenho sede).
- **Let's eat.** (*léts it*; Vamos comer).

Use o verbo **to be** (*tu bi*; ser/estar) — e não **to have** (*tu hév*; ter) — com os adjetivos **hungry** e **thirsty**. Além disso, lembre-se de que o inglês usa **to be** em vez de **to have** quando se fala da idade das pessoas. Por exemplo, diga **I am 20 years old** (*ái ém tuên-ti iírs ôld*; Tenho 20 anos.), e não **I have 20 years old** (*ái hév tuên-ti iírs ôld*). (Consulte o Capítulo 3 para mais informações sobre como expressar a idade).

A hora das refeições nos Estados Unidos é um momento de especial relevância social, exceto se tiver muita pressa para ir trabalhar ou se tiver uma hora de almoço especialmente curta; por isso, pode contar com passar algum tempo à volta da mesa, apreciando a companhia dos seus comensais. Apesar de o acelerado estilo de vida atual estar mudando a forma como muita gente come, três boas refeições por dia continuam a ser a regra para a maior parte dos americanos. As seguintes seções explicam tudo o que você precisa saber sobre as diversas refeições ao longo do dia. Então, já está com fome?

O Que Há Para o Café-da-Manhã?

Quando tiver fome de manhã, pode perguntar **What's for breakfast?** (*uóts fór bréc-fâst*; O que há para o café da manhã?). **Breakfast** significa literalmente **break the fast** (*brâic dâ fást*; quebrar o jejum). As pessoas tomam o café da manhã a qualquer momento, desde de manhã cedo até quase ao meio-dia, mas o café-da-manhã é uma refeição tão popular que alguns restaurantes anunciam mesmo "**Breakfast served all day!**".

A seguir você encontrará alguns dos alimentos típicos do café da manhã americano:

- **bacon** (*bâi-cân*; toucinho defumado)
- **cereal** (*si-ri-âl*; flocos de cereais)
- **eggs** (*égs*; ovos)
- **French toast** (*frêntch tôust*; rabanadas)

_Capítulo 9: Comer Fora e Saborear uma Boa Refeição **151**

- **pancakes** (_pén_-câics; panquecas)
- **sausage** (_só_-sâdj; salsichas)
- **toast** (_tôust_; torradas)
- **waffles** (_uó_-fâls; waffles)

E aqui tem algumas bebidas comuns para tomar ao café da manhã:

- **coffee** (_có-fi_; café)
- **juice** (_djús_; suco)
- **tea** (_ti_; chá)

Mesmo com todas estas escolhas, muita gente durante a semana bebe apenas uma xícara rápida de café e come uma torrada ao café-da-manhã. Mas, no fim de semana, é muito normal as pessoas dormirem até mais tarde e saírem para tomar um **brunch** (_brântch_; mistura de café-da-manhã e almoço). O **brunch** é geralmente servido como um bufet com todos os pratos típicos do café-da-manhã, mais **omelets** (_óm_-lâts; omoletes) e outros pratos de ovos, entradas de almoço, **fruit** (_frut_; fruta), **pastries** (_pâis_-tris; bolos), **muffins** (_mâ-fins_; pãezinhos de leite) e, por vezes, **champagne** (_tchén-pâin_; champanhe).

Como quer os ovos?

Um engraçadinho poderia responder a esta pergunta ironicamente dizendo "Num prato!". Mas, nos EUA é necessário ser um pouquinho mais específico — e provavelmente menos engraçadinho — quando se pedem ovos. Assim, aqui tem uma pequena lista com as principais formas de prepara-los:

- **fried** (_fráid_; fritos)
- **omelet** (_óm-lât_; omelete)
- **poached** (_pôuchd_; pochê)
- **scrambled** (_scrém-bâld_; mexidos)

Os ovos fritos, por sua vez, também podem vir numa variedade de formas. Aqui tem uma série de expressões que você deveria conhecer para pedir uns ovos fritos:

- **Sunny-side up** (_sâ-ni sáid âp_; fritos normal, com a gema virada para cima e pouco cozinhada).
- **Sunny-side down** (_sâ-ni sáid dáun_; fritos com a gema virada para baixo).
- **Over easy** (_ôu-vâr i-zi_; mal passados, com a gema muito líquida).
- **Medium** (_mi-di-âm_; meio passados, com a gema ainda um pouco líquida).
- **Hard** (_hárd_; muito passados, com a gema totalmente cozida).

O Que Há Para o Almoço?

Entre o meio-dia e uma da tarde é hora de dizer **Let's have lunch!** (_léts hév lântch_; Vamos almoçar!). A maior parte das pessoas interrompe aquilo que está fazendo para comer qualquer coisa ou aquecer um prato trazido de casa no micro-ondas do escritório, e depois volta para o trabalho. Mas, para algumas pessoas, um almoço quente e farto é a principal refeição do dia. A seguir, alguns pratos típicos para almoço:

- **salad** (*sé-lâd*; salada)
- **sandwich** (*sénd-uítch*; sanduíche)
- **soup** (*sup*; sopa)
- **microwaveable meal** (*mái-crôu-uâi-vâ-bâl mil*; refeição para levar ao microondas)

Geralmente, pode-se usar tanto **to eat** (*tu it*; comer) como **to have** (*tu hév*; tomar) para falar de comida. Por exemplo, **Let's eat lunch!** (*léts it lântch*; Vamos almoçar!) e **Let's have lunch!** (*léts hév lântch*; Vamos almoçar!) possuem o mesmo significado. E se pode usar **to drink** (*tu drinc*; beber) ou **to have** para falar sobre tomar uma bebida: **I drink coffee every morning** (*ái drinc có-fi é-vri mór-ning*; tomo café todos os dias de manhã) e **I have coffee every morning** (*ái hév có-fi é-vri mór-ning*; tomo café todos os dias de manhã). **Eat**, **have** e **drink** são todos verbos irregulares. (Consulte as tabelas de verbos irregulares, no Apêndice A, para mais detalhes sobre as suas conjugações).

Em português, dizer **I take breakfast at 7 a.m.** (*ái tâic bréc-fâst ét sé-vân âi-ém*; Eu tomo o café da manhã às 7 da manhã) é uma construção correta, mas em inglês não é muito normal usar o verbo **to take** desta forma; por isso, parece um pouco estranho. Em vez disso, deve-se usar os verbos **to eat** ou **to have** como se referiu no parágrafo anterior. Pode-se usar **to take** quando estiver falando sobre comida em determinadas situações, como quando se pede ao empregado: **I'll take the salmon.** (*áil tâic dâ sal-mân*; quero o salmão). Ou no escritório: **Let's take a break** (*léts tâic â brâic*; Vamos fazer uma pausa). Para obter mais informações sobre como usar o verbo **to take** nestes contextos, consulte a seção "Verbos para pedir: **to have** e **to take**", neste mesmo capítulo, e veja também o Capítulo 14.

O Que Há Para o Jantar?

Ao fim da tarde, você já pode perguntar **What should we have for dinner?** (*uót chud uí hév fór di-nâr*; O que vamos jantar?). A hora do jantar começa cerca das 5 da tarde, ou a qualquer momento do fim da tarde ou do princípio da noite, mas a maior parte das pessoas janta por volta das 6 da tarde. O jantar é, geralmente, a principal refeição do dia e pode ser a única que a família come toda junta.

Um jantar típico inclui um **main course** (*mâin córs*; prato principal), como por exemplo:

- **casserole** (*qué-se-rôul*; guisado)
- **fish** (*fich*; peixe)
- **meat** (*mit*; carne)
- **pizza** (*pi-tza*; pizza)
- **poultry** (*pôul-tri*; aves)
- **spaghetti** (*spâ-gué-ri*; espaguete)

Capítulo 9: Comer Fora e Saborear uma Boa Refeição **153**

E um, vários ou todos os seguintes **side dishes** (_sáid di-ches_; acompanhamentos):

✔ **bread** (_bréd_; pão)

✔ **potatoes** (_pâ-tâi-tôus_; batatas)

✔ **rice** (_ráis_; arroz)

✔ **salad** (_sé-lâd_; salada)

✔ **vegetables** (_véj-tâ-bâls_; legumes)

Consulte o Capítulo 10 para o vocabulário específico para as hortaliças e para os legumes (e para frutas).

Em algumas regiões dos Estados Unidos, como algumas zonas do Sudeste, as pessoas comem a refeição principal à hora do almoço e depois tomam uma refeição mais rápida – chamada **supper** (_sâ-pâr_; ceia) – à noite. É claro que, se tiver fome entre as refeições, pode comer um pequeno **snack** (_snéc_; lanche).

Comer com as mãos

Quando é que se pode comer com as mãos? Quando se come **finger food** (_fin-gâr fud_; comida de dedos), claro! **Finger food** é uma classificação informal aplicável aos pratos e alimentos que podem ser comidos com as mãos sem cometer uma indelicadeza. Esta classificação inclui pratos como **fried chicken** (_fráid tchi-cân_; frango empanado), **pizza** (_pitzâ_; pizza), **bacon** (_bâi-cân_; bacon) e **appetizers** (_é-pâ-tái-zârs_; salgadinhos). Se você não tiver a certeza sobre o que deve fazer, observe o que fazem as outras pessoas ou pergunte diretamente **Is this finger food?** (_iz dis fin-gâr fud_; Pode-se comer isto com as mãos?). Mas, se não se sentir à vontade em comer com as mãos, pode usar apenas a faca e o garfo

---

A seguir, você encontrará uma lista com os elementos básicos para **set the table** (_sét dâ tâi-bâl_; pôr a mesa) para o jantar:

✔ **silverware** (_sil-vâr-uér_; talheres)

  • **forks** (_fórcs_; garfos)

  • **knives** (_náifs_; facas)

  • **spoons** (_spunz_; colheres)

✔ **dishes** (_di-ches_; louça - de lavar)

  • **bowls** (_bóls_; tigelas)

  • **cups** (_câps_; xícaras)

  • **glasses** (_glé-ses_; copos)

  • **plates** (_plâits_; pratos)

154 Parte III: Só de Visita

✔ outros elementos:

- **placemats** (*plâis*-*méts*; toalhas individuais)
- **salt and pepper shakers** (*sált énd pé-pâr châi-cârs*; saleiro e pimenteiro)
- **tablecloth** (*tâi-bâl-clóth*; toalha de mesa)

Na conversa abaixo, pode-se praticar os termos utilizados à mesa e descobrir algumas expressões que pode usar se notar a ausência de algum utensílio.

Comer Num Restaurante

Dining out (*dái-ning áut*; comer fora) permite ter acesso a uma deliciosa variedade de cozinha internacional, e oferece uma oportunidade de experimentar a gastronomia e a cultura americanas. Esta seção pode te ajudar a se sentir à vontade quando alguém disser **Let's go out to eat!** (*léts gôu áut tu it*; Vamos jantar fora!).

Mesmo durante a semana, os restaurantes mais populares podem estar cheios. Por isso, se quiser uma mesa, o melhor é ligar antes e fazer uma reserva. Caso contrário, prepare-se para esperar.

Diálogo

A família Grebe está prestes a se sentar para jantar. As filhas, Lindsey e Melissa, puseram a mesa.

Sra. Grebe: **The food is ready. Let's sit down.**
dâ fud iz ré-di léts sit dáun
A comida está pronta. Vamos nos sentar.

Sr. Grebe: **Wait a second. Where are the plates?**
uâit â sé-când uér ár dâ plâits
Espere um momento. Onde é que estão os pratos?

Melissa: **Lindsey, you forgot the plates!**
lin-dsi iú fór-gót dâ plâits
Lindsey, você esqueceu dos pratos!

Lindsey: **No, I didn't. You did!**
nôu ái di-dânt iú did
Não me esqueci. Você é quem se esqueceu!

Sra. Grebe: **Here are some plates. Now, let's eat.**
hir ár sâm plâits náu léts it
Aqui estão os pratos. Agora, vamos comer.

Capítulo 9: Comer Fora e Saborear uma Boa Refeição 155

Sr. Grebe: **I don't have a fork.**
ái dônt hév â fórc
Eu não tenho garfo.

Melissa: **I'll get you one.**
áil guét iú uón
Arrumo-lhe um / Providencio-lhe um.

Sra. Grebe: **And I'm missing a spoon.**
énd áim <u>mi</u>-sing â spun
E eu não tenho colher.

Lindsey: **Oops! Here's a spoon.**
ups hirs â spun
Oops! Aqui está uma colher.

Sr. Grebe: **Wait a minute! No napkins?**
uâit â <u>mi</u>-nât nôu <u>nép</u>-quins
Espere um momento! Não há guardanapos?

Diálogo

Vlada e o seu marido, Mike, querem conhecer um novo restaurante. O restaurante recebeu grandes elogios por isso decidem ligar e fazer uma reserva. (Faixa 18)

Empregado: **Hello, Clouds Restaurant.**
hé-<u>lôu</u> cláuds <u>rést</u>-rânt
Olá, restaurante Clouds.

Mike: **I'd like to make a reservation for Monday night.**
áid láic tu mâic â ré-zâr-<u>vâi</u>-chân fór <u>mân</u>-dâi náit
Eu gostaria de fazer uma reserva para a segunda à noite.

Empregado: **I'm sorry, we're closed Monday nights.**
áim <u>só</u>-ri uír clôuzd <u>mân</u>-dâi náits
Sinto muito, estamos fechados na segunda à noite.

Mike: **How about Sunday?**
háu â-<u>báut</u> <u>sân</u>-dâi
E no domingo?

Empregado: **Sunday is fine. What time?**
<u>sân</u>-dâi iz fáin uót táim
O domingo é perfeito. A que horas?

Mike: **Seven-thirty.**
sé-vân thâr-ti
Às sete e meia.

Empregado: **How many people?**
háu mé-ni pi-pâl
Quantas pessoas?

Mike: **Two.**
tu
Duas.

Empregado: **And your name?**
énd iór nâim
E o seu nome como é?

Mike: **Mike Moran.**
máic mô-rén
Mike Moran.

Empregado: **Okay, Mr. Moran. That's two at 7:30 for this Sunday.**
ôu-câi mis-târ mô-rén déts tu ét sé-vân thâr-ti fór diz sân-dâi
OK, senhor Moran. Então, é uma mesa para dois, para as 7:30 do próximo domingo.

Em muitos restaurantes americanos, é muito comum que haja um **host** (*hôust*; chefe de mesa) ou **hostess** (*hôus-tâs*; chefe de mesa [feminino]), que lhe pergunte o seu nome e o leve até a mesa. Mas, se não vir um **host** ou **hostess**, ou se vir um letreiro com a indicação **Please seat yourself** (*pliz sit iór-sélf*; Sente-se onde quiser), pode avançar e escolher a mesa que quiser.

Diálogo

A Joanne acaba de chegar à cidade e entrou num concorrido restaurante, com esperanças de poder encontrar uma mesa.

Chefe de mesa: **Good evening. Two for dinner?**
gud iv-ning tu fór di-nâr
Boa noite. Uma mesa para dois?

Joanne: **No, just one.**
nôu djâst uón
Não, estou sozinha.

Chefe de mesa: **Do you have a reservation?**
du iú hév â ré-zâr-vâi-chân
Você tem uma reserva?

Capítulo 9: Comer Fora e Saborear uma Boa Refeição *157*

Joanne:	**No, I'm afraid I don't.**
	nôu áim â-_fráid_ ái dônt
	Não, não tenho.
Chefe de mesa:	**Then I'll put your name on our waiting list.**
	dén áil put iór nâim ón áur _uâi_-ting list
	Então, colocarei o seu nome na lista de espera.
Joanne:	**How long will it be?**
	háu lóng uíl it bi
	Quanto tempo acha que vai demorar?
Chefe de mesa:	**About 20 minutes.**
	â-_báut_ _tuên_-ti _mi_-nâts
	Uns 20 minutos.
Joanne:	**Okay, I'll wait. My name is Joanne.**
	ôu-_câi_ áil uâit mái nâim iz jôu-_én_
	OK, vou esperar. O meu nome é Joanne.
Chefe de mesa:	**I'll call you as soon as I have a free table.**
	áil cól iú éz sun éz ái hév â fri _tâi_-bâl
	Chamo-a assim que tiver uma mesa livre.

Numa cafeteria ou num café americano, como no Brasil, geralmente é de má educação sentar-se numa mesa que esteja ocupada (mas com lugares livres) – mesmo que seja o único lugar disponível em todo o café. No entanto, há algumas exceções a esta norma não escrita, por exemplo, em refeitórios escolares ou empresariais, onde é considerado aceitável sentar-se numa mesa ocupada, perguntando antes **Is this seat taken?** (*is dis sit tâi-cân*; Este lugar está ocupado?).

Palavras a saber

to seat	tu sit	sentar-se
to wait	tu uâit	esperar
to dine out	tu dáin áut	comer fora
to make a reservation	tu mâic â ré-zâr-_vâi_-chân	fazer uma reserva

Pedir do menu

Escolher o que deseja do menu pode ser uma autêntica aventura. Num restaurante com cozinha continental, pode reconhecer alguns pratos familiares emprestados da gastronomia europeia (embora seja muito provável que estejam consideravelmente alterados). Por outro lado, alguns elementos do menu podem ter nomes criativos, que impossibilitam saber de que tipo de comida se trata – a menos que pergunte. Aqui tem as formas mais comuns de pedir ao empregado mais informação sobre os pratos, juntamente com outras perguntas úteis para pedir num restaurante.

- **Excuse me. What's this?** (*ecs-quiúz mi uóts dis*; Desculpe, o que é isto?)

- **Can you tell me about this item?** (*quén iú tél mi â-báut diz ái-tâm*; Pode dizer-me que prato é este?)

- **Which items are vegetarian?** (*uítch âi-tâms ár vé-dje-té-ri-ân*; Quais destes pratos são vegetarianos?)

Praticamente qualquer prato que pedir – até o prato principal permitirá mais escolhas, como a forma de cozinhar a carne, o tipo de batatas, sopa ou salada, o tipo de tempero da salada, e assim por diante. Por isso, o melhor seria dar uma olhada nas seções seguintes para saber mais sobre algumas dessas opções e começar bem a sua refeição!

Carne

Algumas das carnes que certamente encontrará disponíveis são:

- **beef** (*bif*; vitela ou vaca)

- **lamb** (*lémb*; cordeiro)

- **pork** (*pórc*; porco)

O garçom poderá perguntar **How do you want your meat?** (*háu du iú uónt iór mit*; Como deseja a sua carne?), para poder transmitir ao cozinheiro as suas instruções. As respostas típicas são:

- **medium** (*mi-di-âm*; no ponto)

- **rare** (*rér*; mal passada)

- **well-done** (*uél dân*; bem passada)

Se quiser um meio termo, também pode pedir **medium-rare** (*mi-di-âm rér*; no ponto, tirando a mal passada) ou **medium-well** (*mi-di-âm uél*; no ponto, tirando a bem passada).

Batatas

Aqui há algumas das opções que encontrará para as batatas:

✔ **baked potato** (*bâicd pâ-tâi-tôu*; batata assada), que é servida com uma das seguintes coberturas (mas se não puder decidir, escolha as três!):

 - **sour cream** (*sáu-âr crim*; creme azedo)
 - **butter** (*bâ-târ*; manteiga)
 - **chives** (*tcháivz*; cebolinha)

 ✔ **French fries** (*frêntch fráis*; batatas fritas em palito)

 ✔ **mashed potatoes** (*méchd pâ-tâi-tôu*; purê de batata)

Tempero para a salada

Se não conhecer estes temperos, talvez não seja má ideia pedir que deixem provar um pouquinho:

 ✔ **Blue Cheese** (*blu tchiz*; queijo azul)

 ✔ **French** (*frêntch*; francês, vinagrete)

 ✔ **Italian** (*i-té-liân*; italiano, outro tipo de vinagrete)

 ✔ **Ranch** (*réntch*; rancheiro, com nata e maionese)

 ✔ **Thousand Island** (*tháu-zând ái-lânds*; mil ilhas, uma espécie de mistura entre o molho cocktail e o molho tártaro)

Bebidas

A água, tanto engarrafada como da torneira, é perfeitamente segura em qualquer restaurante dos Estados Unidos. Verá, com certeza, que as escolhas de bebidas para acompanhar as refeições são ligeiramente diferentes das brasileiras, embora todas elas sejam familiares. Por exemplo, pode escolher entre:

 ✔ **milk** (*milc*; leite)

 ✔ **soda** (*sôu-dâ*; água com gás, ou qualquer refrigerante)

 ✔ **hot coffee/tea** (*hót có-fi ti*; café/chá quente)

 ✔ **alcoholic beverages** (*ál-côu-hó-lic bév-râdjes*; bebidas alcoólicas)

Let's eat (*léts it*; Vamos comer) é uma expressão bastante normal para se referir ao café da manhã, ao almoço ou ao jantar. Mas **Let's drink** (*léts drinc*; Vamos beber) entende-se, geralmente, como referência ao consumo de álcool. Por isso, se disser **I want to drink** (*ái uónt tu drinc*; Quero beber), está dizendo que deseja beber álcool – e talvez ter pequena embriaguez!

160 Parte III: Só de Visita

Diálogo

 Enfim, uma mesa no concorrido restaurante foi desocupada para Joan e a garçonete chega à mesa para anotar seu pedido. (Faixa 19)

Garçonete: **Hi. I'm Sara, I'll be your server.**
hái áim sé-râ áil bi iór sâr-vâr
Olá. Chamo-me Sara e vou ser a sua garçonete.

Joanne: **Hi, Sara.**
hái sé-râ
Olá, Sara.

Garçonete: **Ready to order?**
ré-di tu ór-dâr
Está pronta para pedir?

Joanne: **Yes, I'll have the poached salmon with rice.**
iés áil hév dâ pôutchd sél-mân uíth ráis
Sim, quero salmão cozido com arroz.

Garçonete: **That comes with soup or salad.**
dét câms uíth sup ór sé-lâd
Esse prato vem com sopa ou salada.

Joanne: **I'll take the salad.**
áil tâic dâ sé-lâd
Eu vou querer a salada.

Garçonete: **And what kind of dressing for you?**
énd uót cáind óf dré-sing fór iú
E qual o tipo de tempero você quer na salada?

Joanne: **Ranch.**
réntch
Rancheiro.

Garçonete: **Something to drink?**
sâm-thing tu drinc
Algo para beber?

Joanne: **I'd like a glass of Chardonnay, please.**
áid láic â glés óf tchár-dó-né pliz
Eu gostaria de uma taça de Chardonnay, Por favor.

Garçonete: **Okay. I'll be right back with some bread and your wine.**
ôu-cái áil bi ráit béc uíth sâm bréd énd iór uáin
OK. Volto já com o pão e o seu vinho.

Conversar com o garçom

Um garçom com experiência não deve vir à mesa muitas vezes durante a refeição, mas deve prestar atenção para que não falte nada. Se você precisar pedir qualquer coisa ao garçom durante a refeição, chamar a sua atenção deve ser bastante fácil. (Geralmente, estabeleço contato ocular e aceno ligeiramente, mas também pode pedir a outro garçom que chame o seu, se não tiver reparado em você). Então, pode dizer qualquer coisa como **Excuse me. May I please have...** (écs-_quiúz_ mi mâi ái pliz hév; Desculpe, podia trazer-me...), seguido por aquilo que desejar. Entre os pedidos mais comuns ao longo das refeições estão os da seguinte lista:

- **more water** (mór _uó_-târ; mais água)
- **some coffee** (sâm _có_-fi; um pouco de café)
- **another glass of wine** (â-_ná_-dâr glés óf uáin; outra taça de vinho)
- **the check** (dâ tchéc; a conta)

Verbos Para Pedir: "To Have" e "To Take"

Tanto o funcionário como o cliente podem usar os verbos **to have** (tu hév; ter) e **to take** (tu tâic; tomar). O garçom geralmente diz **I'll take your order** (áil tâic iór _ór_-dâr; Anotarei o seu pedido) ou pergunta **What will you have?** (uót uíl iú hév; O que é que deseja?). O mais normal é o cliente responder com o verbo **to have**, dizendo, por exemplo, **I'll have the steak** (áil hév dâ stâic; Vou querer o bife.).

Mas, quando o garçom ou garçonete oferece uma variedade de pratos, os clientes geralmente respondem com o verbo **to take**, que nesse caso significa escolher ou preferir, como na frase **I'll take the rice** (áil tâic dâ ráis; Vou preferir o arroz). Tanto o verbo **to have** como **to take** são irregulares. (Consulte a tabela de verbos irregulares no Apêndice A para conhecer as suas formas do passado. E também pode obter mais informações sobre os usos do verbo **to take** nos Capítulos 5, 6 e 9).

Palavras a saber

to order	tu _ór_-dâr	pedir (num restaurante)
menu	_mé_-niú	cardápio
server	_sâr_-vâr	garçom
waiter	_uâi_-târ	garçom
waitress	_uâi_-trâs	garçonete

Em princípio, pouco tempo depois de ter acabado de comer, o funcionário deveria dirigir-se à sua mesa para levar os pratos e perguntar se deseja sobremesa ou café. Repare no próximo "Diálogo" e observe as as frases mais comuns para encerrar.

Se você gosta de doces, pode dizer que tem um **sweet tooth** (*suít tuth*; dente doce). Se quiser comer um doce no final da refeição, lembre-se dos nomes das seguintes **desserts** (*di-sârts*; sobremesas), já que são bastante comuns em todos os EUA:

- **cake** (*câic*; bolo)
- **cookies** (*cu-quis*; bolachas)
- **custard** (*câs-târd*; creme)
- **ice cream** (*áis crim*; sorvete)
- **pie** (*pái*; torta)
- **sherbet** (*châr-bêt*; sorvete)

Pedir a Conta ao Término da Refeição

Quando tiver finalmente acabado de saborear a sobremesa e depois de ter tomado o seu café, o empregado trará a **bill** (*bil*; conta) ou **check** (*tchéc*; conta). A conta inclui a comida e a bebida, mais o **tax** (*técs*; imposto). Para evitar situações embaraçosas no final da refeição, pergunte sempre que tipos de pagamento o restaurante aceita no momento de reservar a mesa ou antes de se sentar. Alguns restaurantes não aceitam cheques ou alguns cartões de crédito. (O capítulo 8 oferece mais informações sobre como pagar esta e outras contas).

Nos Estados Unidos, espera-se que os clientes deixem gorjeta. De fato, o correto é deixar uma **tip** (*tip*; gorjeta) ou **gratuity** (*grâ-tuí-ti*; gorjeta) de entre 15 e 20 por cento da conta antes dos impostos, já que, normalmente, os empregados de mesa não recebem um salário completo do restaurante. Como é óbvio, pode sempre deixar mais dinheiro se receber um excelente serviço (ou menos dinheiro por um serviço fraco). Se estiver com um grupo de pessoas relativamente grande, a conta incluirá automaticamente uma gorjeta de 15 a 20 por cento.

Palavras a saber

dessert	di-sârt	sobremesa
the bill	dâ bil	a conta
the check	dâ tchéc	a conta
tax	técs	impostos
gratuity	grâ-tuí-ti	gorjeta
doggie bag	dó-gui bég	saquinho para o cão

Capítulo 9: Comer Fora e Saborear uma Boa Refeição **163**

O saco para o cão

Os pratos de comida nos restaurantes americanos são geralmente enormes, por isso levar os restos do prato ou pedir um **doggie bag** (*dó-gui bég*; saquinho para o cão) não é nenhuma desgraça. De fato, é uma prática bastante comum — mesmo em restaurantes mais seletos. No princípio, o **doggie bag** era realmente para o cão, consistindo nuns restos de carne para dar ao Rex. Mas, agora, para a maior parte das pessoas, o jantar da noite é o almoço de amanhã. Duas refeições pelo preço de uma! Se quiser levar para casa os restos do seu prato, pode dizer ao garçom:

✔ **May I have a doggie bag?** (*mâi ái hév â dógui bég*; Podia trazer-me um saquinho para o cão?).

✔ **I'd like to take this home.** (*áid láic to tâic dis hôum*; Eu gostaria de levar isto para casa).

Comer Rápido

Em todos os lugares do mundo já se podem encontrar restaurantes de **fast food** (*fést fud*; comida rápida) e **take-outs** (*tâic áuts*; restaurantes de comida para levar), por isso você já deve conhecer o tipo de comida e serviço que oferecem. Mas, se for a um restaurante de fast food americano, talvez se surpreenda com a variedade de pratos a escolher e especialmente com as dimensões dos pratos. Por exemplo, uma bebida **small** (*smól*; pequena) nos EUA pode ser uma **large** (*lárdj*; grande) na maior parte da Europa. E se pedir uma bebida **large** nos EUA, tenha cuidado! Pode precisar de todos os seus amigos para a acabar de beber! Os **hamburgers** (*hém-bâr-gârs*; hambúrgueres) também podem ser bem maiores do que aquilo a que está acostumado, e umas **fries** (*fráis*; batatas fritas) grandes podem parecer uma refeição completa! Fazer um pedido em inglês num restaurante de fast food pode ser um pouco confuso, especialmente se o restaurante estiver lotado e o garçom começar a tentar despachar as pessoas falando mais rápido. Mas não se acanhe, tenha calma e peça à pessoa que está atendendo que fale um pouco mais devagar e que explique aquilo que você não compreende.

Diálogo

Vlada e Mike acabaram de comer e o garçom vem retirar os pratos.

Garçom: **All finished here?**
ól fi-nichd hir
Já acabaram aqui?

Vlada: **Yes, thank you. It was delicious.**
iés thénc iú it uóz di-li-châz
Sim, muito obrigada. Estava delicioso.

Garçom: **Would you like to see a dessert menu?**
uúd iú láic tu si a di-sârt mé-niú
Gostariam de ver o cardápio de sobremesas?

164 Parte III: Só de Visita

Mike:	**Definitely.** _déf_-nâ-tli Com certeza.
Garçom:	**Here you are. And can I get you some tea or coffee?** hir iú ár énd quén ái guét iú sâm ti ór _có_-fi Aqui está. Posso trazer chá ou café?
Mike:	**Yes, please. A cup of coffee.** iés pliz â câp óf _có_-fi Sim, por favor. Quero um café.
Garçom:	**Cream 'n' sugar?** crim ân _chu_-gâr Creme e açúcar?
Mike:	**Excuse me? What kind of sugar?** écs-_quiúz_ mi uót cáind óf _chu_-gâr Desculpe? Que tipo de açúcar?
Garçom:	**I mean do you want cream and sugar for your coffee.** ái min du iú uónt crim énd _chu_-gâr fór iór _có_-fi Perguntei se quer creme e açúcar com o café.
Mike:	**No thanks, just black.** nôu théncs djâst bléc Não, obrigado. Quero o café preto.

Passados uns minutos, o empregado volta com o seu café e toma nota do pedido de sobremesa.

Garçom:	**Here's your coffee, sir. Have you decided on dessert?** hirs iór _có_-fi sâr hév iú di-_sái_-ded ón di-_sârt_ Aqui tem o seu café. Já decidiram o que querem de sobremesa?
Vlada:	**Can you recommend something? They all sound good.** quén iú ré-câ-_mênd_ sâm-thing dâi ól sáund gud Pode recomendar-nos qualquer coisa? Parece tudo muito bom.
Garçom:	**The Chocolate Mousse is my favorite.** dâ _tchóc_-lât mus iz mái _fâiv_-rit O mousse de chocolate é a minha preferida.
Vlada:	**Okay. We'd like to share one.** ôu-_cái_ uíd láic tu chér uón OK. Gostaríamos de dividir um.

_____Capítulo 9: Comer Fora e Saborear uma Boa Refeição **165**

Garçom:	**Okay. One Chocolate Mousse with two forks, right?**
	ôu-_câi_ uón _tchóc_-lât mus uíth tu fórcs ráit
	OK. É um mousse de chocolate com dois garfos, certo?
Mike:	**Perfect.**
	pâr-féct
	Perfeito.

Diálogo

Godfrey está em um restaurante de fast-food pedindo seu almoço, o funcionário que anota seu pedido fala muito rápido. Godfrey sente-se pressionado, mas quer saber exatamente o que está pedindo assim que tem oportunidade para perguntar (Faixa 20).

Garçom:	**Next. What would you like?**
	nécst uót uúd iú láic
	Seguinte. O que é que deseja?
Godfrey:	**I'll have a cheeseburger.**
	áil hév â _tchiz_-bâr-gâr
	Vou querer um cheeseburger.
Garçom:	**You want everything on that?**
	iú uónt _é_-vri-thing ón dét
	Quer o cheeseburguer com tudo?
Godfrey:	**Everything? What's everything?**
	_é_-vri-thing uóts _é_-vri-thing
	Com todos? O que são todos?
Garçom:	**Mayonnaise, lettuce, tomatoes, onions, and pickles.**
	mâi-ô-nâiz _lé_-tâs tâ-_mâi_-tôuz _â_-niâns énd _pi_-câls
	Maionese, alface, tomate, cebola e pickles.
Godfrey:	**No onions, please.**
	nôu _â_-niâns pliz
	Sem cebola, por favor.
Garçom:	**Anything else?**
	_é_-ni-thing éls
	Mais alguma coisa?
Godfrey:	**I'll have an orange soda.**
	áil hév ân _ó_-rândj _sôu_-dâ
	Eu vou querer uma laranjada.

166 Parte III: Só de Visita

Garçom:	**What size? Small, medium, or large?** *uót sáiz smól mi-di-âm ór lárdj* De que tamanho? Pequena, média ou grande?
Godfrey:	**Small, please.** *smól pliz* Pequena, por favor.
Garçom:	**"Fear t'go?"** *fir te gôu* P/ficar ou p/levar?
Godfrey:	**What? Excuse me?** *uót ecs-quiúz mi* Como? Desculpe?
Garçom:	**For here or to go?** *fór hiâr ór tu gôu* Para aqui ou para levar?
Godfrey:	**To go.** *tu gôu* Para levar.
Garçom:	**That's five eighty five.** *déts fáiv âi-ti fáiv* São cinco e oitenta e cinco.

Capítulo 9: Comer Fora e Saborear uma Boa Refeição **167**

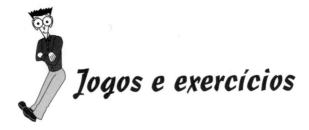

Jogos e exercícios

O leitor decidiu ir jantar em um pequeno restaurante. Pede um bife, purê de batata, sopa de vegetais, salada mista, café e um copo de água. Antes de começar a comer, escreva os nomes em inglês dos elementos que se encontram na mesa e descubra o que é que falta.

A_____

B_____

C_____

D_____

E_____

F_____

G_____

H_____

I_____

J_____

168 Parte III: Só de Visita

Capítulo 10

Ir às Compras

Neste Capítulo

▶ Comprando alimentos

▶ Conhecendo o sistema de pesos e medidas dos EUA

▶ Distinguindo entre substantivos contáveis e incontáveis

▶ Comprando roupa

▶ Usando pronomes em forma de complemento

Sejam quais forem as suas razões para viajar ou para viver no exterior, vai, certamente ter que fazer compras. Se você está procurando uma recordação ideal para os seus amigos no Brasil, que querem experimentar novos estilos de roupa, ou se você quer simplesmente comprar os ingredientes para um jantar especial, a sua ida às compras pode ser uma boa oportunidade para praticar inglês.

Neste capítulo, dou todas as informações de que vai precisar para fazer boas compras, encontrar os artigos que deseja, pedir ajuda aos funcionários e compreender tamanhos e preços. Além disso, vou lhe explicar literalmente a política de devoluções e se a conhecida expressão "o cliente tem sempre razão" é verdadeira ou não. Por isso, pegue seu dinheiro ou cartão de crédito e vamos às compras!

Vamos ao Supermercado

Na maior parte das cidades pode-se encontrar pequenas **grocery stores** (*grôu-se-ri stórs*; mercearias), também chamadas **corner markets** (*córnâr márquêts*; lojas da esquina) ou **mom and pop stores** (*mâm énd póp stórs*; lojas de pai e mãe). Estas lojas são, geralmente, negócios familiares onde você poderá encontrar um pouco de tudo, mas não uma grande variedade de marcas.

Quando desejar uma maior possibilidade de escolha e talvez preços mais baixos, dirija-se a um **supermarket** (*su-pâr-már-quet*; supermercado), onde poderá encontrar uma impressionante variedade de marcas e prateleiras inteiras dedicadas a um único artigo, como molho para massa ou papel higiênico!

Demasiadas opções

Sente-se cansado pelas intermináveis escolhas que oferecem os supermercados americanos? Não se preocupe, a verdade é que os próprios americanos se sentem, algumas vezes, confusos. Ir a um supermercado comprar um **quart of milk** (*cuórt óf milc*; 1 litro de leite) pode ser uma experiência desconcertante. Porque já não se pode comprar só leite, mas **whole milk** (*hôl milc*; leite gordo), **non-fat milk** (*nón fét milc*; leite magro), **2% fat milk** (*tu pâr-sênt fét milc*; leite com 2% de gordura), **organic milk** (*ór-gué-nic milc*; leite orgânico) e assim por diante. Por isso, quando quiser um artigo básico como molho de tomate simples ou manteiga de amendoim sem mais nada, procure as palavras **original flavor** (*óri- dji-nâl flâi-vâr*; sabor original) ou **plain** (*plâin*; simples) na embalagem.

Você pode ter de usar alguns truques de detetive quando entrar num grande supermercado e começar a procura dos artigos de que necessita. É claro que, se não te der vontade de enfiar o nariz em todos os corredores, também pode pedir a um funcionário que diga onde é que estão as coisas. Aqui tem algumas expressões básicas do género "necessito de ajuda" – e não se esqueça de começar sempre as frases com **Excuse me** (*écs-quiúz mi*; desculpe) ou **Pardon me** (*pár-dân mi*; desculpe):

- **Where can I find _____?** (*uér quén ái fáind*; Onde posso encontrar _____?)
- **Where is/are the _____?** (*uér iz ár dâ*; Onde é que está/estão o/os _____?)
- **Do you sell _____?** (*du iú sél*; Vocês vendem _____?)

Navegar pelas alas

Antes de começar a descer as **aisles** (*áils*; corredores), pegue um **shopping cart** (*chó-ping cárt*; carrinho de compras) ou um **basket** (*bás-quêt*; cesto de compras), se quiser levar pouca coisa. Em cima de cada um dos corredores, encontrará um letreiro que indicará o tipo de artigos que encontrará ali.

Geralmente, o "trânsito" de carrinhos desloca-se pelos corredores da mesma forma que se move na rua – mantendo-se à direita. E, tal como nas ruas, é necessário ter cuidado com os "malucos"!

Diálogo

A Sue precisa comprar alguns alimentos. Geralmente, ela faz compras numa mercearia perto de sua casa, mas hoje foi a um grande supermercado, onde teve que pedir ajuda a um funcionário.

Sue: **Pardon me. Do you carry canned salmon?**
pár-dân mi du iú qué-ri quénd sál-mân
Desculpe-me, você sabe onde há latas de salmão?

Funcionário:	**I think so. It would be on aisle 12 next to the canned tuna.** *ái thinc sôu it uúd bi ón áil tuélv nécst tu dâ quénd tu-nâ* Acho que sim. Deve estar no corredor 12 ao lado do atum em lata.
Sue:	**And where can I find the eggs?** *énd uér quén ái fáind di égs* E onde é que posso encontrar os ovos?
Funcionário:	**They're in the dairy section on aisle 6.** *dér in dâ dé-ri séc-chân ón áil sics* Estão na seção de produtos lácteos, no corredor 6.
Sue:	**Thank you.** *thénc iú* Muito obrigada.
Funcionário:	**My pleasure.** *mái plé-jâr* Não tem de quê.

Comprar frutas e veduras

Citrus fruit (*sái-trâs frut*; citrinos) frescos da Florida e da Califórnia, **bananas** (*bâ-né-nâs*; bananas) e **tropical fruit** (*tró-pi-câl frut*; fruta tropical) do México, suculentas **apples** (*é-pâls*; maçãs) do estado de Washington – são algumas das saborosas frutas que se pode encontrar na seção de **produce** (*pró-diús*; frutas e vegetais frescos) do supermercado. Dependendo da estação e da localização geográfica, pode-se encontrar maior ou menor variedade.

Aqui tem algumas frutas que você encontrará com mais facilidade em qualquer supermercado:

- **apple** (*é-pâl*; maçã)
- **banana** (*bâ-né-nâ*; banana)
- **grapes** (*grâips*; uvas)
- **lemon** (*lé-mân*; limão)
- **lime** (*láim*; lima)
- **mango** (*mén-gôu*; manga)
- **melon** (*mé-lân*; melão)
- **orange** (*ó-rândj*; laranja)

- **papaya** (*pâ-pái-â*; mamão)
- **peach** (*pitch*; pêssego)
- **pear** (*pér*; pêra)
- **pineapple** (*páin-é-pâl*; abacaxi)
- **strawberry** (*stró-bé-ri*; morango)

É muito normal que você se surpreenda com a grande seleção de produtos frescos que encontrará na maior parte dos supermercados dos EUA. Os Estados Unidos produzem muitos vegetais – de fato, o Vale Central da Califórnia, a fértil zona agrícola que ocupa quase todo o centro do Estado, é familiarmente chamado de a "saladeira" nacional, porque uma importante parte dos vegetais consumidos no país é produzida aí.

Aqui tem uma lista com os vegetais mais comuns:

- **bean** (*bin*; feijão)
- **broccoli** (*bró-cô-lis*; brócolis)
- **cabbage** (*qué-bâdj*; repolho)
- **carrot** (*qué-rât*; cenoura)
- **celery** (*sé-lâ-ri*; aipim)
- **cucumber** (*quiú-câm-bâr*; pepino)
- **lettuce** (*lé-tiús*; alface)
- **mushroom** (*mâch-rum*; cogumelo)
- **onion** (*â-ni-ân*; cebola)
- **pea** (*pi*; ervilha)
- **pepper** (*pé-pâr*; pimenta)
- **potato** (*pâ-tâi-tôu*; batata)
- **squash** (*scuách*; abóbora)
- **tomato** (tecnicamente, um fruto) (*tôu-mâi-tôu*; tomate)

Mesmo que não precise comprar **groceries** (*grôu-se-ris*; mantimentos), dê uma passada em um supermercado. Percorra todos os seus corredores e repare em todos esses produtos desconhecidos e inusuais. Pode pedir a um empregado que explique os artigos mais curiosos. Pergunte-lhe: **Excuse me. What's this?** (*écs-quiúz mi uóts dis*; Desculpe. O que é isto?).

Usar substantivos contáveis e incontáveis

Em inglês, algumas coisas podem ser descritas em quantidades numéricas e outras não. Ou seja, alguns substantivos podem ser contáveis e outros não. Por exemplo, pode-se dizer **one apple** (*uón é-pâl*; uma maçã) ou **two apples** (*tu é-pâls*; duas maçãs), porque a palavra **apple** é um substantivo contável.

Mas, por vezes, não se podem usar os numerais para descrever ou contar determinadas coisas, como **salt** (*sált*; sal) e **lettuce**. Em inglês, não se pode dizer **two salts** (*tu sálts*; dois sais) ou **three lettuces** (*thri lé-tiú-ses*; três alfaces). Porquê? Porque estes alimentos são representados por substantivos incontáveis.

Para exprimir a quantidade geral de substantivos incontáveis, pode-se usar as palavras **some** (*sâm*; algum), **any** (*é-ni*; qualquer), **a little** (*â li-tâl*; um pouco), **a lot of** (*â lót óf*; muito), mas não **a** ou **an** (*ân*; um ou uma).

Consulte o capítulo 2 para mais informações sobre os artigos indefinidos. Quando quiser indicar o número exato de um substantivo incontável, tem de acrescentar um substantivo contável para te ajudar. Ou seja, não se pode dizer **four milks** (*fór milcs*; quatro leites), mas pode-se dizer **four glasses of milk** (*fór glé-sâs óf milc*; quatro copos de leite). A palavra **milk** não pode ser contada, mas **glasses** sim.

Repare na preposição **of** (*óf*; de) entre o substantivo contável e o incontável na expressão **four glasses of milk**. A preposição é necessária para ligar os dois substantivos neste tipo de estrutura. Aqui há mais uns exemplos:

- ✔ **a can of soup** (*â quén óf sup*; uma lata de sopa)
- ✔ **three boxes of cereal** (*thri bó-csâs óf si-ri-âl*; três caixas de cereais)
- ✔ **two bottles of soda** (*tu bó-tâls óf sôu-dâ*; duas garrafas de refrigerante)

A seguinte tabela apresenta mais substantivos incontáveis do campo semântico alimentar, juntamente com substantivos contáveis que você pode utilizar para indicar quantidades específicas:

Substantivos incontáveis	Palavras contáveis
milk	**quart/gallon** (*milc cuárt gué-lân*; quarto ou galão de leite)
butter	**carton/sticks** (*bâ-târ cár-tôn stics*; pacote ou barras de manteiga)
yogurt	**carton/pint** (*iôu-gurt cár-tôn páint*; pacote ou meio litro de iogurte)
wine	**bottle** (*uáin bó-tâl*; garrafa de vinho)
beer	**can** (*bir quén*; lata de cerveja)

coffee	**pound/cup** (_có-fi_ _páund câp_; libra ou xícara de café)
tea	**box/cup** (_ti bócs câp_; caixa ou xícara de chá)
salt	**grain/box** (_sált grâin bócs_; grão ou caixa de sal)
celery	**stalk** (_sé-lâ-ri stóc_; ramo de aipim)
lettuce	**head** (_lé-tiús héd_; cabeça de alface)

Com conta, peso e medida

O letreiro diz **potatoes 57¢ per pound** (_pâ-tâi-tôus fif-ti sé-vân cênts pâr páund_; batatas a 57 cêntimos por libra), mas isso quanto é exatamente? E o tal **quart of milk**? Apesar de a maior parte do mundo funcionar com o sistema métrico, os países anglo-saxões continuam a usar unidades de medida como a libra, o galão e o quarto de galão nas suas transações cotidianas (apesar das numerosas, tímidas e no final frustradas tentativas de adoção do sistema métrico decimal).

Estando habituado a pensar em unidades métrico decimais, não será difícil fazer a correspondência entre **pounds** (**lbs**) e **kilograms** (**quilos**): é tão simples como dividir as libras pela metade para obter um número aproximado de quilos. Para ser exato, 1 quilo é igual a 2,2 libras e 1 libra é igual a 0,45 quilos.

E como é que um quarto se compara a um litro? Também é simples: um litro é um pouquinho mais do que um quarto (1 litro = 1,06 quartos). E como há 4 quartos num galão, 4 litros é um pouco mais do que 1 galão (4 litros = 1,04 galões). Aqui tem mais algumas conversões para ajudar com as suas compras:

- ✔ **1 ounce (oz) = 28 grams**
- ✔ **1 cup (c) = .24 liters**
- ✔ **1 pint (pt) = .47 liters**
- ✔ **1 quart (qt) = .95 liters**
- ✔ **1/2 gallon (gal) = 1.9 liters**

E aqui tem mais umas conversões bastante úteis para a preparação de alimentos:

- ✔ **3 teaspoons (tsp) = 1 tablespoon (tbsp)**
- ✔ **2 cups = 1 pint (pt)**
- ✔ **2 pints = 1 quart**
- ✔ **4 quarts = 1 gallon**

Na caixa do supermercado

Quando tiver **checked off** (*tchécd óf*; riscado) todos os artigos da sua **shopping list** (*chó-ping list*; lista de compras), dirija-se para a **check-out line** (*tchéc áut láin*; fila dos caixas) ou **cash register** (*quéch ré-djis-târ*; caixa registadora) para pagar as suas compras. Geralmente, os próprios clientes retiram as coisas dos carrinhos e colocam-nas no **counter** (*cáun-târ*; balcão).

Parece que sempre vai parar nas filas mais lentas? Se é assim, você se sentirá perfeitamente integrado nas **check-out lines** dos supermercados. Enquanto espera, pode sempre praticar o seu inglês falando um pouquinho com as pessoas que estiverem com você na fila.

Quando chegar a sua vez de pagar, a pessoa que estiver colocando as suas compras nos sacos pode perguntar sobre que tipo de saco prefere e se necessita de ajuda para levar os sacos para o carro. Se usar um cartão de crédito ou de débito para pagar as suas compras, o empregado ou empregada poderá lhe perguntar se deseja que também dê algum troco em dinheiro (geralmente pode-se obter entre 20$ e 50$ em dinheiro através do cartão de débito). Aqui tem algumas expressões que pode ouvir na **check-out line**:

- **Paper or plastic?** (*pâi-pâr ór plés-tic*; Saco de papel ou de plástico?)
- **Do you want help out?** (*du iñu uónt hélp áut*; Você quer ajuda para levar as suas compras?)
- **Do you want cash back?** (*du iú uónt quésh béc*; Você deseja troco em dinheiro?)

Se só tiver três ou quatro coisinhas no cesto e a pessoa à sua frente tiver um carrinho cheio, não se surpreenda se ele ou ela o deixar passar à sua frente para pagar primeiro, dizendo qualquer coisa como: **You can go ahead.** (*iú quén gôu â-héd*; Você pode passar). É um gesto normal de cortesia, mas não é nenhuma regra e verá que muita gente não o faz. Quando isso acontecer, diga simplesmente **Thank you** (*thénc iú*; Muito obrigado) e passe.

Diálogo

Kaori chegou à caixa e começa a pagar as suas compras.

Empregado: **Hi. How are you today?**
hái háu ár iú tu-dâi
Olá. Como está hoje?

Kaori: **Fine, how about you?**
fáin háu â-báut iú
Bem, e você?

Parte III: Só de Visita

Empregado:	**Pretty good. Is this cash or charge?**
	pri-ti gud iz this quéch ór tchárdj
	Muito bem. Vai pagar com dinheiro ou cartão?
Kaori:	**Cash.**
	quéch
	Com dinheiro.
2.º empregado:	**Paper or plastic?**
	pâi-pâr ór plés-tic
	Saco de papel ou de plástico?
Kaori:	**Paper, please.**
	pâi-pâr pliz
	De papel, por favor.
Empregado:	**Your total is $42.73.**
	iór tôu-tâl iz fór-ti tu sé-vân-ti thri
	São 42 dólares e 73 centavos.
2.º empregado:	**Do you want help out?**
	du iú uónt hélp áut
	Quer ajuda para levar as suas compras?
Kaori:	***No, thanks. That's okay.***
	nôu théncs déts ôu-câi
	Não, obrigado. Não é preciso.
Empregado:	**Here's your change and receipt.**
	hirs iór tchéndj énd ri-sit
	Aqui tem o troco e o recibo.
Kaori:	**Thank you.**
	thénc iú
	Muito obrigado.
Empregado:	**Have a good day.**
	hév a gud dâi
	Tenha um bom dia.
Kaori:	**Thanks. You too.**
	théncs iú tu
	Obrigado. Para você também.

Capítulo 10: Ir às Compras **177**

Palavras a saber

check-out line	tchéc áut láin	fila dos caixas
cash register	quéch ré-djis-târ	caixa registradora
shopping list	chó-ping list	lista de compras
item	ái-tâm	artigo
cash back	quésh béc	troco em dinheiro

O Tamanho Ideal: Comprar Roupas

Tanto se comprar em **boutiques** (*bu-tics*; boutiques), **gift shops** (*guift chóps*; lojas de presentes) ou **malls** (*móls*; centros comerciais), a sua excursão de compras pode ser mais divertida e proveitosa se souber uma ou duas coisinhas sobre as lojas e algumas expressões úteis. Nesta seção, você encontrará uma série de informações úteis e frases simples que pode utilizar para fazer as suas transações, para pedir ajuda a uma **salesperson** (*sâils-pâr-sân*; vendedor ou vendedora) ou para pedir que o deixem passear pela loja à sua vontade.

Só olhar

Nas grandes **department stores** (*di-párt-mânt stórs*; grandes armazéns), pode-se vaguear durante semanas (bem, talvez muitos minutos) sem ver uma **salesperson**. No entanto, se tiver a sorte de encontrar uma quando precisa de ajuda, pode dizer-lhe **Excuse me, can you help me?** (*écs-quiúz mi quén iú hélp mi*; Desculpe, poderia me ajudar?).

Nas lojas menores, o mais provável é que um funcionário ou funcionária se dirija a você, assim, que entrar na loja e uma das seguintes perguntas: **May I help you?** (*mâi ái hélp iú*; Posso ajudá-lo?) ou **Do you need help finding anything?** (*du iú nid hélp fáin-ding é-ni-thing*; Precisa de ajuda para encontrar alguma coisa?). Talvez queira apenas **browse** (*bráuz*; dar uma olhada). Nesse caso, diga simplesmente **No thanks. I'm just looking** (*nôu théncs áim djâst lu-quing*; Não, obrigado. Estou só olhando.)

Vestir-se

A roupa de estilo *western* pode ser encontrada em qualquer ponto do mundo. E as palavras **jeans** (*djins*) e **T-shirt** (*ti chârt*) já são internacionais. Para os nomes em inglês das restantes peças de roupa e dos diversos artigos de calçado, consulte as seguintes listas.

Abaixo algumas palavras para **women's clothes** (*uí-mâns clôuths*; roupa de mulher):

- **dress** (*drés*; vestido)
- **blouse** (*bláuz*; blusa)
- **skirt** (*scârt*; saia)
- **pantsuit** (*pént sut*; calça e terninho)
- **nightgown** (*náit-gáun*; camisa para a noite)
- **underwear** (*ân-dâr-uér*; roupa íntima)

Use os seguintes termos para falar sobre **men's clothes** (*méns clôuths*; roupa de homem):

- **dress shirt** (*drés chârt*; camisa)
- **sport shirt** (*spórt chârt*; camisa esportiva)
- **sport jacket** (*spórt djé-cât*; casaco informal)
- **tie** (*tái*; gravata)
- **undershirt** (*ân-dâr-chârt*; camisola interior)

Os seguintes termos podem ser aplicados tanto para a roupa de homem como de mulher:

- **pants** (*pénts*; calças)
- **slacks** (*slécs*; calças informais)
- **jeans** (*djins*; calças jeans)
- **sweater** (*sué-târ*; agasalho)
- **jacket** (*djé-cât*; jaqueta)
- **coat** (*côut*; casaco)
- **suit** (*sut*; terno)
- **shirt** (*chârt*; camisa)
- **shorts** (*chórts*; short)
- **swimsuit** (*suím-sut*; maiô)
- **sweatshirt** (*suét-chârt*; moletom)
- **robe** (*rôub*; roupão)
- **pajamas** (*pâ-djé-mâs*; pijamas)

Capítulo 10: Ir às Compras **179**

Se o seu dicionário de inglês tiver sido publicado na Inglaterra, você poderá encontrar algumas diferenças na nomenclatura das peças de roupa em relação às listas anteriores. Por exemplo, num dicionário de inglês britânico, a palavra **pants** (*pénts*) pode aparecer apenas definida como roupa interior, e não como **slacks** ou **trousers**. E um **sweater** pode ser chamado de **jumper**, o que em inglês da América significa um tipo de vestido.

Quanto ao calçado, pode-se encontrar estes tipos de sapatos em qualquer sapataria:

- **dress shoes** (*drés chuz*; sapatos formais)
- **high heels** (*hái hils*; saltos altos)
- **loafers** (*lôu-fârs*; sapatos de pala)
- **pumps** (*pâmps*; sapatos de meio tacão)
- **sandals** (*sén-dâls*; sandálias)
- **slippers** (*sli-pârs*; chinelos)

Há muitos nomes para os sapatos esportivos, dependendo precisamente do desporto para o qual foram concebidos. Assim, aplicar a nomenclatura correta pode ser bastante complicado, mas não se preocupe muito porque a verdade é que, muitas vezes, nem os próprios nativos sabem distingui-los lá muito bem. Os sapatos de lona para o exterior costumavam ser chamados **sneakers** (*sni-cârs*;tênis) ou **tennis shoes** (*té-nis chuz*;tênis). As pessoas ainda usam estes termos, mas, atualmente, também se ouvem termos como **athletic shoes** (*â-thlé-tic chuz*; tênis de corrida), **running shoes** (*râ-ning chuz*; tênis de corrida) e **trainers** (*trâi-nârs*;formadores), só para mencionar alguns dos mais comuns.

Diálogo

Nykato acaba de se mudar para Manhattan e precisa de roupa de Inverno. Por isso, vai fazer compras em uma boutique.

Vendedora: **Hello. Can I help you find something?**
hé-lôu quén ái hélp iú fáind sâm-thing
Olá. Posso ajudar a encontrar o que procura?

Nykato: **Yes. I'm looking for a winter coat.**
iés áim lu-quing fór a uín-târ côut
Sim. Estou à procura de um casaco de inverno.

Vendedora: **A casual coat or dressy coat?**
â qué-jiú-âl côut ór dré-si côut
Um casaco informal ou mais formal?

Nykato:	**Casual.**
	qué-jiú-âl
	Informal.

Vendedora:	**We have wool coats here.**
	uí hév uúl côuts hir
	Nós temos aqui uns casacos de lã.

Nykato:	**Anything in leather?**
	é-ni-thing in lé-dâr
	Têm alguma coisa de couro?

Vendedora:	**Yes, we have leather jackets over there.**
	iés uí hév lé-dâr djé-câts ôu-vâr dér
	Sim, temos casacos de couro ali à frente.

Nykato:	**Thank you. I'll take a look at at them.**
	thénc iú áil tâic â luc ét dém
	Obrigada. Vou lá vê-los.

Encontrar o número certo

Se o leitor for homem (ou se estiver comprando para um), não terá muitos problemas para descobrir os números para homem ou para encontrar peças que sirvam. Mas, para as mulheres este processo é mais complicado, porque, por qualquer razão obscura, os **sizes** (*sái-zâs*; números) femininos variam muitíssimo de fabricante para fabricante. Por exemplo, eu tenho peças de roupa (e todas ainda me servem) com números que vão desde o 3 até ao 12! Por isso, se for uma mulher, o melhor é **try on** (*trái ón*; provar) todas as peças para ver se ficaram bem, porque o "grande" de uma marca pode ser o "pequeno" de outra!

A tabela seguinte apresenta as correspondências entre os números de roupa de mulher nos EUA e no Brasil:

Números EUA	6	8	10	12	14	16	18	20
Números brasileiros	37	38	40	42	44	46	48	50

Para os números dos casacos e ternos de homem, use as seguintes correspondências:

Números EUA	36	38	40	42	44	46	48	50
Números brasileiros	46	48	50	52	54	56	58	60

Provar a roupa

Imagine que deu uma olhada nas **clothing racks** (_clôu_-thing récs; prateleiras de roupa) e que encontrou algumas peças que pareciam boas. O seguinte passo é prová-las no **dressing room** (dré-sing rum; provador). Aqui tem umas frases que ajudarão a chegar até lá:

- **May I try this on?** (mâi ái trái dis ón; Posso provar esta peça?)
- **Where are the dressing rooms?** (uér ár dâ _dré_-sing rums; Onde estão os provadores?)

Ou o vendedor ou vendedora podem fazer uma das seguintes perguntas:

- **Are you ready to try those on?** (ár iú _ré_-di tu trái dôuz ón; Quer provar essas peças?)
- **Shall I put those in a dressing room for you?** (chál ái put dôuz in â _dré_-sing rum fór iú; Quer que eu coloque estas peças em um provador para você?)

Diálogo

A vendedora deixa a Nykato a vontade para que possa ver os casacos. Depois de alguns minutos, volta para ver se ela precisa de alguma ajuda. (Faixa 21)

Vendedora: **Are you finding everything okay?**
ár iú _fáin_-ding _é_-vri-thing ôu-_câi_
Está tudo bem? Precisa de alguma coisa?

Nykato: **I like this coat, but I can't find the size.**
ái láic dis côut bât ái quént fáind dâ sáiz
Gosto deste casaco, mas não encontro o número.

Vendedora: **It's in the sleeve. This is a small.**
its in dâ sliv dis iz â smól
Está na manga. Este é um "pequeno".

Nykato: **I need a medium.**
ái nid â _mi_-di-âm
Preciso de um "médio".

Vendedora: **Here's a medium. Would you like to try it on?**
hirs â _mi_-di-âm uúd iú láic tu trái it ón
Aqui tem um "médio". Quer prová-lo?

Nykato: **Yes. Where are your dressing rooms?**
iés uér ár iór _dré_-sing rums
Sim. Onde é que estão os provadores?

Vendedora:
They're over there by the purses.
dér ôu-vâr dér bái dâ pâr-sâs
Estão ali perto das carteiras.

Palavras a saber

salesperson	sâils-pâr-sân	vendedor
just looking	djâst lu-quing	apenas olhando
to try on	tu trái ón	vestir para provar
to fit	tu fit	servir
size	sáiz	número, tamanho
dressing room	dré-sing rum	provador

Menor e maior: usar os comparativos

Imagine que você prova uma camisa, mas que está muito apertada e que quer um número maior. Para pedir um número maior ou menor, tem de utilizar o **comparative** (*cón-pé-râ-tiv*; comparativo). O comparativo é uma forma construída a partir de um adjetivo, usada para comparar duas coisas. Para formar o comparativo é preciso ter em conta o número de sílabas que o adjetivo possui:

- Num adjetivo com uma ou duas sílabas, acrescente a terminação **-er**. Por exemplo:

  - **big** → **bigger** (*big bi-gâr*; grande → maior)
  - **small** → **smaller** (*smól smó-lâr*; pequeno → menor
  - **fancy** → **fancier** (*fén-si fén-siâr*; elegante → muito elegante)

- Em adjetivos com três ou mais sílabas, use as palavras **more** (*mór*; mais) ou **less** (*lés*; menos) antes do adjetivo. Por exemplo:

  - **more casual** (*mór qué-jiú-âl*; mais informal)
  - **less casual** (*lés qué-jiú-âl*; menos informal)
  - **more expensive** (*mór écs-pén-siv*; mais caro)
  - **less expensive** (*lés écs-pén-siv*; menos caro)

Aqui tem algumas expressões bastante comuns com os comparativos:

- **Do you have this in a larger size?** (*du iú hév dis in â lár-djâr sáiz*; Tem isto num número maior?)

- **Do you have anything less expensive?** (*du iú hév é-ni-thing lés écs-pén-siv*; Não tem nada mais barato?)

Capítulo 10: Ir às Compras **183**

Diálogo

A Kaori experimenta um casaco de lã no tamanho médio, mas é muito pequeno. Precisa de outro número.

Kaori: **This jacket is too small. Do you have a larger size?**
dis djé-cât iz tu smól du iú hév a lár-djâr sáiz
Este casaco é muito pequeno. Não tem um número maior?

Vendedora: **I'm sorry. I don't have any larger sizes in that style.**
áim só-ri ái dônt hév é-ni lár-djâr sái-zes in dét stáil
Sinto muito, mas não temos números maiores nesse estilo.

Kaori: **What do you have in my size?**
uót du iú hév in mái sáiz
O que é que têm do meu tamanho?

Vendedora: **I have this leather jacket in a medium.**
ái hév dis lé-dâr djé-cât in â mi-di-âm
Temos este casaco de couro em tamanho médio.

Kaori: **Do you have something less expensive?**
du iú hév sâm-thing lés écs-pén-siv
Tem alguma coisa mais barata?

Vendedora: **This synthetic leather is less expensive and more casual.**
dis sin-thé-tic lé-dâr iz lés écs-pén-siv énd mór qué-jiú-âl
Este de couro sintético é mais barato e menos formal.

Kaori: **Okay, I'll try that.**
ôu-cái áil trái dét
OK, vou experimentar este.

Só o melhor: usar o superlativo

O **superlative** (_su-pâr-lâ-tiv_; superlativo) expressa o último nível de qualquer coisa. Tal como o comparativo, para formar o superlativo de um adjetivo é preciso ter em conta o número de sílabas que o adjetivo possui:

✔ Em adjetivos com uma ou duas sílabas, acrescente a terminação **-est**. Por exemplo:

• **big** → **biggest** (_big bi-gâst_; grande → o maior)

- **small** → **smallest** (*smól smó-lâst*; pequeno → o menor)
- **fancy** → **fanciest** (*fén-si fén-si-âst*; elegante → o mais elegante)

✔ Para adjetivos com três ou mais sílabas, use a palavra **most** (*môust*; o mais) ou **least** (*list*; o menos) antes do adjetivo. Por exemplo:

- **most casual** (*môust qué-jiú-âl*; mais informal)
- **least casual** (*list qué-jiú-âl*; menos informal)
- **most expensive** (*môust écs-pén-siv*; mais caro)
- **least expensive** (*list écs-pén-siv*; mais barato)

Há algumas exceções para as regras do comparativo e do superlativo. Por exemplo, deve-se dizer **most patient** (*môust pâi-chânt*; o mais paciente) em vez de **patienter**. Em alguns casos – como as palavras que se seguem – as formas do comparativo e do superlativo são completamente irregulares; por isso, o melhor é aprendê-las de cor:

✔ **Good** (*gud*; bom), **better** (*bé-râr*; melhor) e **best** (*bést*; o melhor). Por exemplo: **This coat is better quality than that coat.** (*dis côut iz bé-râr cuá-li-ti dén dét côut*; Este casaco é de melhor qualidade do que esse).

✔ **Bad** (*béd*; mau), **worse** (*uôrs*; pior) e **worst** (*uôrst*; o pior). Por exemplo: **This store has the best prices, but the worst service!** (*dis stór hés dâ bést prái-ses bât dâ uôrst sâr-vis*; Esta loja tem os melhores preços, mas o pior serviço!).

Diálogo

O Hans está provando sapatos na seção de calçados de um grande armazém e precisa usar o superlativo para pedir um número maior.

Hans: **Excuse me, do these come in a larger size?**
écs-quiúz mi du diz câm in â lár-djâr sáiz
Desculpe, há um número maior para estes sapatos?

Vendedor: **No. Size 13 is the largest.**
nôu sáiz thâr-tin iz dâ lár-djâst
Não. O número 13 é o maior que há.

Hans: **And how about this style?**
énd háu â-báut dis stáil
E neste estilo?

Vendedor: **Yes. That comes in your size.**
iés dét câms in iór sáiz
Sim. Nesses há o seu número.

Hans: **What is the widest width you carry.**
uát iz dâ uái-dâst uíth iú qué-ri
Qual é a maior largura que tem?

Vendedor: **D is the widest width.**
di iz dâ uái-dâst uíth
O D é a maior largura.

Hans: **Okay, I'll try that.**
ôu-câi áil trái dét
OK, vou provar esses.

Palavras a saber

comparative	cón-pé-râ-tiv	comparativo
superlative	su-pâr-lâ-tiv	superlativo
more	mór	mais
less	lés	menos
most	môust	o mais
least	list	o menos

Em praticamente todas as lojas e grandes armazéns dos Estados Unidos, os preços são fixos e os impostos são acrescentados na caixa. Não se discutem os preços das peças. No entanto, se encontrar **damaged merchandise** (*démâdj mâr-tchân-dáiz*; mercadoria deteriorada), pode pedir ao vendedor que faça um desconto nesse artigo. Se vir um artigo com a indicação **as is** (*és is*; tal como está), é porque a própria loja já sabe que o artigo tem qualquer problema e já lhe aplicou algum desconto. (Por vezes, o problema limita-se a uma pequena mancha ou rasgo, que pode ser facilmente reparado em casa).

Políticas de Devolução: Devolver os Artigos à Loja

Comprou uma camisa para um amigo, mas, afinal, não lhe serve. Não há nenhum problema. Pode **take it back** (*tâic it béc*; devolvê-la) e pedir um **refund** (*ri-fând*; reembolso) ou um **exchange** (*écs-tchéndj*; troca). Contudo, lembre-se sempre de guardar o **receipt** (*ri-cit*; recibo). Sem recibo, geralmente, pode-se devolver o artigo, mas recebe-se um vale para compras nessa loja, em vez da devolução do dinheiro.

Numa terra onde **The customer is always right** (*dâ câs-tâ-mâr iz ól-uâis ráit*; o cliente tem sempre razão) — pelo menos em princípio —, o leitor poderá, geralmente, devolver os artigos com os quais não ficou satisfeito ou simplesmente porque **change your mind** (*tchâindj iór máind*; mudou de ideia) quando chegou a casa.

Diálogo

 Matt ganhou uma camisa no seu aniversário, porém ela não é do seu estilo. Então ele vai a loja para devolvê-la, mas não tem o recibo. (Faixa 22)

Matt: **I'd like to return this shirt.**
áid láic tu ri-târn dis chârt
Eu gostaria devolver esta camisa.

Vendedor: **Do you have the receipt?**
du iú hév dâ ri-cit
Tem o recibo?

Matt: **No, it was a gift.**
nôu it uóz â guift
Não, foi um presente.

Vendedor: **Is there a problem with the shirt?**
iz dér â pró-blâm uíth dâ chârt
A camisa tem algum problema?

Matt: **It's just not my style.**
itz djâst nót mái stáil
Ela não é do meu estilo.

Vendedor: **With no receipt, I can only give you a store credit.**
uíth nôu ri-cit ái quén ôn-li guiv iú a stór cré-dit
Sem recibo, só posso dar um vale para compras na loja.

Matt: **That's fine. Thanks.**
déts fáin théncs
Perfeito. Muito obrigado.

You e *me*: pronomes pessoais

Os **pronouns** (*prôu-náuns*; pronomes) são partículas bastante úteis em qualquer língua. Ajudam-nos a evitar a repetição dos nomes das pessoas, lugares e coisas, substituindo os substantivos a que se referem.

Capítulo 10: Ir às Compras **187**

Veja que repetitiva e longa se pode tornar uma frase se não usarmos pronomes:

Matt didn't like the shirt his friend gave Matt. (*mét di-dânt láic dâ chârt hiz frênd gâiv mét*; O Matt não gostou da camisa que o seu amigo deu ao Matt).

Mas, com um pronome, já pode dizer:

He didn't like the shirt his friend gave him. (*hi di-dânt láic dâ chârt hiz frênd gâiv him*; Ele não gostou da camisa que o seu amigo lhe deu).

Dos pronomes **he** e **him** da frase anterior, a palavra **him** é o que se chama um **object pronoun** (*ób-ject prôu-náun*; pronome objeto). Os **object pronouns** desempenham as mesmas funções que os objetos diretos e objetos indiretos da língua portuguesa e podem referir-se ao verbo ou à preposição que os precede.

Aparecem, geralmente, no fim ou perto do fim das orações – e não estão ligados ao verbo, como acontece em português. (Pode encontrar mais informação sobre os pronomes pessoais no Capítulo 2).

Aqui tem uma lista com os pronomes em forma de complementos direto ou indireto:

- **me** (*mi*; me, a mim)

- **you** (*iú*; te, a ti)

- **her** (*hâr*; a, lhe, a ela)

- **him** (*him*; o, lhe, a ele)

- **it** (*it*; o, a, lhe, a isso)

- **them** (*dêm*; os, as, lhes)

- **us** (*âs*; nos)

Tente praticar as seguintes frases com os pronomes objetos. (Repare que os pronomes objetos aparecem em itálico.)

- **Ann bought this shirt for *me*.** (*én bót dis chârt fór mi*; A Ann comprou-me esta camisa).

- **She wants *me* to show it to *you*.** (*chi uónts mi tu chôu it tu iú*; Ela quer que eu mostre).

- **My cousins will visit *us*.** (*mái câ-zins uíl vi-zit âs*; Os meus primos irão nos visitar).

- **You can meet *them*.** (*iú quén mit dém*; Pode se encontrar com eles).

To e *for*: preposições

As preposições são um pouco problemáticas, porque há poucas regras para explicar exatamente quais que devem ser usadas. Por isso, não tente aprender todas de uma vez. Aqui tem duas preposições — **to** (*tu*; a, para) e **for** (*fór*; para) — que podem ser usadas com os verbos normalmente usados no ato de comprar.

Use **to** com os verbos seguintes:

- **give something to** (*guiv sâm-thing tu*; dar qualquer coisa a)
- **show something to** (*chôu sâm-thing tu*; mostrar qualquer coisa a)

Use **for** com estes verbos e expressões:

- **buy (something) for** (*bái sâm-thing fór*; comprar qualquer coisa para)
- **just right for** (*djâst ráit fór*; ideal para)
- **pay for (something)** (*pâi fór sâm-thing*; pagar [por] qualquer coisa)
- **too big/small for** (*tu big tu smól fór*; muito grande/pequeno para)

Com os verbos **give** (*guiv*; dar), **show** (*chôu*; mostrar) e **buy** (*bái*; comprar), não use as preposições quando o pronome aparecer entre o verbo e o complemento. Por exemplo: **I bought her a gift** (*ái bót hâr â guift*; comprei-lhe um presente).

Diálogo

Pratique o uso dos pronomes pessoais e das preposições com o seguinte diálogo entre um vendedor e Matt, que está provando algumas roupas. (Faixa 23)

Vendedor: **How do those pants fit?**
háu du dôuz pénts fit
O que acha dessas calças?

Matt: **They're too big for me.**
dér tu big fór mi
São muito grandes para mim.

Vendedor: **Okay, give them to me. I'll get a smaller size for you.**
ôu-câi guiv dâm tu mi áil guét a smó-lâr sáiz fór iú
OK, dê-me estas e vou buscar um número menor.

Matt: **Thanks. I need one size smaller.**
théncs ái ni uón sáiz smó-ler
Obrigado. Preciso do número menor.

O vendedor traz um número menor, e o Matt vai provar as calças.

Vendedor: **How do they fit?**
háu du dâi fit
Como estão?

Matt: **They're perfect. Where do I pay for them?**
dér pâr-féct uér du ái pâi fór dêm
Estão perfeitas. Onde é que as posso pagar?

Vendedor: **At the front register.**
ét dâ frônt ré-djis-târ
Na caixa perto da porta.

Velhos são os trapos: comprar objetos usados

O lixo de uma pessoa pode ser o tesouro de outra — pelo menos, assim afirma um ditado americano. E nos Estados Unidos vender artigos usados é um bom negócio. Pode encontrar **thrift stores** (*thrift stórs*; lojas de segunda mão), que vendem artigos usados com descontos.

Também pode comprar objetos usados nas feiras semanais ao ar livre chamadas **flea markets** (*fli már-câts*; feiras da ladra) e em vendas organizadas pelas famílias à porta de sua casa, as chamadas **garage sales** (*gârádj sâils*; vendas de garagem), onde as pessoas vendem as coisas que têm mas que não usam mais. Gosta de pechinchar um pouquinho? Nos **flea markets** e nas **yard sales** é perfeitamente aceitável (mas não nas **thrift stores**). No entanto, lembre que, ao pechinchar, você deve ser educado e amigável — e nada agressivo. Aqui estão algumas expressões para negociar e comprar bastante comuns:

✔ **How much do you want for this?** (*háu mâtch du iú uónt fór dis*; Quanto quer por isto?)

✔ **Would you take _____ for it?**
(*uúd iú tâic _____ fór it*;
Aceitaria _____ por esta peça?)

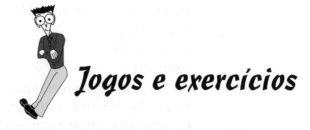

Jogos e exercícios

A família Baxter acaba de voltar de um dia de compras e foram todos provar a sua roupa nova. Tente identificar todas as peças de roupa que eles vestem. Pode dar uma olhadinha na seção de roupa deste capítulo se precisar de uma ajudinha.

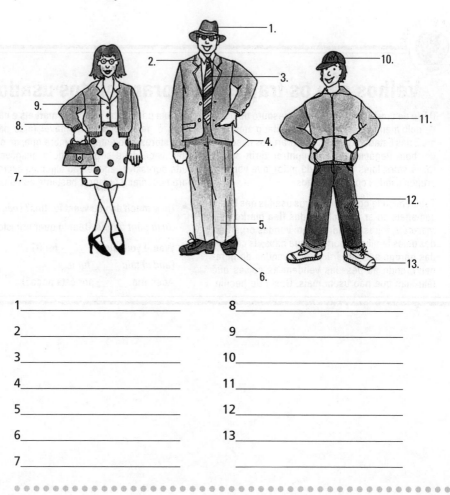

1_____

2_____

3_____

4_____

5_____

6_____

7_____

8_____

9_____

10_____

11_____

12_____

13_____

Capítulo 11

Sair por Aí

Neste Capítulo

▶ Descobrindo a agenda local

▶ Usando expressões de tempo

▶ Vendo uma peça de teatro, um filme ou um concerto

▶ Indo a bares e clubes noturnos

Going out on the town (*gôu-ing áut ón dâ táun*; sair pela cidade), especialmente num lugar novo ou pouco conhecido, é uma forma fantástica de descobrir a cultura e a história de uma cidade e de ver como as pessoas passam os tempos livres. Pode-se ir a museus, cafés, livrarias, lugares históricos, parques, cinemas e clubes noturnos. E, em algumas cidades, é possível fazer percursos a pé ou de ônibus a locais de especial interesse cultural ou histórico.

Neste capítulo, você verá como obter informações sobre atrações e espetáculos locais. Também encontrará algumas expressões particularmente úteis para comprar bilhetes e para pedir a alguém que saia com você. E para que tenha uma **nightlife** (*náit-láif*; vida noturna) mais agradável e mais segura, também dou algumas indicações sobre o que é legal e o que não é.

Descobrir o Quê Está Acontecendo

Quer saber o que está acontecendo? Aqui estão algumas formas de se informar sobre os **events** (*i-vênts*; espetáculos) da cidade:

- ✔ Visite um **information center** (*in-fór-mâi-chân cên-târ*; centro de informação).

- ✔ Ligue ou vá à **Chamber of Commerce** (*tchém-bâr óf có-mârs*; Câmara de Comércio).

- ✔ Consulte um **guidebook** (*gáid-buc*; guia).

- ✔ Procure **information brochures** (*in-fór-mâi-chân brôu-tchurs*; folhetos informativos) num hotel.

192 Parte III: Só de Visita

- Leia a **calendar section** (*qué-lân-dâr séc-chân*; agenda) de um **local newspaper** (*lôu-câl niúz-pâi-pâr*; jornal local).
- Procure os pontos de interesse num **map** (*mép*; mapa).
- Procure **flyers** (*flái-ârs*; panfletos) e **posters** (*pôus-târs*; pôsteres) que anunciam os próximos espetáculos.

Mas a melhor e a mais interessante forma de descobrir o que está acontecendo numa determinada comunidade é certamente perguntar às pessoas! Pergunte às pessoas que encontrar em lojas ou no seu hotel, pergunte ao funcionário ou funcionária que o atender num restaurante (os jovens, geralmente, conhecem sempre quais são os melhores lugares) e fale com outros turistas. Não seja tímido – a maior parte das pessoas gosta de falar sobre os seus lugares preferidos.

Pode usar uma das seguintes frases para perguntar sobre eventos locais:

- **Can you recommend a good art gallery?** (*quén iú ré-câ-ménd â gud árt gué-lâ-ri*; Poderia me recomendar uma boa galeria de arte?)
- **What should I see while I'm here?** (*uót chud ái si uáil áim hi-âr*; O que eu deveria ver enquanto estiver aqui?)
- **Are there any museums here?** (*ár dér é-ni miú-zi-âms hi-âr*; Há algum museu por aqui?)
- **Where can I find tourist information?** (*uér quén ái fáind tiu-rist in-fôr-mâi-chân*; Onde posso encontrar informação turística?)

Palavras a saber

event	i-vênt	espetáculo, evento
attraction	â-tréc-chân	atração
information	in-fôr-mâi-chân	informação
nightlife	náit-láif	vida noturna

Obter Informação

Alguma vez pensou em passar um dia ou uma tarde visitanto um museu ou um espetáculo e, quando chegou lá, descobriu que estava fechado ou que nesse dia não trabalhavam (e só voltavam na próxima semana, quando já tivesse ido embora)? Pois bem, sabendo um pouquinho de inglês, pode evitar este problema.

Com algumas frases simples, você pode descobrir quando é que um determinado lugar está aberto quando é que se celebra determinado

Capítulo 11: Sair por Aí **193**

espetáculo ou evento. Use as seguintes frases para obter informação que ajude a planificar as suas saídas:

- **What are your hours?** (*uót ár iór áu-ârs;* Qual é o seu horário?)
- **What days are you open?** (*uót dâiz ár iú ôu-pân;* Em que dias abre?)
- **When does the event take place?** (*uên dâz di i-vênt tâic plâis;* Quando é que se celebra este evento?)
- **How much does it cost?** (*háu mâtch dâz it cóst;* Quanto custa?)
- **Is there an admission fee?** (*iz dér ân âd-mi-chân fi;* Tem que se pagar para entrar?)

Para fazer planos e obter informações sobre eventos e atrações, é necessário falar sobre horários e datas. A seguinte seção oferece todos os conceitos básicos sobre as horas. O capítulo 8 explica tudo o que precisa saber sobre as datas. Além disso, também pode consultar a Folha de Cola no início das páginas deste livro para ver os dias da semana e os meses do ano.

Dizer as horas em inglês

No inglês da América, há dois conceitos básicos para dizer as horas:

- Usam-se os números de 1 a 12 (e não de 1 a 24).
- Usam-se as abreviaturas **a.m.** (antes do meio-dia) e **p.m.** (depois do meio-dia).

  Se marcar um encontro com alguém às 10:00, o melhor é especificar se é **a.m.** ou **p.m.** Senão, pode ficar o dia inteiro à espera, porque podem pensar que se trata das 10 da noite! As 12 horas são fáceis de indicar, porque 12 **a.m.** é **midnight** (*mid-náit;* meia-noite) e 12 **p.m.** é **noon** (*nun;* meio-dia).

Nos Estados Unidos só os militares usam o sistema horário de **24-hour** (*tuên-ti fór áu-âr;* 24 horas), ou seja, o que conta as horas das 00:00 às 23:59. Por isso, se usar este sistema numa conversa ou por escrito pode confundir as pessoas ou obrigá-las a parar um momento para entender do que é que está falando. O melhor é usar sempre o sistema de 12 horas e acrescentar a indicação **a.m.** ou **p.m.** bem como as formas indicadas nos seguintes parágrafos.

As horas são geralmente indicadas com as horas seguidas pelos minutos. Para a 1:30, diz-se **one-thirty** (*uón thâr-ti;* uma e trinta). Aqui tem mais alguns exemplos:

- 7:05 = **seven oh five** (*sé-vân ôu fáiv;* sete e cinco)
- 10:15 = **ten fifteen** (*tén fif-tin;* dez e e quinze)
- 11:45 = **eleven forty-five** (*i-lé-vân fór-ti fáiv;* onze e quarenta e cinco)

Quer saber as horas? Pode perguntar a alguém usando uma das seguintes frases:

- **What time is it?** (*uót táim iz it*; Que horas são?)
- **Do you have the time?** (*du iú hév dâ táim*; Tem horas?)

Não se esqueça de usar o artigo **the** quando perguntar **Do you have the time?** Se você se esquecer e disser **Do you have time?** (*du iú hév táim*; Tem tempo?), estará, na realidade, perguntando à pessoa se tem tempo disponível para se dedicar a alguma coisa ou algo. Se você se enganar e acabar por fazer essa pergunta, o seu interlocutor poderá perguntar-lhe por sua vez "Tempo para quê?".

Não é necessário dizer a palavra **o'clock** (*â-clóc*; horas) depois de dizer as horas, e a verdade é que as pessoas raramente a misturam com as indicações **a.m.** e **p.m.** Mas há diversas formas de exprimir uma determinada hora em inglês. Repare nos seguintes exemplos:

- **It's three p.m.** (*its thri pi ém*; São três da tarde)
- **It's three in the afternoon.** (*its thri in di éf-târ-nun*; São três da tarde)
- **It's three o'clock in the afternoon.** (*its thri â-clóc in di éf-târ-nun*; São três da tarde)
- **It's three.** (*its thri*; São três horas)

Os termos **past** (*pást*; depois) e **before** (*bi-fór*; antes) são raramente usados para expressar o tempo no inglês dos Estados Unidos. Em vez disso, as pessoas usam geralmente as palavras **after** (*éf-târ*; depois), como em **ten after three** (ou 3:10), e **to** (*tu*; para) ou **till** (*til*; para), como em **ten to five** (ou 4:50). Quando se referir aos quartos, antes ou depois da hora, pode usar as expressões **a quarter after** (*â cuár-târ éf-târ*; e um quarto) e **a quarter to** (*â cuár-târ tu*; menos um quarto). Assim, podia referir-se às 3:45 como **a quarter to four** (*â cuár-târ tu fór*; quinze para as quatro).

Diálogo

Jan liga para o Museu de História Natural para saber sobre os horários de visitação. (Faixa 24)

Funcionário do Museu: **Natural History Museum. May I help you?**
né-tiú-râl his-tâ-ri miú-zi-âm mâi ái hélp iú
Museu de História Natural. Em que o posso ajudar?

Jan: **I need information about your hours.**
ái nid in-fâr-mâi-chân â-báut iór áu-ârs
Precisava de informação sobre os seus horários.

_____Capítulo 11: Sair por Aí **195**

Funcionário do Museu:	**We're open Tuesday through Friday from 11 a.m. to 5 p.m.**
	uír ôu-pân tiús-dâi thru frái-dâi frâm i-lé-vân âi ém tu fáiv pi ém
	Estamos abertos de terça a sexta, das 11 às 17.
Jan:	**What about the weekends?**
	uót â-báut dâ uíc-ênds
	E durante o fim de semana?
Funcionário do Museu:	**On Saturday and Sunday, the hours are noon to 4.**
	ón sé-târ-dâi énd sân-dâi di áu-ars ár nun tu fór
	No sábado e domingo, o horário é do meio-dia às 4.
Jan:	**Is there an admission fee?**
	iz dér ân âd-mi-chân fi
	A entrada é paga?
Funcionário do Museu:	**Five dollars for adults, and three dollars for children and seniors.**
	fáiv dó-lârs fór é-dâlts énd thri dó-lârs fór tchildrân énd si-niârs
	A entrada custa cinco dólares para os adultos e três dólares para crianças e idosos.
Jan:	**Thank you.**
	thénc iú
	Muito obrigado.

Palavras a saber

in the morning	*in dâ mór-ning*	da manhã
in the afternoon	*in di éf-târ-nun*	da tarde
in the evening	*in di iv-ning*	da noite
noon	*nun*	meio-dia
midnight	*mid-náit*	meia-noite

Preposições de Tempo: At, In e On

Em inglês, usam-se três preposições – **at** (ét; a), **in** (in; em) e **on** (ón; a) – para introduzir o tempo nas orações. Talvez tenha reconhecido estas palavras da seção anterior sobre dizer as horas. A decisão sobre qual usar em cada momento poderá parecer-lhe aleatória, mas é necessário seguir algumas regras:

- Use **at** com expressões que indiquem tempo exato e com a palavra **night**.

- Use **in** com as expressões **the morning**, **the evening** e **the afternoon**.

- Use **on** com os dias da semana, com **weekend** (uíc-ênd; fim-de-semana) e feriados.

Veja os seguintes exemplos:

- **The concert starts at 9:00 at night.** (dâ cón-sârt stárts ét náin ét náit; O concerto começa às nove da noite).

- **We went to the park in the afternoon.** (uí uênt tu dâ párc in di éftâr-nun; Fomos ao parque à tarde).

- **The museum is closed on Monday.** (dâ miú-zi-âm iz clôuzd ón mândâi; O museu fecha às segundas-feiras).

Ir ao Cinema

Um bom lugar para praticar a sua capacidade de aprendizado do inglês falado e para aumentar o seu vocabulário é **at the movies** (ét dâ mu-vis; no cinema). Talvez se pergunte porque é que as pessoas dizem **movies** (no plural) quando geralmente só se vê um filme. E por que é que não lhe chamam **cinema** (si-nâ-mâ; cinema)? E por que é que as pessoas dizem que vão ao **theater** (thi-â-târ; cinema) quando vão ver um filme e não uma peça de teatro?

A palavra **theater** é uma abreviação de **movie theater** (mu-vi thi-â-târ; cinema). E a palavra **movies** é uma velha forma abreviada de **moving pictures** (mu-ving pic-tchârs; filmes), um dos primeiros nomes que foram dados às obras cinematográficas. A abreviação **movies** foi, então, adotada e chegou aos nossos dias.

Consulte a agenda de um jornal local para as **movie listings** (mu-vi listings; cartaz de filmes) e os horários. Ou, se quiser praticar as suas capacidades auditivas, também pode ligar para o cinema e ouvir a mensagem gravada com os filmes em cartaz e os horários das sessões. Se falar com uma pessoa ao telefone ou no próprio cinema poderá fazer as seguintes perguntas:

Capítulo 11: Sair por Aí 197

✔ **What movies are playing today?** (*uót mu-vis ár plâi-ing tu-dâi;* Que filmes passam hoje?)

✔ **What time does the movie start?** (*uót táim dâz dâ mu-vi stárt;* A que horas começa o filme?)

✔ **Is there a matinee?** (*iz dér â mé-ti-nê;* Têm alguma matinê?)

Diálogo

Barry e Hedy vão à bilheteira comprar bilhetes para o cinema.

Empregada: **What movie?**
uót mu-vi
Que filme?

Hedy: **That depends. What time is Titanic playing?**
dát di-pênds uót táim iz tái-té-nic plâi-ing
Depende. A que horas o "Titanic" está passando?

Empregada: **There are two showings: at 5:00 and 8:30.**
dér ár tu chôu-ings ét fáiv â-clóc énd ét âit thâr-ti
Há duas sessões: às 5:00 e às 8:30.

Barry: **Let's go to the later one, okay?**
léts gôu tu dâ lâi-târ uón ôu-câi
Vamos à última, está bem?

Hedy: **Okay. Two for the 8:30 showing, please.**
ôu-câi tu fór dâ âit thâr-ti chôu-ing pliz
OK. Dois bilhetes para a sessão das 8:30, por favor.

Empregada: **That will be fifteen dollars.**
dét uíl bi fif-tin dó-lârs
São quinze dólares.

Rated PG: as classificações dos filmes

Já sabe que não é preciso ir aos Estados Unidos para ver um filme americano. Os filmes americanos podem ser vistos mesmo nos lugares mais afastados do mundo. Por isso, é quase impossível que o leitor nunca tenha visto um filme americano, e é provável que já saiba qualquer coisa sobre as suas **ratings** (*râi-tings;* classificações). Nos EUA, todos os filmes têm de levar uma classificação que informa aos espectadores sobre o seu conteúdo e os públicos, em função de determinadas idades para que são apropriados. Aqui tem algumas das principais classificações e o seu significado:

✔ **G**: para todos (crianças e adultos).

✔ **PG**: Recomenda-se que todos os menores de 17 anos sejam acompanhados pelos pais.

✔ **R**: Para maiores de 17 (os menores de 17 anos não podem ver o filme devido a conteúdos adultos).

Palavras a saber

showing	chôu-ing	apresentação
ticket	ti-cât	bilhete
box office	bócs ó-fis	bilheteria
matinee	mé-ti-nê	matinê

Ir a Concertos e ao Teatro

A **live music** (*láiv miú-zic*; música ao vivo), o **live theater** (*láiv thi-â-târ*; teatro) e os **dance concerts** (*déns cón-sârts*; concertos de dança) aproximam o espectador dos **musicians** (*miú-zi-châns*; músicos) e dos **performers** (*pêr-fór-mârs*; artistas).

Nas cidades pequenas, pode-se encontrar o **local talent** (*lôu-câl té-lânt*; talento local). Nas grandes cidades, terá, certamente, a possibilidade de ver artistas de renome internacional. Quer vá a um concerto ao Carnegie Hall ou a uma peça de teatro num liceu local, pode sempre aprender um pouco da linguagem e cultura americanas e ver como reage o **audience** (*ó-di-âns*; público americano). A experiência será, certamente, divertida e educativa.

Diálogo

Hedy está vendo a seção de agenda cultural no jornal e descobre um concerto que quer ver.

Hedy: **Hey Barry, my favorite musician is playing tomorrow night.**

hâi bé-ri mái fâi-vâ-rit miú-zi-chân iz plâi-ing tu-mó-rôu náit

Olhe, Barry, a artista preferida vai tocar amanhã à noite.

Barry: **Who is it?**

hú iz it

Quem é?

Hedy: **Mary McCaslin. She's a great folk musician.**

mé-ri mâc-cás-lin chiz â grâit fôulc miú-zi-chân

Mary McCaslin. É uma artista muito popular.

Capítulo 11: Sair por Aí **199**

Barry: **Where is she playing?**
uér iz chi plâi-ing
Onde é que ela toca?

Hedy: **At the Rounder Theater at 8 p.m.**
ét dâ ráun-dâr thi-â-târ ét âit pi ém
No Rounder Theater, às 8 da noite.

Barry: **Okay. I'll call for tickets.**
ôu-câi áil cól fór ti-câts
OK. Eu ligarei para comprar os bilhetes.

Sair com Alguém

Se encontrar um espetáculo interessante que deseja ver e quiser pedir a um amigo ou amiga que o acompanhe, precisa saber algumas frases para o ajudar a marcar o encontro. Experimente com as seguintes perguntas:

- **Would you like to see a movie with me?** (*uúd iú láic tu si a mu-vi uíth mi*; você gostaria de ir ao cinema comigo?)
- **Do you like plays?** (*du iú láic plâiz*; você gosta de teatro?)
- **I'm going to a concert tomorrow. Do you want to come?** (*áim gôu-ing tu a cón-sârt tu-mó-rôu du iú uónt tu câm*; Vou a um concerto amanhã. Quer vir comigo?)

Diálogo

 Winston e a sua amiga Ellie estão conversando, Winston propõe um encontro. (Faixa 25)

Winston: **Would you like to do something Friday night?**
uúd iú láic tu du sâm-thing frái-dâi náit
Gostaria de fazer qualquer coisa na sexta à noite?

Ellie: **Sure.**
chôr
Sim.

Winston: **Have you seen the musical "Cats"?**
hév iú sin dâ miú-zi-câl quéts
Assistiu ao musical "Cats"?

Ellie: **No, not yet.**
nôu nót iét
Não, ainda não.

Winston:	**It's playing at the Majestic Theater. Would you like to go?**
	its plâi-ing ét dâ mâ-djés-tic thi-â-târ uúd iú láic tu gôu
	Estão se apresentando no Majestic Theater. Você gostaria de ir?
Ellie:	**I'd love to go.**
	áid lâv tu gôu
	Gostaria muito.
Winston:	**Great. I've heard that it's an excellent show.**
	grâit áiv hârd dét its ân éc-se-lânt chôu
	Ótimo. Eu ouvi dizer que é um espetáculo excelente.

Aproveitar a Vida Noturna

A melhor forma de encontrar bons **nightclubs** (*náit-clâbs*; clubes noturnos) e **bars** (*bárs*; bares) é perguntando às pessoas. Todos têm um preferido, mas, com algumas perguntas certas, pode-se obter informação suficiente para tomar a sua própria decisão.

Licenças para beber e para conduzir

Embora nos EUA se possa conduzir aos 16 anos (com 15, se estiver acompanhado por um adulto e com uma licença especial), só se pode entrar em clubes noturnos ou bares (legalmente) aos 21 anos — a **legal drinking age** (*li-gâl drin-quing âidj*; idade legal para beber)! Se tiver uma cara particularmente jovem, deve estar preparado para mostrar um **picture ID** (*pic-tchâr ái di*; documento de identificação com fotografia) nos bares. E desde agora fique sabendo que há vários clubes que não aceitam **passports** (*pés-pórts*; passaportes) como documentos válidos.

Algumas cidades também possuem **breweries** (*bru-â-ris*; cervejarias) que servem a **beer** (*bir*; cerveja) local e, geralmente, refeições ligeiras. Aqui tem algumas perguntas que você pode fazer às pessoas que encontrar sobre os clubes e bares locais:

- **Do you know any good nightclubs?** (*du iú nôu é-ni gud náit-clâbs*; Conhece algum bom clube noturno?)

- **What kind of bar is it?** (*uót cáind óf bar iz it*; Que tipo de bar é?)

- **Is there live music?** (*iz dér láiv miú-zic*; Tem música ao vivo?)

- **Does the club have dancing?** (*dâz dâ clâb hév dén-sing*; E nesse clube pode-se dançar?)

Num clube (ou numa festa ou num restaurante) pode ouvir alguém dizer **I'm the designated driver** (*áim dâ dé-zi-gnâitd drái-vâr*; Sou o condutor escolhido). Essa pessoa compromete-se a ficar **sober** (*sôu-bâr*; sóbria) e a levar os restantes membros do grupo de volta a casa. Muitos bares e clubes oferecem bebidas não-alcoólicas gratuitas aos condutores escolhidos.

Quando alguém perguntar se quer café ou chá, pode responder dizendo **Coffee, please.** (*có-fi pliz*; Café, por favor). Mas se quiser ser um pouco mais formal ou mostrar uma preferência, pode dizer **I prefer coffee.** (*ái pri-fâr có-fi*; Prefiro café). Quando alguém perguntar se você gosta de música clássica, pode dizer **I prefer jazz** (*ái pri-fâr djéz*; Prefiro jazz). Observe as seguintes perguntas e respostas:

Do you want to go to a museum?
du iú uónt tu gôu tu a miú-zi-âm
Quer ir a um museu?

I prefer to go to see a movie.
ái pri-fâr tu gôu si a mu-vi
Prefiro ir ao cinema.

Do you mind if I smoke?
du iú máind if ái smôuc
Importa-se que fume?

I prefer that you don't.
ái pri-fâr dét iú dônt
Preferia que não o fizesse.

Importa-se que fume?

Se for um **smoker** (*smôu-câr*, fumante), pode sentir-se tentado a dizer: "Então, como é isto? Todas as pessoas dizem que a América é a terra da liberdade, mas a verdade é que eu não posso fumar em lugar nenhum!". E não se pode dizer que esteja enganado, mas um **nonsmoker** (*nons-môu- câr*, não fumante) poderá replicar: "Eu tenho direito a não ser incomodado com o fumo dos cigarros!". E essa pessoa também tem as suas razões. Mas, independentemente de qual for a sua particular interpretação da liberdade neste ponto, o fato continua a ser que é proibido fumar na maior parte dos lugares públicos, incluindo muitos bares e clubes noturnos. Se não vir **ashtrays** (*éch-trâis*, cinzeiros) em lado nenhum, é muito provável que **smoking is not allowed** (*smôu-quing iz nót â-láud*; não seja permitido fumar). Se não tiver bem a certeza de que pode fumar, o melhor é perguntar **Is it okay to smoke here?** (*iz it ôu-câi tu smôuc hi-âr*, Posso fumar?).

Diálogo

Winston e Ellie decidem ir a um clube depois de terem visto o musical "Cats". Quando chegam à porta, o porteiro pede-lhes que mostrem um documento de identidade.

Porteiro: **Do you have your ID?**
du iú hév iór ái-di
Tem um documento de identidade?

Winston: **I have my passport.**
ái hév mái pés-pórt
Tenho o meu passaporte.

202 Parte III: Só de Visita

Porteiro:	**We prefer a driver's license.** *uí pri-fâr â drái-vârs lái-sâns* Preferimos a carteira de motorista.
Winston:	**I have that, too.** *ái hév dét tu* Também tenho.
Ellie:	**Here's mine.** *hirs máin* Aqui tem a minha.
Porteiro:	**Okay, you can go in.** *ôu-câi iú quén gôu in* OK, podem entrar.

Já dentro do clube, a garçonete pergunta-lhes se querem beber qualquer coisa.

Empregada:	**Can I get you a drink?** *quén ái guét iú â drinc* Querem beber qualquer coisa?
Ellie:	**A glass of white wine.** *â glés óf uáit uáin* Um copo de vinho branco.
Empregada:	**And you, sir, something from the bar?** *énd iú sâr sâm-thing frôm dâ bar* E o senhor, não quer nada do bar?
Winston:	**Just some sparkling water.** *djâst sâm spár-cling uó-târ* Traga-me só uma água com gás.
Ellie:	**May I smoke in here?** *mâi ái smôuc in hir* Posso fumar aqui?
Empregada:	**We prefer that you go out on the patio.** *uí pri-fâr dét iú gôu áut ón dâ pé-ti-ôu* Preferimos que saia ao pátio para fumar.
Ellie:	**Okay.** *ôu-câi* OK.

Não se esqueça de dar uma gorjeta à pessoa que servir as bebidas num bar ou clube. O normal é entre 15 e 20 por cento da conta.

Palavras a saber

alcohol	<u>ál</u>-câ-hól	álcool
minor	<u>mái</u>-nâr	menor
underage	<u>ân</u>-dâr-âidj	menor
smoke	smôuc	fumar
ashtray	<u>éch</u>-trâi	cinzeiro

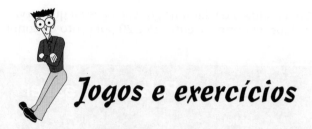

Jogos e exercícios

No espaço ao lado de cada exemplo, apresente outra forma de escrever as horas dadas (repare na resposta do primeiro exemplo).

Two in the afternoon: <u>2:00 p.m</u>.

1. Midnight:_____ .

2. 12 p.m:_____ .

3. A quarter after three:_____ .

4. A quarter to three:_____ .

5. 5:00 a.m:_____ .

6. Five-thirty in the evening:_____ .

Capítulo 12

De um Lado para o Outro: Meios de Transporte

Neste Capítulo

▶ Aprendendo como ir e vir do aeroporto

▶ Usando os transportes públicos – ônibus, aviões e comboios

▶ Apanhando táxis

▶ Alugando um carro

▶ Conduzindo nas estradas e autoestradas dos EUA

Quando chegar ao **airport** (*ér-pórt*; aeroporto) depois de um longo voo, a primeira coisa que desejará (depois de ter a certeza de que a sua bagagem se encontra no mesmo aeroporto) certamente será sair dali!

Mas, como é óbvio, terá de apresentar o seu passaporte e passar pela alfândega (que pode ser um processo relativamente indolor, eu garanto!) antes de poder encontrar **transportation** (*tréns-pór-tâi-chân*; transporte) e ir para o lugar onde vai ficar e deixar as suas coisas. Mas, se souber um pouco de inglês, pode tornar esta experiência muito mais agradável – e um pouco menos cansativa. Este capítulo oferece vocabulário para as suas viagens, bem como informações sobre como sair do aeroporto, usar os transportes públicos, alugar um carro e conduzir pelas autoestradas dos Estados Unidos.

Passar a Alfândega e Sair do Aeroporto

Nos aeroportos dos Estados Unidos, quase todas as indicações estão escritas unicamente em inglês (exceto, se estiver perto da fronteira mexicana ou do Québec, no Canadá). A seguir estão algumas das típicas placas que vai encontrar:

- **Baggage Claim** (_bé_-gâdj clâim; recolha de bagagem)
- **Immigration** (_i-mi-grâi_-chân; serviço de imigração)
- **Customs** (_câs_-tâms; alfândega)
- **Information** (_in-fâr-mâi_-chân; informação)
- **Arrivals** (_â-rái_-vâls; chegadas)
- **Departures** (_di-pár_-tchârs; partidas)
- **Ground Transport** (_gráund tréns_-pârt; transporte terrestre)

A maior parte das pessoas sente-se ligeiramente incomodada quando tem de passar pelos serviços de Imigração e Alfândega, mas, se não estiver tentando introduzir nenhum artigo proibido nos EUA, pode passar facilmente por todos os trâmites burocráticos. De qualquer forma, cheque sempre que tem todos os documentos apropriados – um **visa** (_vi_-zâ; visto de entrada), um **passport** (_pés_-pórt; passaporte) e o seu **airline ticket** (_ér-láin ti_-cât; bilhete de avião) – e siga os letreiros que dizem **Immigration**.

Diálogo

Kasozi acaba de chegar aos Estados Unidos e está no guiche da Imigração, falando com o pessoal da imigração. (Faixa 26)

Funcionário: **May I see your passport?**
mâi ái si iór _pés_-pórt
Posso ver o seu passaporte?

Kasozi: **Yes. Here it is.**
iés hir it iz
Sim. Aqui está.

Funcionário: **And your ticket. What's the purpose of your visit?**
énd iór _ti_-cât uóts dâ _pâr_-pâz óf iór _vi_-zit
E o bilhete de avião. Qual é o propósito da sua visita?

Kasozi: **I've come on a student visa.**
áiv câm ón â _stiú_-dânt _vi_-zâ
Venho com um visto de estudante.

Funcionário: **May I see your visa?**
mâi ái si iór _vi_-zâ
Posso ver o seu visto?

Kasozi: **Here you are.**
hir iú ár
Aqui está.

Capítulo 12: De um Lado para o Outro: Meios de Transporte 207

Funcionário:	**How long will you be staying in the United States?**
	háu lóng uíl iú bi <u>stâi</u>-ing in dâ iú-<u>nái</u>-ted stâits
	Quanto tempo vai ficar nos Estados Unidos?
Kasozi:	**Two months.**
	tu mânths
	Dois meses.
Funcionário:	**Okay. Please proceed to customs.**
	ôu-<u>câi</u> pliz <u>próu</u>-sid tu <u>câs</u>-tâms
	OK. Pode passar para a alfândega.

Na Alfândega, podem pedir-lhe que abra ou desfaça as suas malas e responda a algumas perguntas sobre determinados artigos. Se tiver sorte, o **Customs officer** (*câs-tâms ó-fi-sâr*; funcionário da Alfândega) só perguntará se traz artigos proibidos para os EUA. Aqui tem algumas expressões que deve conhecer:

- **Please open your bags.** (*pliz ôu-pân iór bégs*; Abra as suas malas, por favor.)

- **Do you have any items to declare?** (*du iú hév é-ni ái-tâms tu di-clér*; Tem alguma coisa a declarar?)

Se tiver qualquer problema com os serviços de imigração ou alfândega, ou se o funcionário de alfândega apreender artigos considerados proibidos, o melhor é manter-se sempre calmo, educado e cooperante. Nunca brinque com os funcionários de Alfândega. E se for detido por qualquer razão, não ofereça dinheiro – é ilegal.

Coisas que não podem entrar nos EUA

Lembre-se de que a alfândega pode não permitir que introduza certos artigos nos EUA. Geralmente, é proibido trazer vegetais, carne, plantas vivas, frutos secos ou alimentos de certas regiões e, claro, nada de armas ou drogas. Outros artigos proibidos incluem animais selvagens de espécies protegidas, marfim, peles de leopardo, coral e artigos feitos com carapaça de tartaruga. Pode visitar o site na Internet do U.S. Customs Office em www.customs.ustreas.gov, para mais informações sobre artigos proibidos.

Palavras a saber

luggage	lâ-gâdj	bagagem
baggage	bé-gâdj	bagagem
bags	bégs	malas
schedule	squé-diúl	horário
ticket	ti-cât	bilhete
passport	pés-pórt	passaporte

Sair do Aeroporto

Depois de ter passado por todos os controles necessários e de ter recolhido a sua bagagem, deverá ver placas de indicação para os meios de transporte terrestre, onde pode apanhar um **taxi** (*té-csi*; táxi), um **bus** (*bâs*; ônibus) ou o **airport shuttle** (*ér-pórt châ-tâl*; micro-ônibus do aeroporto). Se não encontrar nenhuma placa que ajude, dirija-se a um balcão de informação para que te dêem os horários dos ônibus ou de outro meio de transporte turístico.

A lista a seguir fornece algumas informações detalhadas sobre como encontrar transporte para sair do aeroporto:

✔ **Bus**: Um ônibus pode levá te levar para a cidade ou para a sua periferia, mas nem sempre te deixará exatamente no ponto que deseja. Para ter a certeza, pergunte ao **driver** (*drái-vâr*; motorista) para onde é que o ônibus vai exatamente. Também deve assegurar-se de que leva o **fare** (*fér*; dinheiro do bilhete) certo, porque, geralmente, o pessoal dos ônibus não dá troco. As seguintes perguntas podem ajudar a encontrar o ônibus certo:

• **Where does this bus go?** (*uér dâs dis bâs gôu tu*; Para onde é que vai este ônibus).

• **Does this bus go to _____?** (*dâs dis bâs gôu tu*; Este ônibus vai para _____?).

Quando se anda de ônibus numa cidade que não se conhece, é fácil perder a **stop** (*stóp*; parada). Por isso, o melhor é pedir sempre ao condutor que avise quando o ônibus chegar ao lugar onde deseja ficar. Eis duas formas simples de fazer esse pedido:

• **Please tell me where to get off the bus.** (*pliz tél mi uér tu guét óf dâ bâs*; Poderia me dizer onde devo descer, por favor?)

• **Can you tell me when we get to my stop?** (*quén iú tél mi uén uí guét tu mái stóp*; Poderia me avisar, quando chegarmos ao ponto onde quero descer?).

Capítulo 12: De um Lado para o Outro: Meios de Transporte **209**

- ✔ **Airport shuttle**: Este serviço consiste num micro-ônibus que transporta entre seis e nove passageiros e que os deixa exatamente no seu destino. Como é óbvio, é mais caro do que apanhar um ônibus (mas, muitas vezes, mais barato do que um táxi). E embora a viagem possa tornar-se um pouco longa (especialmente, se você for o último a descer), o fato de que o deixa precisamente onde deseja ir é uma grande vantagem.

- ✔ **Taxi**: Geralmente, não há grande dificuldade para encontrar **taxis** ou **cabs** (_québs_; táxis) no aeroporto. Pergunte ao condutor quanto é que pode custar a corrida – por vezes, há uma tarifa fixa para ir do aeroporto ao centro da cidade. Para mais informações sobre como andar de táxi, nos EUA, consulte a seção "Chamar um táxi", neste mesmo capítulo.

Usar os Transportes Públicos

Se por acaso estiver visitando uma das maiores cidades americanas, como Chicago, Nova York, São Francisco, Washington e algumas outras, terá acesso a excelentes e (geralmente) eficientes serviços de transporte público. Os ônibus passam com bastante frequência e cobrem toda a área urbana. Os **commuter trains** (_câ-miú-târ trâins_; trens suburbanos) e **subways** (_sâb-uâis_; metrôs) são amplamente usados, já que são serviços rápidos, convenientes e baratos, e infinitamente preferíveis a passar a tarde inteira à procura de um lugar para estacionar o carro.

Mas, em muitas das cidades menores e nos subúrbios, o transporte público é frequentemente limitado. Se estiver à procura de um lugar para pegar transportes públicos, pode pedir indicações a alguém, de uma das seguintes maneiras:

- ✔ **Where is the closest train station?** (_uér iz dâ clôu-zâst trâin stâichân_; Onde é a estação de trem mais próxima?)

- ✔ **Where is the nearest bus stop?** (_uér iz dâ ni-râst bâz stóp_; Onde é a parada de ônibus mais próxima?)

- ✔ **Where can I find the subway?** (_uér quén ái fáind dâ sâb-uâi_; Onde é que posso encontrar o metrô?)

Para andar de ônibus, a primeira coisa a fazer é encontrar um horário numa estação de ônibus ou perguntar a alguém onde é que poderia encontrar os horários. As **bus routes** (_bâs ruts_; linhas de ônibus) estão numeradas e, geralmente, é necessário pagar o valor exato do bilhete, a menos que compre um **bus pass** (_bâs pés_; passe para o ônibus).

A maior parte das linhas de ônibus oferece **transfers** (_tréns-fârs_; bilhetes de transferência) que são pequenos bilhetes que permitem passar para outro ônibus sem nenhum custo extra até chegar ao seu destino. Se estiver pensando em apanhar o metrô ou um trem suburbano, geralmente comprará o bilhete antes de embarcar. A seguir estão algumas frases para te ajudar a usar os transportes públicos:

Parte III: Só de Visita

- **How do I get to _____ Street?** (háu du ái guét tu _____ strit; Como posso ir para a _____ Street?).

- **Which train goes to _____?** (uítch trâin gôuz tu _____; Qual é o trem que vai para _____?).

- **May I have a transfer?** (mâi ái hév â tréns-fâr; Pode dar-me um bilhete de transbordo?).

Diálogo

 Ouça no seguinte diálogo algumas frases úteis para que você possa se locomover de ônibus. (Faixa 27)

Onetta:	**What bus goes to Elder Street?**
	uó bâs gôuz tu él-dâr strit
	Qual é o ônibus que vai para Elder Street?
Homem:	**Number 5 bus.**
	nâm-bâr fáiv bâs
	O ônibus número 5.
Onetta:	**Where do I catch number 5 bus?**
	uér du ái quétch nâm-bâr fáiv bâs
	Onde é que posso apanhar o ônibus número 5?
Homem:	**Take number 27 bus to Lake Street, and then transfer to number 5.**
	tâic nâm-bâr tuê-ni sé-vân bâs tu lâic strit énd dén tréns-fâr tu nâm-bâr fáiv
	Apanhe o ônibus número 27 para Lake Street e, depois, passe para o número 5.
Onetta:	**Is there a more direct route to Elder Street?**
	iz dér â mór di-réct rut tu él-dâr strit
	Há algum caminho mais direto para Elder Street?
Homem:	**Yes, you can take the commuter train to Elder.**
	ués iú quén tâic dâ câ-miú-târ trâin tu él-dâr
	Sim, pode apanhar o trem para Elder.
Onetta:	**Where's the nearest train station?**
	uérs dâ ni-râst trâin stâi-chân
	Onde é que é a estação ferroviária mais próxima?
Homem:	**One block down this street.**
	uón blóc dáun dis strit
	Um quarteirão mais abaixo, nesta mesma rua.

Capítulo 12: De um Lado para o Outro: Meios de Transporte **211**

Onetta:	**Great. Thanks.**	
	grâit théncs	
	Fantástico. Obrigado.	

Palavras a saber

bus	*bâs*	ônibus
train	*trâin*	trem
subway	*sâb-uâi*	metrô
route	*rut*	rota
bus pass	*bâs pés*	passe
transfer	*tréns-fâr*	transbordo
direct route	*di-réct rut*	caminho direto

Chamar um táxi

Em algumas grandes cidades e à volta dos centros urbanos, encontrará **taxis** (*té-csis*; táxis) circulando pelas ruas à espera de passageiros. Mas, em várias cidades, é necessário ligar para um serviço de táxis para que venha te buscar. Por isso, dependendo do tamanho da localidade onde se encontrar, o melhor é não se pôr numa esquina à espera que passe um táxi – poderia ficar lá dias a fio!

Quando viajar num táxi, deve saber que as **fares** (*férs*; tarifas) são estabelecidas por milha e que o preço da corrida deve aparecer sempre no **meter** (*mi-târ*; taxímetro).

Chamar um táxi nos EUA é basicamente igual a chamá-lo em qualquer cidade brasileira: levante a mão por cima da cabeça ou à altura dos ombros (faça um movimento que seja facilmente perceptível) e diga **"Táxi!"**. Lembre que partilhar um táxi com desconhecidos não é muito comum e que é de boa educação – mas não obrigatório – dar uma gorjeta ao motorista de entre 15 e 20 por cento do preço da corrida.

Eis algumas frases que podem servir para dizer ao condutor para onde quer ir:

- **I'd like to go to** _____. (*áid láic tu gôu tu*; Quero ir para _____).
- **Please take me to** _____. (*pliz tâic mi tu*; Leve-me para _____, por favor).

Fazer viagens longas de ônibus, trem ou avião

Se tiver pouco dinheiro e muito tempo – ou se gostar de apreciar bem a paisagem – as longas viagens de ônibus podem ser o melhor meio de transporte para você. Compre um **one-way** (*uón uâi*; só de ida) ou **round-trip ticket** (*ráund trip ti-cât*; bilhete de ida e volta) na **bus station** (*bâs stâi-chân*; estação rodoviária) e prepare-se para encontrar personagens interessantes (os seus companheiros de viagem) pelo caminho!

Se quiser um pouquinho mais de conforto e não se importar de gastar um pouco mais, pode apanhar um **train** (*trâin*; trem). Para mais luxo (e por mais dinheiro), pode mesmo viajar num **private sleeper** (*prái-vât sli-pâr*; compartimento individual), que é um pequeno camarote com cama, e apreciar as suas refeições no **dining car** (*dái-ning cár*; vagão-restaurante).

O trem também proporciona uma tranquila vista panorâmica da paisagem. Os bilhetes podem ser comprados na estação ou numa **travel agency** (*tré-vâl âi-djân-ci*; agência de viagens).

Diálogo

Sid quer ir a Atlanta visitar uns amigos seus e está na estação de ônibus vendo os horários e os preços.

Sid: **When does the bus leave for Atlanta?**
uên dâz dâ bâs liv fór â-tlén-tâ
Quando é que sai o ônibus para Atlanta?

Empregado: **In one hour, at 3 p.m.**
in uón áur ét thri pi ém
Dentro de uma hora, às três da tarde.

Sid: **Okay. I'd like a one-way ticket to Atlanta.**
ôu-câi áid láic â uón uâi ti-cât tu â-tlén-tâ
OK. Eu gostaria um bilhete de ida para Atlanta.

Empregado: **That's 62 dollars.**
déts sics-ti tu dó-lârs
São 62 dólares.

Sid: **When does the bus arrive in Atlanta?**
uên dâz dâ bâs â-ráiv in â-tlén-tâ
Quando é que o ônibus chega a Atlanta?

Empregado: **Around 5 p.m. tomorrow.**
â-ráund fáiv pi ém tu-mó-rôu
Por volta das cinco da tarde de amanhã.

Capítulo 12: De um Lado para o Outro: Meios de Transporte 213

Sid: **Okay, thanks.**
ôu-câi théncs
OK, obrigado.

Ticket Seller: **Here's your ticket.**
hirs iór ti-cât
Aqui tem o seu bilhete.

Por alguma razão inexplicável, as estações de ônibus e de trem parecem sempre ir parar nos mais remotos (e por vezes desagradáveis) pontos das cidades. Por isso, às vezes, é melhor apanhar um táxi até à estação se não encontrar um ônibus ou um amigo que te leve diretamente até lá.

Podendo escolher, a **air travel** (*ér tré-vâl*; viagem aérea) é a primeira escolha para a maior parte das pessoas que viaja dentro dos EUA. Pode pegar um **plane** (*plâin*; avião) e atravessar o país em cerca de quatro horas. Mas, lembre-se sempre de chegar ao aeroporto com tempo suficiente para entregar as malas, passar pelo **security check** (*se-quiú-râ-ti tchéc*; controle de segurança) e chegar ao seu **gate** (*gâit*; portão de embarque) a tempo. Os bilhetes podem ser comprados com antecedência em agências de viagens, pela Internet ou no **ticket counter** (*ti-cât cáun-târ*; balcão da linha aérea) no próprio aeroporto.

Uma parada bastante cara

Nos Estados Unidos não é permitido fumar em ônibus ou trens, nem sequer nos que fazem grandes percursos. Geralmente, o **bus driver** (*bâs drái-vâr*; condutor do ônibus) ou o **train conductor** (*trâin cân-dâc-târ*; condutor do trem) avisa quais das paradas são **smoking stops** (*smôu-quing stóps*; paradas para fumar), para que os passageiros possam descer para fumar um cigarro. Mas não se afaste muito porque pode ser deixado para trás. Veja o que aconteceu a uma amiga minha, quando saiu do trem, numa parada para esticar as pernas: de repente, viu que o trem ia embora e viu-se obrigada a se meter num táxi para tentar apanhá-lo na seguinte estação. Mas não conseguiu, e só 100 milhas mais à frente, pagando uma conta enorme de táxi, pôde por fim voltar a entrar no trem. Foi uma parada para fumar bastante cara — e ela nem sequer fuma!

Diálogo

 Takako vai a uma agência de viagens para informar-se sobre um voo de ida e volta de Los Angeles a Nova York. (Faixa 28)

Takako: **I need a round-trip ticket to New York.**
ái nid â ráund trip ti-cât tu niú iórc
Quero um bilhete de ida e volta para Nova York.

214 Parte III: Só de Visita

Agente:	**What are your dates of travel?** *uót ár iór dâits óf tré-vâl* Quais são as datas em que deseja viajar?
Takako:	**I want to leave April 3rd and return April 10th.** *ái uónt tu liv âi-pril thârd énd ri-târn âi-pril ténth* Quero partir no dia 3 de Abril e voltar no dia 10 de Abril.
Agente:	**And where are you leaving from?** *énd uér ár iú li-ving frôm* E de onde deseja partir?
Takako:	**Los Angeles.** *lós én-djâ-lâs* Los Angeles.
Agente:	**I can get you a non-stop from L.A. to New York La Guardia airport.** *ái quén guét iú â nón stóp frôm él âi tu niú iórc lá guár-di-â ér-pórt* Posso oferecer um voo direto de L.A. ao aeroporto de La Guardia, em Nova York.
Takako:	**What's the fare?** *uóts dâ fér* Quanto custa?
Agente:	**$430 plus tax.** *fór hân-drâd thâr-ti dó-lârs plâs técs* 430 dólares mais impostos.
Takako:	**Okay. I'll take it.** *ôu-cái áil tâic it* OK. Ficarei com esse.
Agente:	**Do you want a window or aisle seat?** *du iú uónt â uín-dôu ór áil sit* Quer um lugar na janela ou no corredor?
Takako:	**Window, please.** *uín-dôu pliz* Na janela, por favor.

Capítulo 12: De um Lado para o Outro: Meios de Transporte 215

Palavras a saber

one-way	uón uâi	de ida
round trip	ráund trip	de ida e volta
ticket counter	ti-cât cáun-târ	balcão de passagens
travel agency	tré-vâl ai-djân-ci	agência de viagens
station	stâi-chân	estação

Perguntar sobre o tempo e a distância

Independentemente do meio de transporte que escolher para a sua viagem, o mais natural é desejar saber a que distância se encontra do seu destino e quanto tempo vai demorar a viagem. Imagine que tem de apanhar outro voo ou outro ônibus, ou mesmo que tem alguém à sua espera no destino. As perguntas seguintes oferecem uma forma fácil de saber a que distância está do seu destino e quanto tempo vai demorar a chegar:

- **How far is it?** (*háu fár iz it*; A que distância está?).
- **How long does it take to get there?** (*háu lóng dâz it tâic tu guét dér*; Quanto tempo demora para chegar?).

Diálogo

Raja está planejando uma viagem de Los Angeles a São Francisco e ela pergunta a um amigo sobre a distância e o tempo que demora para chegar. (Faixa 29)

Raja: **How far is it from Los Angeles to San Francisco?**
háu fár iz it frôm lós én-djâ-lâs tu sén frén-sis-côu
A que distância está Los Angeles de São Francisco?

Evan: **About 400 miles.**
â-báut fór hân-dred máils
Umas 400 milhas.

Raja: **How long does it take to get there?**
háu lóng dâz it tâic tu guét dér
Quanto tempo demora a viagem?

Evan: **About 1 hour by plane.**
â-_báut_ uón háur bái plâin
Cerca de 1 hora de avião.

Raja: **How about by car?**
háu â-_báut_ bái cár
E de carro?

Evan: **Around 6 to 8 hours depending on the route you take.**
â-_ráund_ sics tu âit háurs di-_pên_-ding ón dâ rut iú tâic
Entre 6 e 8 horas, dependendo do caminho quer escolher

Raja: **What is the best route to take?**
uót iz dâ bést rut tu tâic
Qual é o melhor caminho?

Evan: **That depends. The coast route is more scenic, but Interstate 5 and Highway 101 are faster.**
dét di-_pênds_ dâ côust rut iz mór si-nic bât in-târ-_stâit_ fáiv énd _hái_-uâi uón ôu uón ár _fés_-târ
Depende. A estrada pelo litoral é mais bonita, mas a Interestadual 5 e a autoestrada 101 são mais rápidas.

Alugar um Carro

Prefere andar sozinho e sentir a liberdade de viajar no seu próprio ritmo? Ou precisa simplesmente de um carro por motivos de negócios ou para um pequeno passeio? Neste caso, pode alugar um carro e experimentar a maior aventura de todas: conduzir nas **freeways** (_fri-uâis_; autoestradas) americanas!

Há várias empresas de aluguel de veículos nos EUA, e cada uma delas possui procedimentos e requisitos específicos. Dependendo da empresa, deve ter pelo menos de 18 a 25 anos para alugar um carro e precisa apresentar os seguintes documentos:

- Uma **driver's license** (_drái_-vârs _lái_-sâns; carteira de motorista) válida. A carteira de motorista pode ser internacional ou mesmo brasileira.

- Um **major credit card** (_mâi_-djâr _cré_-dit cárd; cartão de crédito de uma das principais entidades). Geralmente, as empresas de aluguel de carros só aceitam Visa, American Express ou MasterCard.

Alugar um carro não é muito caro, especialmente se dividir a despesa com amigos. A maior parte das empresas aluga os veículos **by the day** (_bái dâ dâi_; ao dia) e oferecem 200 ou mais **free miles** (_fri máils_; milhas gratuitas), o que significa que não cobram mais pelos quilômetros que fizer até esse número. Algumas companhias oferecem **free miles** ilimitadas por uma taxa adicional. A seguir alguns dos termos que você pode precisar para escolher o carro que quer alugar:

Capítulo 12: De um Lado para o Outro: Meios de Transporte **217**

- **compact** (_cón-péct_; compacto)

- **luxury** (_lâc-châ-ri_; de luxo)

- **mini-van** (_mi-ni vén_; minivan)

- **two-door** (_tu dór_; duas portas)

- **four-door** (_fór dór_; quatro portas)

- **stick shift** (_stic chift_; transmissão manual)

Diálogo

Karen e o filho estão numa agência tratando do aluguel de um carro para uma viagem a Boston.

Agente: **Can I help you?**
quén ái hélp iú
Posso ajudá-los?

Karen: **We want to rent a car.**
uí uónt tu rênt â cár
Queremos alugar um carro.

Agente: **What type of car do you want?**
uót táip óf cár du iú uónt
Que tipo de carro desejam?

Karen: **A small four-door with automatic transmission.**
â smól fór dór uíth ó-tó-mé-tic tréns-mi-chân
Um carro pequeno, de quatro portas, com câmbio automático.

Agente: **All our cars are automatics.**
ól áur cárs ár ó-tó-mé-tics
Todos os nossos carros têm câmbio automático.

Karen: **What's the price?**
uóts dâ práis
Qual é o preço?

Agente: **$25 per day with 200 free miles.**
tuên-ti fáiv pâr dâi uíth tu hân-drâd fri máils
25 dólares por dia com 200 milhas grátis.

Karen: **Okay, we'll take it.**
ôu-cái uíl tâic it
OK, ficaremos com um.

Agente:	**I need to see your driver's license and credit card.**
	ái nid tu si iór <u>drái</u>-vârs <u>lái</u>-sâns énd <u>cré</u>-dit cárd
	Preciso ver a sua carteira de motorista e um cartão de crédito.

Karen:	**Here you are.**
	hir iú ár
	Aqui está

Agente:	**Would you like to buy extra insurance?**
	uúd iú láic tu bái <u>écs</u>-trâ in-<u>chu</u>-râns
	Gostaria de contratar um seguro adicional?

Karen:	**No, thanks.**
	nôu théncs
	Não, obrigado.

Pela Estrada Afora

Antes de se meter na autoestrada ou no trânsito dos centros urbanos, você deve conhecer algumas das mais importantes **rules of the road** (*ruls óf dâ rôud*; regras de trânsito) e saber como interpretar os **road signs** (*rôud sáins*; sinais de trânsito). Antes de tudo, e como já deve ter reparado, lembre-se sempre de que, nos Estados Unidos, se conduz como no Brasil, ou seja, pelo **right-hand side** (*ráit hénd sáid*; lado direito). Há alguns sinais de trânsito que são universais, ou pelo menos lógicos. Por exemplo, um sinal com crianças andando com pastas e livros indica claramente que precisa ter cuidado porque podem aparecer crianças indo ou voltando da escola. A seguir, você encontrará as descrições de alguns sinais de trânsito básicos:

- **Stop** (*stóp*; Stop): é o típico hexágono vermelho com as letras brancas.

- **Yield** (*iíld*; dê preferência): um triângulo branco com uma borda vermelha.

- **One-way street** (*uón uâi strit*; via de mão única): uma seta branca sobre um fundo negro.

- **No U-turn** (*nôu iú târn*; retorno proibido): um retângulo branco com uma seta negra em forma de U, com o símbolo vermelho universal de proibido em cima.

- **Railroad crossing** (<u>râil</u>-rôud <u>cró</u>-sing; linha férrea): um X negro sobre um fundo branco com as letras RR.

Em alguns estados, pode-se **turn right** (*târn ráit*; virar à direita) num semáforo vermelho, mas só da faixa mais à direita e unicamente quando não houver carros no cruzamento. Tenha cuidado com pedestres na faixa de pedestre e procure por sinais que digam **no turn on red** (*nôu târn ón réd*; não se pode virar com o semáforo vermelho).

Capítulo 12: De um Lado para o Outro: Meios de Transporte

Os limites de velocidade e as restantes regras de trânsito são estritamente aplicados, e as infrações de trânsito têm, frequentemente, multas elevadas. Se um policial mandar parar, encoste o carro devagar à direita e mantenha-se dentro do veículo. O agente irá à sua janela. Não fique nervoso – coopere e seja simpático.

Palavras a saber

stop sign	stóp sáin	sinal de parada
traffic light	tré-fic láit	semáforo
pedestrian	pe-dés-tri-âns	pedestres
crosswalk	crós-uóc	passagem de pedestres
intersection	in-târ-séc-chân	cruzamento

Comparar milhas e quilômetros

Alguma vez participou numa corrida de 10k (ou seja, de dez quilômetros)? Nos Estados Unidos, as corridas 10k são muito comuns. 10 quilômetros equivalem a umas 6,2 milhas. Mas aí acaba o que a maior parte dos americanos sabe sobre quilômetros. A verdade é que o país está muito mais familiarizado com as milhas. Apesar de algumas esforçadas campanhas para que os EUA passem para o sistema métrico décimal, a verdade é que o país sempre se apegou ao seu sistema de medidas, talvez por hábito, talvez pelos custos da mudança (e para evitar converter todas as letras das canções que usam as palavra **miles**, como **I can see for miles and miles and miles**. Tem alguma ideia do esforço que isso representaria?). Por isso, quando vir um sinal que diga 300 milhas para Nova York, não se deixe enganar. Se está habituado a pensar em quilômetros, o seu cérebro dirá: "Não é assim tão longe." Mas lembre-se sempre que cada milha são 1,6 quilómetros, o que transforma essas 300 milhas em quase 500 quilômetros.

As Ped X-ing e as crianças lentas

Quando um amigo meu britânico viu as letras **Ped X-ing** pintadas na estrada à sua frente não foi capaz de perceber a que se referiam. Quem poderia adivinhar que **Ped X-ing** é uma forma abreviada de **Pedestrian Crossing** (pedés- tri-ân cró-sing; passagem de pedestres). Hoje em dia também pode-se encontrar a indicação **RR X-ing** pintada na rua. Estas letras indicam que há uma linha de trem mais à frente.) E que me diz do sinal que indica **Slow Chi-dren** (slôu tchil-drân; Devagar, Crianças)? Uma pessoa pode perguntar a si própria se deve ter atenção com crianças que andam devagar ou se a área é especial para crianças que tenham notas ruins na escola. Mas, a verdade é que o sinal é simplesmente um aviso para que o condutor **drive slowly** (dráiv slôu-li; dirija devagar) porque pode encontrar crianças. (Supõe-se que os sinais de trânsito devem ser fáceis de ler, e não complicados, não é?)

Abastecer

Quando estiver conduzindo, talvez sinta a necessidade de encontrar uma **gas station** (*gués stâi-chân*; posto de gasolina). Se não vir nenhum sinal indicador na estrada, pare e faça uma das seguintes perguntas:

> ✔ **Where is the nearest gas station?** (*uér iz dâ ni-râst gués stâi-chân*; Onde é o posto de gasolina mais próximo?).

> ✔ **Where can I buy gas?** (*uér quén ái bái gués*; Onde posso comprar gasolina?).

A maior parte das bombas de gasolina dos EUA é self-service, ou seja, é o próprio comprador que **pump** (*pâmp*; maneja a bomba). Mas, em alguns lugares ainda se pode encontrar alguns postos **full service** (*ful sâr-vis*; serviço completo), onde encontrará um **attendant** (*â-tên-dânt*; atendente) que colocará a gasolina e talvez **check your oil** (*tchéc iór óil*; verifique o óleo) e os **tires** (*táirs*; pneus).

Encontrará o preço por **gallon** (*gué-lân*; galão) indicado na própria bomba, e pode ter que pagar antes ou depois de abastecer, dependendo da política da empresa. Muitas vezes, tem que pagar no interior do posto, que pode ser um pequeno **mini-market** (*mi-ni már-cât*; minimercado), com lanches e bebidas.

Há quatro tipos básicos de combustível: **unleaded** (*ân-lé-dâd*; sem chumbo), **regular** (*ré-guiú-lâr*; normal), **super** (*su-pâr*; super) e **diesel** (*di-zâl*; diesel).

Se pagar o combustível antes de encher o depósito, pode usar uma das seguintes expressões para dizer ao empregado quanto quer:

> ✔ **I want 10 gallons of regular.** (*ái uónt tén gué-lâns óf ré-guiú-lâr*; Quero dez galões de normal).

> ✔ **Give me 20 dollars of unleaded.** (*guiv mi tuên-ti dó-lârs óf ân-lé-dâd*; Dê-me vinte dólares de sem chumbo).

> ✔ **I want to fill it up.** (*ái uónt tu fil it âp*; Quero encher o tanque.) A expressão **fill it up** significa encher o tanque.

Diálogo

Adam vai começar uma viagem de carro e para num posto de gasolina **self-service** para encher o tanque. Observe como fala com o atendente.

Empregado: **How much?**
háu mâtch
Quanto quer?

Capítulo 12: De um Lado para o Outro: Meios de Transporte 221

Adam: **Fill 'er up.**
fi-lâr âp
Quero encher.

Empregado: **Which pump are you on?**
uítch pâmp ár iú ón
Em que bomba está?

Adam: **Pump 8.**
pâmp âit
Na bomba 8.

Empregado: **You need to pay first and come back for your change.**
iú nid tu pâi fârst énd câm béc fór iór tchâindj
Você precisa pagar primeiro e voltar para buscar o seu troco.

Adam: **Okay, I'll give you 25 dollars.**
ôu-câi áil guiv iú tuên-ti dó-lârs
OK, lhe darei 25 dólares.

Empregado: **That's fine. Go ahead and start the pump. It stops automatically.**
déts fáin gôu â-héd énd stárt dâ pâmp it stóps ó-tó-mé-ti-cli
Perfeito. Pode ir e encher o tanque. A bomba para automaticamente.

Adam: **Thanks.**
théncs
Obrigado.

Palavras a saber

gas station	*gués stâi-chân*	posto de gasolina
pump	*pâmp*	bomba
to pump	*tu pâmp*	operar a bomba
oil	*óil*	óleo
gas tank	*gués ténc*	tanque
tires	*táirs*	pneus

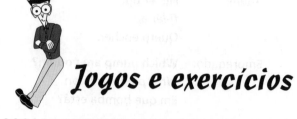

Jogos e exercícios

Este capítulo te prepara para encontrar o seu caminho em territórios estranhos. Por isso, procure resolver o mais rapidamente possível esta sopa-de-letras encontrando as palavras **bus, cab, car, freeway, gas, oil, plane, street, subway, taxi, tire, traffic, train, trip, U-turn** e **yield**. (As palavras estão escondidas na horizontal, na vertical e na diagonal).

X	A	T	M	P	S	U	B	W	A	Y
R	C	A	R	L	O	T	U	Q	E	I
A	Z	X	E	A	F	U	R	U	M	E
T	R	I	P	G	I	R	I	E	U	L
R	O	M	S	L	C	N	E	E	E	D
A	D	U	P	R	X	A	S	O	E	T
F	B	G	H	L	G	K	T	M	I	R
F	R	E	E	W	A	Y	I	I	F	L
I	D	A	G	H	S	N	L	X	R	N
C	A	B	B	O	A	S	E	A	C	E

Parte IV
De Mudança

A 5ª Onda — Por Rich Tennant

"Hoje consegui consertar o carro usando apenas o vocabulário de comida que conheço. Pedi para encherem o tanque de café e para mudarem o molho de carne e o donut esquerdo e traseiro."

Nesta parte...

Se estiver pensando em se mudar e ficar nos EUA durante algum tempo, estes capítulos podem ajudar a tratar das suas necessidades domésticas, de trabalho e pessoais. Aqui encontrará o inglês necessário para usufruir da sua casa, para se sentir confortável no seu posto de trabalho e, quando tiver acabado de trabalhar, para ter férias estupendas ou simplesmente para se descontrair. E, finalmente, encontrará também um capítulo com conselhos sobre segurança, como resolver emergências e como obter ajuda médica. Esperamos que nunca tenha de usar essas últimas informações, mas como é melhor prevenir do que remediar...

Capítulo 13

Andar pela Casa

Neste Capítulo

▶ Conhecendo uma casa americana

▶ Identificando os principais elementos domésticos

▶ Visitando a casa de alguém

▶ Usando expressões para a limpeza

▶ Compreendendo os problemas que precisam de solução

Se você perguntar a um americano o significado de "sonho americano", muita gente responderá que é "ter casa própria". Mas, outros fatores impedem que muita gente possa realmente comprar uma casa. Imagino que seja por isso que chamam um sonho.

Mas, independentemente de ser comprada ou alugada, a maior parte dos americanos passa muito tempo em casa e gosta de receber visitas. E, se for visitar um lar americano, o melhor é saber um pouco de inglês. Este capítulo vai lhe apresentar uma típica casa americana. Aqui você encontrará o vocabulário e as estruturas que permitirão conhecer e ajudar a manter uma casa limpa e em boas condições. E, também, explicarei alguns costumes americanos para que saiba o que deve fazer quando visitar a casa de alguém.

A Diferença Entre uma Casa e um Lar

Geralmente, os americanos usam a palavra **house** (*háus*; casa) para descrever uma estrutura física, como na frase **I live in a house** (*ái liv in â háus*; Eu vivo numa casa). Mas quando se referem ao seu lar, ao seu refúgio pessoal, ao lugar onde se sentem em casa, usam a palavra **home** (*hôum*; lar), como nas frases **I'm going home** (*áim gôu-ing hôum*; Vou para casa) ou **Welcome to my home** (*uél-câm tu mái hôum*; Bem-vindo a minha casa). Aqui tem outros tipos de habitação disponíveis nos EUA:

▸ **apartment** (*â-párt-mânt*; apartamento)

▸ **condominium** (*cón-dô-mi-niâm*; condomínio)

▸ **mobile home** (*môu-báil hôum*; trailer)

Como é por dentro?

Abra a porta e entre numa típica **residence** (*ré-zi-dêns*; residência) americana. O mais normal será encontrar dois ou três **bedrooms** (*béd-rums*; quartos) com um ou dois **bathrooms** (*béth-rums*; banheiros). Talvez possa mesmo encontrar um **half-bath** (*háf-béth*; lavabo), que não é exatamente uma meia **bathtub** (*béth-tub*; banheira)! É um banheiro só com um **sink** (*sinc*; lavatório) e um **toilet** (*tói-lât*; sanitário), e sem banheira!

Dependendo do tamanho da casa, também poderá encontrar algumas destas dependências:

- **den** (*dén*; sala de estar) ou **family room** (*fé-mi-li rum*; sala de estar)
- **dining room** (*dái-ning rum*; sala de jantar)
- **kitchen** (*qui-tchân*; cozinha)
- **living room** (*li-ving rum*; salão)
- **office** (*ó-fis*; escritório)
- **utility room** (*iú-ti-li-ti rum*; despensa ou quarto de bagunça)

Para continuar a visita, atravesse o **hall** (*hól*; hall) que liga as diversas dependências, suba as **stairs** (*stérs*; escadas), se estiver numa casa **two storey** (*tu stó-ri*; de dois andares), e chegará ao **second floor** (*sé-când flór*; primeiro andar). Ou desça as escadas para a **basement** (*bâiz-mânt*; fundamento) por baixo da casa, embora muitas das casas mais modernas já não tenham porão. Quer apanhar um bocado de ar fresco? Saia para o **porch** (*pórch*; varanda). Ou, se houver um **deck** (*déc*; terraço) ou **patio** (*pé-ti-ôu*; pátio), pegue uma rede e aprecie o aroma das flores e da erva do **yard** (*iárd*; jardim) (e se vier à minha casa, ainda te ofereço um copo de chá gelado!).

O chão que pisamos

É bastante normal encontrar uma espessa **wall--to-wall carpet** (*uól tu uól cár-pât*; carpete) em muitas casas americanas. As pessoas gostam de carpetes porque é mais macio, mais silencioso e mais quente do que um **bare floor** (*bér flór*; soalho nu). Mas também há muita gente que prefere os tons quentes e o brilho de um **hardwood floor** (*hárd-uúd flór*; assoalho de madeira) coberto apenas com alguns **throw rugs** (*throu râgs*; tapetes). Talvez se pergunte: mas como é que se limpa este carpete? É simples, com um aspirador potente e um shampoo normal!

Nos EUA, o andar térreo de uma casa ou de um edifício é chamado o **first floor** (*fârst flór*; térreo) ou **ground floor** (*gráund flór*; andar térreo) e o andar imediatamente superior é o **second floor** (*sé-când flór*; primeiro andar), que é seguido pelo **third floor** (*thârd flór*; segundo andar) e assim por diante. (Pode encontrar mais informação sobre este tema no Capítulo 14).

Capítulo 13: Andar pela Casa **227**

Como visita numa casa americana, geralmente, só será convidado a entrar na sala de estar, na sala de jantar e talvez na cozinha. Mas se a casa for nova, ou tiver sido remodelada há pouco tempo, o seu anfitrião (ou anfitriã) poderá ter gosto em mostrar o resto da casa, incluindo os quartos e as casas de banho. Enquanto estiver mostrando a casa, o mais provável é que o seu anfitrião explique todos os elementos da mobília. Para dispor de vocabulário suficiente para seguir uma visita deste gênero, o melhor será aprender a seguinte lista de palavras:

- Mobiliário da cozinha:

  - **cabinets** (_qué-bi-nâts_; armários)
  - **microwave** (_mái-crôu-uâiv_; micro-ondas)
  - **refrigerator** (_re-fri-dje-rái-târ_; geladeira)
  - **sink** (_sinc_; lava-louça)
  - **stove** (_stôuv_; forno)

- Mobiliário da sala de jantar:

  - **hutch** (_hâtch_; aparador)
  - **table and chairs** (_tâi-bâl énd tchérs_; mesa e cadeiras)

- Mobiliário da sala de estar:

  - **armchair** (_árm-tchér_; cadeirão)
  - **coffee table** (_có-fi tâi-bâl_; mesa de centro)
  - **couch** (_cáutch_; sofá)
  - **desk** (_désc_; escrivaninha)
  - **end tables** (_ênd tâi-bâls_; mesinhas)
  - **fireplace** (_fái-âr-plâis_; lareira)
  - **lamp** (_lémp_; lustre/luminária)

- Mobiliário do quarto:

  - **bed** (_béd_; cama)
  - **closet** (_cló-zât_; armário)
  - **dresser** (_dré-sâr_; cômoda)

- Mobiliário da casa de banho:

  - **bathtub** (_béth-tâb_; banheira)
  - **shower** (_cháu-âr_; chuveiro)
  - **sink** (_sinc_; lavatório)
  - **toilet** (_tói-lât_; sanitário)

Preposições espaciais: on, under e near

Uma preposição espacial indica a localização de um objeto em relação a outro ponto de referência. Por exemplo, a preposição **on** (_ón_; em) na frase

228 Parte IV: De Mudança

The cat is on the sofá (dâ quét iz ón dâ <u>sôu</u>-fâ; O gato está no sofá) indica exatamente onde encontrar o gato: nas almofadas do sofá (além da alta probabilidade de que o seu sofá esteja cheio de pêlos!).

Aqui tem uma lista com algumas das mais úteis preposições espaciais:

- **above** (â-<u>bâv</u>; em cima)
- **against** (â-<u>guénst</u>; contra)
- **behind** (bi-háind; atrás)
- **below** (bi-<u>lôu</u>; por baixo)
- **beside** (bi-<u>sáid</u>; ao lado)
- **in** (in; em) ou **inside of** (in-<u>sáid</u> óf; dentro de)
- **in front of** (in frânt óf; em frente de)
- **near** (nir; perto)
- **next to** (nécst tu; ao lado de)
- **on** (ón; em) ou **on top of** (ón tóp óf; em cima de)
- **under** (<u>ân</u>-dâr; debaixo) ou **underneath** (ân-dâr-<u>nith</u>; embaixo)

Se um amigo ou amiga pedir que o/a ajude a mudar a **furniture** (fâr-nitchâr; mobília), vai precisar conhecer algumas preposições de espaço para que o tapete possa ficar **under** – e não **on** – da mesa de café. Aqui tem algumas das frases que o seu amigo ou amiga poderá usar (especialmente, se contar com você para fazer o trabalho todo!):

- **Move the couch against the wall.** (muv dâ cáutch â-<u>guénst</u> dâ uól; Ponha o sofá encostado à parede).
- **Put the table near the window.** (put dâ <u>tâi</u>-bâl ni dâ <u>uín</u>-dôu; Ponha a mesa perto da janela).
- **Lay the rug in front of the door.** (lai dâ râg in frânt óf dâ dór; Estenda o tapete na frente da porta).
- **Tired? Put yourself on the couch.** (<u>tâi</u>-ârd put iór-<u>sélf</u> ón dâ cáutch; Está cansado? Sente-se no sofá).

Diálogo

Anne está numa loja de móveis à procura de móveis para a sua casa nova.

Vendedor: **May I help you?**
mâi ái hélp iú
Posso te ajudar?

Capítulo 13: Andar pela Casa **229**

Anne:	**Yes. I need some lamps.**
	iés ái nid sâm lémps
	Sim. Preciso de alguns lustres/luminárias.
Vendedor:	**Most of the lamps are over here.**
	môust óf dâ lémps ár ôu-vâr hir
	A maior parte dos lustres/luminárias está aqui.
Anne:	**I want two matching table lamps to go on my end tables.**
	ái uónt tu mé-tching tâi-bâl lémps tu gôu ón mái ênd tâi-bâls
	Quero dois lustres/luminárias iguais para pôr nas minhas mesas da sala de estar.
Vendedor:	**We have many styles to choose from.**
	uí hév mé-ni stáils tu tchuz frôm
	Temos muitos estilos entre os quais escolher.
Anne:	**Okay, I'll just look.**
	ôu-câi áil djâst luc
	OK, vou dar uma olhada.

Depois, Anne dirige-se ao departamento de mobiliário de um grande armazém à procura de um tapete.

Anne:	**Do you carry rugs?**
	du iú qué-ri râgs
	Têm tapetes?
Vendedor:	**Yes, right over there. What type do you want?**
	iés ráit ôu-vâr dér uót táip du iú uónt
	Sim, estão ali mesmo. Que tipo deseja?
Anne:	**I want a large area rug to go under my dinette set.**
	ái uónt â lárdj é-ria tu gôu ân-dâr mái dái-nét sét
	Quero um tapete grande para pôr debaixo da minha mobília da sala de jantar.
Vendedor:	**About how large?**
	â-báut háu lárdj
	Mais ou menos de que tamanho?
Anne:	**Approximately 6 feet by 8 feet.**
	â-pró-csi-mâ-tli sics fit bái âit fit
	De aproximadamente 6 pés de largura por 8 pés de comprimento.

Palavras a saber

furniture	fâr-ni-tchâr	mobília
appliance	â-plái-âns	eletrodoméstico
household	háus-hóuld	casa, doméstico
floor	flór	assoalho
ceiling	si-ling	teto
wall	uól	parede
door	dór	porta

Bem-vindo: visitar a casa de alguém

É normal que um americano diga **Come over sometime** (*câm ôu-vâr sâm-táim;* Venha visitar-nos um dia destes), mas, geralmente, esta frase não deve ser considerada um convite formal para uma visita. É apenas uma expressão de amizade e uma indicação de que a pessoa poderá te convidar no futuro. Um convite formal indica uma hora e uma data específicas. Por exemplo:

- ✔ **Can you come to my house for dinner next Tuesday?** (*quén iú câm tu mái háus fór di-nâr necst tiús-dâi;* Pode vir jantar na minha casa na próxima terça-feira?).

- ✔ **We'd like to have you over for dinner. How about this Saturday?** (*uíd láic tu hév iú ôu-vâr fór di-nâr háu â-báut dis sé-târ-dâi;* Gostaríamos que fosse jantar lá em casa. Que tal neste sábado?).

E pode responder com:

- ✔ **Thank you. That would be great.** (*thénc iú dét uúd bi grâit;* Muito obrigado. Será um prazer).

- ✔ **I'd love to come. Thank you.** (*áid lâv tu câm thénc iú;* Eu adoraria ir. Muito obrigado).

Deve-se tirar os sapatos quando se **enter** (*ên-târ;* entra) na casa de um americano? Depende do anfitrião. A maior parte dos americanos usa sapatos em casa e não os descalça, enquanto não estiver pronta para descansar ou para ir deitar. Mas algumas pessoas estão cansadas de estar sempre limpando do chão a sujeira trazida da rua; por isso, não fique surpreendido se vir uma pessoa tirar os sapatos quando entrar em casa. Como convidado na casa de alguém, não se espera tirar os sapatos, a menos que note que os seus anfitriões andam só nos **stocking feet** (*stó-quing fit;* pés com meias). Então pode perguntar **Should I take off my shoes?** (*chud ái tâic óf mái chuz;* Preferem que tire os sapatos?).

Diálogo

 O diálogo seguinte dá algumas frases básicas para quando visitar a casa de alguém (ou convidar alguém para sua casa). Lois foi visitar os seus novos amigos, Effe e Portia. (Faixa 30)

Lois: **Hello.**
hé-*lôu*
Olá.

Portia: **Welcome! Please come in!**
uél-câm pliz câm in
Bem-vinda! Entre, por favor!

Lois: **What a lovely home you have.**
uót â *lâv*-li hôum iú hév
Que casa linda você tem.

Portia: **Thank you.**
thénc iú
Muito obrigada.

Effe: **Hi, Lois. We're glad you could come.**
hái lôis uir gléd iú cud câm
Olá, Lois. Estamos muito contentes por ter vindo.

Lois: **Thank you for inviting me.**
thénc iú fór in-*vái*-ting mi
Muito obrigada por me convidarem.

Effe: **May I take your coat?**
mâi ái tâic iór côut
Quer que guarde o seu casaco?

Lois: **Yes, thanks. Should I take off my shoes?**
iés théncs chud ái tâic óf mái chuz
Sim, obrigada. Preferem que tire eu os sapatos?

Portia: **If you like, but it's not necessary.**
if iú láic bât its nót *né*-sâ-sé-ri
Se quiser, mas não é necessário.

Effe: **Please, sit down. Would you like something to drink — soda, wine, juice?**
pliz sit dáun uúd iú láic *sâm*-thing tu drinc *sôu*-dâ uáin djus
Sente-se, por favor. Quer tomar alguma coisa? Um refrigerante, vinho, suco?

Lois: **Thanks. I'll have a soda.**
théncs áil hév a *sôu*-dâ
Muito obrigada. Se tiver, gostaria de tomar refrigerante.

Levar um presente

Quando se é um **guest** (*guést*; convidado) na casa de alguém, é um boa ideia levar um **gift** (*guift*; presente) para o anfitrião. Não é necessário, mas sempre se agradece (e é um sinal de boa educação). Para acontecimentos informais, pode levar doces, a sobremesa, flores, vinho ou cerveja de boa qualidade. Quando der o presente, pode dizer qualquer coisa como:

✔ **This is for you.** (*dis iz fór iú*; Isto é para você).

✔ **I brought you something.** (*ái brót iú sâmthing*; Eu trouxe uma coisinha). Se ficar dormindo na casa de alguém durante uma noite, ou mais tempo, talvez não seja má ideia oferecer um presente mais substancial ou enviar um **thank you gift** (*thénc iú guift*; presente de agradecimento) depois de ter ido embora. Os presentes típicos para estas ocasiões são coisas para o lar ou alguma coisa típica do Brasil, por exemplo.

Sem cerimônias

Se ficar na casa de alguém durante mais do que uns dias, não se surpreenda ou ofenda se o seu anfitrião disser **help yourself** (*hélp iór-sélf*; que se sirva) da comida da geladeira. Ou se te disser **make yourself at home** (*mâic iór-sélf ét hôum*; faça como se estivesse em sua casa) e depois mostrar onde está o café ou a comida, ou mesmo como usar a máquina de lavar roupa. No Brasil, isto pode ser visto como uma forma pouco delicada de tratar um hóspede, mas, nos EUA, é uma forma de mostrar às pessoas que pertencem à família e que podem usar a casa como se fosse sua.

Em algumas culturas, é de boa educação recusar quando lhe oferecerem comida ou bebida duas ou três vezes antes de aceitar. Mas, nos Estados Unidos, se recusar uma vez é muito provável que não tenha uma segunda oportunidade! Por quê? Porque aqui é considerado incômodo que um anfitrião ou anfitriã pergunte repetidamente ou force os convidados a aceitar comida ou bebida. As pessoas raramente oferecem comida mais do que duas vezes. Por isso, se tiver fome, sede ou simplesmente quiser aceitar o gesto social, diga **Yes, thank you** (*iés thénc iú*; Sim, obrigado) logo na primeira vez que lhe oferecerem qualquer coisa.

Palavras a saber

to invite	tu in-*váit*	convidar
invitation	in-vi-*tâi*-chân	convite
to visit	tu *vi*-zit	visitar
guest	guést	convidado
host	hôust	anfitrião
welcome	*uél*-câm	bem-vindo
gift	guift	presente

A Limpeza

Há pouca gente que realmente gosta de fazer o **housework** (*háusuârc*; trabalho doméstico), mas, quando a casa começa a ficar desarrumada, é preciso **clean up the clutter** (*clin âp dâ clâ-târ*; arrumar as coisas). Pode utilizar diversos produtos e aparelhos para tornar a limpeza mais rápida e mais fácil. Mas, apesar de todas as conveniências da vida contemporânea, o **housework** continua a ser uma **chore** (*tchór*; obrigação).

Muitos americanos limpam pessoalmente a sua casa por não terem uma **maid** (*mâid*; diarista / faxineira) ou **housekeeper** (*háus-qui-pâr*; empregada doméstica) para lhes dar uma ajuda. As empregadas domésticas cobram geralmente entre 15 e 25 dólares por hora; por isso, muita gente pensa que não se pode permitir o luxo de ter uma. (E muitos americanos consideram que ter uma empregada doméstica é realmente um luxo).

Os longos horários de trabalho acabam por fazer com que a maior parte das pessoas deixe a limpeza da casa para os finais de semana. Quando tiver de falar sobre limpar a casa, use as seguintes expressões para as tarefas mais básicas:

- **clean the bathroom** (*clin dâ béth-rum*; limpar o banheiro)
- **scrub the toilet** (*scrâb dâ tói-lât*; limpar o sanitário)
- **vacuum the carpets** (*vé-quiú-âm dâ cár-pâts*; passar o aspirador pelos tapetes)
- **mop the floors** (*móp dâ flórs*; esfregar o chão)
- **wash the dishes** (*uách dâ di-châs*; lavar os pratos)
- **dust the furniture** (*dâst dâ fâr-ni-tchâr*; limpar o pó da mobília)
- **wash the windows** (*uósh dâ uin-dôus*; lavar as janelas)

Palavras a saber

housework	háus-uârc	trabalho doméstico
housekeeper	háus-qui-pâr	empregada doméstica
clean up	clin âp	limpar
clutter	clâ-târ	desarrumação
chore	tchór	tarefa

234 Parte IV: De Mudança

Verbos para a limpeza: to do e to make

Os verbos **to do** (*tu du*; fazer) e **to make** (*tu mâic*; fazer) são frequentemente usados para falar sobre os trabalhos domésticos. Mas tenha cuidado! Em casa há coisas que se fazem com **to do** e há outras que se fazem com **to make**. Não há nenhuma regra que ajude a diferenciar umas tarefas das outras; por isso, o melhor para aprendê-las bem é... **make a list** (*mâic â list*; faça uma lista).

Aqui tem algumas coisas que se fazem com **to do**:

- **do the dishes** (*du dâ di-ches*; lavar os pratos)

- **do the laundry** (*du dâ lón-dri*; lavar a roupa)

- **do the ironing** (*du di ái-râ-ning*; passar a roupa a ferro)

E aqui, outras que se fazem com **to make**:

- **make the beds** (*mâic dâ béds*; fazer as camas)

- **make a meal** (*mâic â mil*; preparar uma refeição)

Diálogo

Os Bremer receberão visitas; por isso, a família toda está ajudando na limpesa da casa.

Mãe: **Everyone has to pitch in and help do the cleaning.**
é-vri-uón hés tu pitch in énd hélp du dâ cli-ning
Todos têm que dar uma mão e ajudar a arrumar a casa.

Aaron: **I'll empty the trash and make the beds.**
áil êm-pti dâ tréch énd mâic dâ béds
Vou colocar o lixo para fora e arrumar as camas.

Kristy: **I'll do the vacuuming and dusting.**
áil du dâ vé-cuâ-ming énd dâs-ting
Eu passo o aspirador e limpo o pó.

Mãe: **Lisa, you pick up your toys.**
li-sa iú pic âp iór tóis
Lisa, arrume os seus brinquedos.

Pai: **I'll do the dishes.**
áil du dâ di-ches
Eu lavo os pratos.

Mãe: **And I'll start making the dinner.**
énd áil stárt mâi-quing dâ di-nâr
E eu vou começar a fazer o jantar.

Lisa:	**What will Joseph do?**
	uót uíl <u>djôu</u>-zâf du
	E o que o Joseph vai fazer?
Pai:	**He's only a baby. He gets to play while we do the work.**
	hiz <u>ôn</u>-li â <u>bâi</u>-bi hi guéts tu plâi uáil uí du dâ uârc
	O Joseph ainda é um bebê. Pode ficar brincando enquanto nós trabalhamos.

Entre as obrigações das crianças americanas está a de ajudar a fazer os trabalhos domésticos, desempenhando tarefas adequadas às suas idades. Geralmente, recebem uma mesada pela ajuda que dão (mas só depois de terem feito tudo!).

Ferramentas para trabalhos domésticos e de jardinagem

Tanto se fizer pessoalmente a limpeza da casa e o **yardwork** (*iárd-uârc*; trabalhos de cuidado do jardim) como se contratar uma pessoa para ajudar, saber como se chamam algumas das ferramentas e produtos essenciais para a sua realização pode ser bastante útil, especialmente quando quiser pedir um rastelo ao vizinho!

Aqui tem os nomes de algumas das ferramentas básicas para a limpeza do interior da casa:

- **broom** (*brum*; vassoura)
- **mop** (*móp*; esfregão)
- **dishcloth** (*<u>dich</u>-clóth*; bucha para os pratos)
- **dish towel** (*dich <u>táu</u>-âl*; toalha para secar os pratos)
- **dishwasher** (*<u>dich</u>-uá-châr*; máquina de lavar louça)
- **detergent** (*di-<u>târ</u>-jânt*; detergente)
- **washer** (*<u>uó</u>-châr*; máquina de lavar roupa)
- **dryer** (*<u>drái</u>-âr*; secador de roupa)
- **furniture polish** (*<u>fâr</u>-ni-tchâr <u>pó</u>-lich*; produto de limpeza para móveis)
- **cleanser** (*<u>clin</u>-sâr*; limpador)

As seguintes ferramentas irão ajudá-lo a fazer os trabalhos de jardinagem:

- **lawn mower** (*lón <u>môu</u>-âr*; cortador de grama)
- **garden hose** (*<u>gár</u>-dân hôuz*; mangueira de jardim)

236 Parte IV: De Mudança

- **rake** (*râic*; ancinho)

- **clippers** (*cli-pârs*; tesouras de poda)

A Minha Linda Casinha: Como Resolver Problemas e Reparações

Esteve chovendo o dia todo e, de repente, a chuva já não está só ao lado de fora da casa: também está **dripping** (*dri-ping*; pingando) no tapete da sala! Ou a água do lavatório recusa-se a descer pelo ralo! Ou ainda pior, quando puxa a descarga, a água, em vez de descer, transborda o sanitário e inunda o banheiro! Enfim, já vê que há vários momentos na vida em que se tem de pedir ajuda a alguém...

Se a casa for de aluguel chame o **landlord** (*lénd-lórd*; proprietário) ou a **landlady** (*lénd-lâi-di*; proprietária), porque eles são os responsáveis pela resolução deste tipo de problemas (e pelas respectivas despesas!). Mas se a casa for sua pode ter de pedir ajuda a um dos seguintes profissionais:

- **electrician** (*i-léc-tri-chân*; eletricista)

- **plumber** (*plâ-mâr*; encanador)

- **repair person** (*ri-pér pâr-sân*; reparador geral)

- **roofer** (*ru-fâr*; reparador de telhados)

Descrever os Problemas Domésticos

Se estiver ligando para o encanador (ou para o proprietário) num momento em que a sua casa está se transformando num lago navegável, é sempre bom poder descrever o problema de uma forma rápida e precisa. Independentemente de quem chamar para resolver os problemas, as seguintes frases podem ajudar a explicar o que está acontecendo:

- **The roof is leaking.** (*dâ ruf iz li-quing*; Está entrando água pelo telhado).

- **The drain is clogged.** (*dâ drâin iz clógd*; O ralo está entupido).

- **The toilet has overflowed.** (*dâ tói-lât héz ôu-vâr-flôud*; O sanitário transbordou).

- **The light switch doesn't work.** (*dâ láit suítch dâ-zânt uârc*; O interruptor não funciona).

Capítulo 13: Andar pela Casa **237**

Diálogo

Devin vive numa casa velha, alugada. Algumas coisas começam a se estragar; por isso, Devin liga para o locador da casa, o Sr. James, para lhe explicar os seus problemas. (Faixa 31)

Devin: **Hello, Mr. James?**
hé-_lôu_ _mis_-târ jâims
Olá! Mr. James?

Mr. James: **Hi, Devin.**
hái _dé_-vin
Olá, Devin.

Devin: **There are some problems with the house.**
dér ár sâm _pró_-blâms uíth dâ háus
Há alguns problemas com a casa.

Mr. James: **What kind of problems?**
uót cáind óf _pró_-blâms
Que tipo de problemas?

Devin: **The bathroom faucet is dripping, and the toilet isn't working right.**
dâ _béth_-rum _fó_-sât iz _dri_-ping énd dâ _tói_-lât i-zânt _uâr_-quing ráit
A torneira do banheiro está sempre pingando e o sanitário não funciona bem.

Mr. James: **Is the hot or cold tap dripping?**
iz dâ hót ór côuld tép _dri_-ping
É a torneira da água quente ou da água fria que está pingando?

Devin: **The hot.**
dâ hót
A da água quente.

Mr. James: **And what about the toilet?**
énd uót â-_báut_ dâ _tói_-lât
E o que é que tem o sanitário?

Devin: **The water keeps running after I flush.**
dâ _uó_-târ quips _râ_-ning _é_-ftâr ái flâch
A água continua correndo depois de se ter puxado a descarga

Mr. James: **Okay, I'll come around 3 this afternoon to look at it.**
ôu-_câi_ áil câm â-_ráund_ thri dis éf-târ-_nun_ tu luc ét it
OK, passo por aí esta tarde, por volta das três, para dar uma olhada.

Devin:	**Thanks.**
	théncs
	Obrigado.
Mr. James:	**No problem.**
	nôu pró-blâm
	Sem problemas.

Palavras a saber

broken	*brôu-cân*	danificado / quebrado
problem	*pró-blâm*	problema
not working	*nót uâr-quing*	não funciona
to repair	*tu ri-pér*	consertar
to fix	*tu fics*	arranjar

Fazer os consertos pessoalmente

Também pode ser o caso de o leitor ser um autêntico mago "quebra-galho"ou querer poupar algum dinheiro fazendo pessoalmente os consertos. Neste caso, a **hardware store** (*hárd-uér stór*; loja de ferragens) tem tudo aquilo de que necessita. Aí pode encontrar as **tools** (*tuls*; ferramentas) de que precisa, conselhos dos vendedores e mesmo um livro sobre "quebra-galho". Na lista seguinte, dou algumas palavras úteis para ajudar a realizar pessoalmente seus consertos.

- **wrench** (*rêntch*; chave inglesa)
- **pliers** (*plái-ârs*; alicates)
- **screw driver** (*scru drái-vâr*; chave de fendas)
- **hammer** (*hé-mâr*; martelo)
- **nails** (*nâils*; pregos)
- **screws** (*scruz*; parafusos)
- **caulking** (*cól-quing*; selador)
- **masking tape** (*más-quing tâip*; fita adesiva)

Capítulo 13: Andar pela Casa 239

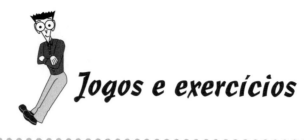

Jogos e exercícios

Dê uma volta por esta casa e identifique – em inglês, claro – as diferentes divisões e os elementos que nelas se encontram marcados com um número. Se quiser um exercício ainda mais completo, identifique todos os elementos que puder.

240 Parte IV: De Mudança

Capítulo 14

No Trabalho

Neste Capítulo

▶ Descrevendo a sua profissão e local de trabalho

▶ Falando sobre tempo e dinheiro

▶ Marcando encontros / compromissos

▶ Fazendo negócios com empresas americanas

Quer esteja fazendo negócios quer esteja descrevendo o que faz, saber alguma coisa sobre o estilo americano de fazer negócios e a linguagem própria do mundo empresarial pode proporcionar maior alívio depois do **handshake** (*hénd-châic*; aperto de mãos) inicial. Este capítulo está cheio de termos e expressões empresariais e conselhos sobre a cultura americana para guardar na sua **briefcase** (*brif-câis*; pasta) e levar contigo nas suas viagens de negócios pelos EUA.

A Que se Dedica: Descrever o Seu Trabalho

O que você quer ser quando crescer? Antes de uma criança crescer realmente, vai ter de ouvir esta pergunta centenas de vezes! Por quê? Porque, nos EUA, o **job** (*djób*; emprego) de uma pessoa é, muitas vezes, considerado tão importante como as suas crenças ou a sua família. Para muitos americanos, o seu **work** (*uârc*; trabalho) define o seu sentido de valor e de identidade.

Perguntar sobre o trabalho das pessoas

Poucos minutos depois de conhecer uma pessoa, é muito normal que um americano pergunte **What do you do?** (*uót du iú du*; O que é que você/ o senhor faz?) ou **What is your occupation?** (*uót iz iór ó-quiú-pâi-chân*; Qual sua ocupação?). Aqui tem mais duas formas de fazer esta pergunta:

✔ **What do you do for a living?** (*uót du iú du fór a li-ving;* Como ganha a vida?)

✔ **What kind of work do you do?** (*uót cáind óf uârc du iú du;* Que tipo de trabalho você faz?)

Estas perguntas podem ser respondidas indicando a sua profissão ou descrevendo o trabalho que faz:

✔ **I'm a computer programmer.** (*áim â côm-piú-târ prôu-gré-mâr;* Sou um programador de informática.) ou **I design computer programs.** (*ái di-záin com-piú-târ prôu-gréms;* Faço programas de informática).

✔ **I'm a truck driver.** (*áim â trâc drái-vâr;* Sou um condutor de caminhões.) ou **I drive a truck.** (*ái dráiv â trâc;* Conduzo um caminhão).

Quando indicar só a sua profissão, use o verbo **to be**, como na frase **I am a doctor** (*ái ém â dóc-târ;* Sou um médico). Quando descrever o que faz, use um verbo que explique o seu trabalho, como **I teach...** (*ái titch;* Eu ensino...) ou **I manage...** (*ái mé-nâdj;* Eu administro...).

Tem o seu próprio negócio? Então pode dizer **I own a business** (*ái ôun â biz-nâs;* Tenho uma empresa). Também pode dizer **I'm self-employed** (*áim sélf êm-plóid;* Trabalho por conta própria) ou **I work for myself** (*ái uârc fór mái-sélf;* Sou autônomo). Uma pessoa de idade que já não está trabalhando pode dizer **I don't work. I'm retired.** (*ái dônt uârc áim ri-tái-ârd;* Não trabalho. Estou aposentado).

Num ambiente empresarial é bastante comum oferecer o seu **business card** (*biz-nâs cárd;* cartão de visita) quando se conhece uma pessoa. Pode dizer **Here's my card** (*hirs mái cárd;* Aqui tem o meu cartão). Para pedir o cartão de alguém, pergunte **Do you have a card?** (*du iú hév â cárd;* Tem um cartão?).

Palavras a Saber

work	uârc	trabalho
job	djób	emprego
occupation	ó-quiú-pâi-chân	ocupação
a living	â li-ving	modo de vida
employee	êm-plói-i	empregado

Capítulo 14: No Trabalho **243**

Descrever Ocupações

Na televisão americana havia um concurso em que os participantes tinham que descobrir o trabalho ou a **line of work** (_láin óf uârc_; tipo de trabalho) de um convidado. Naturalmente, o trabalho em questão nunca era normal, como um **teacher** (_ti-tchâr_; professor) ou um **insurance salesperson** (_in-chu-râns sâils-pâr-sân_; vendedor de seguros). Os convidados tinham sempre trabalhos exóticos e praticamente impossíveis de adivinhar, como treinador de elefantes ou provador de chá profissional!

Para ajudar a descrever o seu trabalho (a menos que seja um desses exóticos), aqui estão algumas categorias profissionais gerais e algumas das profissões específicas:

- Profissionais liberais:

  - **dentist** (_dén-tist_; dentista)
  - **doctor** (_dóc-târ_; médico)
  - **engineer** (_ên-djâ-nir_; engenheiro)
  - **lawyer** (_lói-âr_; advogado)
  - **professor** (_prôu-fé-sâr_; professor universitário)
  - **psychologist** (_sái-có-lâ-djist_; psicólogo)

- Mundo empresarial:

  - **accountant** (_â-cáun-tânt_; contador)
  - **administrator** (_âd-mi-nis-trâi-târ_; administrador)
  - **CEO** (_si i ôu_; conselheiro delegado)
  - **secretary** (_sé-cre-té-ri_; secretário)

- Profissões:

  - **construction worker** (_cóns-trâc-chân uâr-câr_; trabalhador da construção)
  - **electrician** (_i-léc-tri-chân_; eletricista)
  - **mechanic** (_mâ-qué-nic_; mecânico)
  - **painter** (_pâin-târ_; pintor)
  - **plumber** (_plâ-mâr_; encanador)

- Mundo artístico:

  - **artist** (_ár-tist_; artista)
  - **entertainer** (_ên-târ-tâi-nâr_; artista de espetáculos)
  - **writer** (_rái-târ_; escritor)

- Serviços públicos:

  - **firefighter** (_fái-âr-fái-târ_; bombeiro)
  - **police officer** (_pôu-lis ó-fi-sâr_; agente de polícia)

244 Parte IV: De Mudança

✔ Outros:

- **farmer** (*fár-mâr*; agricultor)
- **factory worker** (*féc-tâ-ri uâr-câr*; empregado fabril)
- **salesperson** (*sâils-pâr-sân*; vendedor)
- **social worker** (*sôu-châl uâr-câr*; trabalhador social)

Diálogo

Nettie e Portia estão falando da família no cabeleireiro.

Nettie: **What are your children doing now?**
uát ár iór tchil-drân du-ing náu
O que seus filhos fazem agora?

Portia: **Ann is an architect working for a company in Seattle.**
én iz ân ár-qui-téct uâr-quing fór â câm-pâ-ni in si-é-tâl
A Ann é arquiteta e está trabalhando para uma empresa em Seattle.

Nettie: **Is your son still teaching?**
iz iór sân stil ti-tching
O seu filho ainda dá aulas?

Portia: **Yes. He's head of the English department.**
iés hiz héd óf di in-glich di-párt-mânt
Sim. É o chefe do Departamento de Inglês.

Nettie: **Excellent!**
é-cse-lânt
Fantástico!

Portia: **And how about your daughters?**
énd háu â-báut iór dó-târs
E as suas filhas, como estão?

Nettie: **Miriam is a landscaper and runs her own business.**
mi-ri-âm iz â lénd-scâi-pâr énd râns hâr ôun biz-nâs
A Miriam é arquiteta paisagista e tem sua própria empresa.

Portia: **Good for her.**
gud fór hâr
Que bom para ela!

Nettie: **And Deborah is a psychologist with a private practice.**
énd dé-bâ-râ iz â sái-có-lâ-djist uíth â prái-vât préc-tis
E a Deborah é psicóloga em seu próprio consultório.

Portia: **Wonderful!**
uân-dâr-ful
Maravilhoso!

Ir para o Trabalho

Se for como eu, é muito provável que prefira ficar na cama quando **the alarm goes off** (*di â-lárm gôuz óf*; toca o despertador), mas acaba se tornando inadiável **get up** (*guét âp*; levantar-se) e preparar-se para o trabalho. E depois lá se vai para o **job site** (*djób sáit*; local de trabalho): a **factory** (*fé-ctâ-ri*; fábrica), o **office** (*ó-fis*; escritório) ou a **classroom** (*clés-rum*; sala de aula). Ou, se for geólogo ou um vendedor ambulante, talvez trabalhe **out in the field** (*áut in dâ fild*; em campo), ou seja, num lugar fora das fábricas e dos escritórios (como é óbvio, se for um agricultor também trabalhará bastante no campo).

Trabalhadores blue-collar e white-collar

Talvez tenha ouvido, alguma vez, o velho provérbio de "o hábito não faz o monge" (ou a freira, atualmente). Mas a tradição de usar uma camisa de trabalho azul, quando se é um operário, e uma camisa branca, quando se é um executivo, inspirou por metonímia (ou seja, tomando uma parte pelo todo) os termos **blue-collar worker** (*blu có-lâr uâr-câr*; trabalhador de colarinho azul) e **white-collar worker** (*uáit có-lâr uâr-câr*; trabalhador de colarinho branco). Nos Estados Unidos, encontrará, certamente, estes termos usados em textos sobre temas sócioeconômicos e em estudos demográficos.

Descrever o local de trabalho

As pessoas fazem frequentemente a pergunta **Where do you work?** (*uér du iú uârc*; Onde você trabalha?) depois de saberem o que fazem. Esta pergunta pode ser respondida de uma forma geral ou específica, como nos exemplos seguintes:

✔ **work on a construction site.** (*ái uârc ón â cóns-trâc-chân sáit*; Trabalho numa obra).

✔ **have a desk job.** (*ái hév â désc djób*; Tenho um trabalho de escritório).

✔ **work for John Wiley and Sons.** (*ái uârc fór djón uái-li énd sâns*; Trabalho para a John Wiley and Sons).

Aqui tem outros lugares de trabalho comuns e algum vocabulário relacionado:

246 Parte IV: De Mudança

- **Fábrica**: Quando se ouve o apito na **factory** ou **manufacturing plant** (*mé-niú-féc-tchâ-ring plént*; centro de produção) é o momento de **clock in** (*clóc in*; bater o ponto) ou **punch a time clock** (*pântch â táim clóc*; bater o ponto) e dirigir-se para a **assembly line** (*â-sêm-bli láin*; linha de montagem) ou **production line** (*prôu-dâc-chân láin*; linha de montagem).

  Algumas pessoas trabalham em **shipping** (*chi-ping*; envios) e **receiving** (*ri-ci-ving*; recepções). Os **machinists** (*mâ-chi-nists*; mecânicos) realizam os trabalhos necessários para manter a maquinária funcionando sem problemas, enquanto o **quality-control personnel** (*cuá-li-ti cân-trôl pâr-sô-nél*; pessoal de controle de qualidade) verifica a qualidade e a consistência dos produtos fabricados.

- **Escritório**: Quando chegar ao escritório, a primeira coisa a fazer é ir tomar um café à **break room** (*brâic rum*; sala de descanso), e depois ir para a secretária para consultar o **e-mail** (*i mâil*; e-mail).

  Geralmente, só o Conselheiro Delegado ou os principais administradores da empresa têm **private offices** (*prái-vât ó-fi-ses*; escritórios particulares). O resto do **office staff** (*ó-fis stáf*; pessoal de escritório) pode partilhar um escritório ou uma grande sala dividida em **workspaces** (*uârc-spâi-ses*; espaços de trabalho) individuais ou **cubicles** (*quiú-bi-câls*; cubículos).

Equipamento de escritório

Mesmo um pequeno negócio está geralmente bem equipado com todas as peças possíveis e imaginárias de **office equipment** (*ó-fis i-cuíp-mânt*; equipamento de escritório) e papelaria. É muito provável que já conheça todo o equipamento que vamos indicar, por isso, aqui tem os seus nomes em inglês:

- **computer** (*côm-piú-târ*; computador)

- **copier** (*có-pi-âr*; fotocopiadora)

- **fax machine** (*fécs mâ-chin*; fax)

- **file cabinet** (*fáil qué-bi-nât*; arquivo)

- **keyboard** (*qui-bórd*; teclado)

Está sem papel? Alguém ficou com a sua fita adesiva? Veja se tem outra na gaveta da secretária, procure no **supply cabinet** (*sâ-plái qué-bi-nât*; armário de material) — ou com a secretária de um colega! – para ver se encontra estes artigos:

- **eraser** (*i-râi-zâr*; borracha)

- **file folders** (*fáil fôl-dârs*; pastas para arquivar)

- **paper** (*pâi-pâr*; papel)

- **paper clips** (*pâi-pâr clips*; clipes)

Capítulo 14: No Trabalho 247

- **pen** (*pén*; caneta)
- **pencil** (*pén-sâl*; lápis)
- **stapler** (*stâi-plâr*; grampeador)
- **tape** (*tâip*; fita adesiva)

Em que andar estou?

Quando entrar num **elevator** (*é-lâ-vâi-târ*; elevador), pode acabar num **floor** (*flór*; andar) indesejado se não recordar o seguinte: nos EUA, o térreo de um edifício é geralmente chamado de **first floor** (*fârst flór*; primeiro andar), **ground floor** (*gráund flór*; térreo) ou de **lobby** (*ló-bi*; térreo). E o andar seguinte é o **second floor** (*sé-când flór*; segundo andar) — e não o primeiro, como no Brasil, por exemplo. (As palavras **first**, **second**, e assim por diante, são os chamados números ordinais. Consulte o capítulo 8 para mais informações sobre este tema).

Não fique surpreendido se encontrar nos EUA um edifício que não tenha **thirteenth floor** (*thâr-tinth flór*; décimo terceiro andar)! Ou melhor, nenhum andar com o número 13 – os números dos andares podem saltar do **twelfth** (*tuélfth*; décimo segundo) para o **forteenth** (*fór-tinth*; décimo quarto). Por quê? Porque muitos americanos consideram que o número 13 dá azar. Talvez seja uma superstição infundada, mas há quem ache que não vale a pena se arriscar com estas coisas.

Descrever os colegas de trabalho

Como geralmente passamos muito tempo com as pessoas do nosso ambiente de trabalho, conhecer alguns termos para descrevê-los e para indicar o tipo de relação profissional que tem com você é bastante útil. Além do seu **boss** (*bós*; chefe) ou **employer** (*êm-plói-âr*; empregador), aqui tem uma pequena lista com as outras pessoas que pode encontrar no trabalho:

- **Business partner** (*biz-nâs pár-tnâr*; sócio): uma pessoa que partilha uma empresa com você.
- **Client** (*clái-ânt*; cliente): semelhante a um **customer**, mas num negócio que não seja de venda ao público ou num ambiente profissional.
- **Colleague** (*có-lig*; colega): um companheiro de trabalho num ambiente profissional ou acadêmico.
- **Co-worker** (*côu uâr-câr*; colega de trabalho): qualquer pessoa que trabalhe com você, geralmente, quando se trabalha para outrem.
- **Customer** (*câs-tâ-mâr*; consumidor): uma pessoa que entra num estabelecimento para comprar qualquer coisa.

Em inglês, a palavra **patron** (*pâi-trân*; freguês) tem o significado oposto a uma palavra muito semelhante em português e outras línguas românicas. Em inglês, **patron** significa freguês — e não patrão!

Palavras a Saber

office	ó-fis	escritório
factory	féc-tâ-ri	fábrica
staff	stéf	pessoal
boss	bós	chefe
employer	êm-plói-âr	patrão
employee	êm-plói-i	empregado

Tempo é Dinheiro

Não há certamente nenhum lugar onde o velho provérbio **time is money** (*táim iz mâ-ni*; O tempo é dinheiro) seja levado mais a sério do que nos lugares de trabalho americanos (apesar da atmosfera amigável e cordial). O objetivo das empresas americanas — desde as grandes corporações às pequenas e médias empresas – é **make a profit** (*mâic â pró-fit*; ter lucros).

Esqueça-se das imagens do cinema e da televisão com despreocupados americanos passando intermináveis dias de lazer à volta das piscinas. A realidade é que os trabalhadores americanos trabalham mais horas por semana e têm menos férias por ano do que os seus colegas da maior parte dos países industrializados.

Fazer perguntas sobre o **salary** (*sé-lâ-ri*; salário) de outra pessoa é, geralmente, considerado de pouca educação, e comparar salários com os colegas pode mesmo custar o seu emprego em algumas empresas! Mas, a reclamação cotidiana sobre os baixos salários e os lucros baixos é um passatempo extremamente popular! As pessoas fazem, muitas vezes, comentários gerais (bons e maus) sobre os seus ordenados – e ninguém o impedirá de fazê-lo também. Eis algumas das frases mais comuns que você pode ouvir sobre este tema:

- **I'm paid hourly.** (*áim pâid áuâr-li*; Sou pago por hora).

- **I'm on a salary**. (*áim ón â sé-lâ-ri*; Recebo um salário).

- **I get minimum wage.** (*ái guét mi-ni-mâm uâidj*; Recebo o salário mínimo).

- **I have a good-paying job**. (*ái hév â gud pâi-ing djób*; Tenho um trabalho bem pago).

- **I got a raise.** (*ái gót â râiz*; Me deram um aumento).

- **We received a pay cut!** (*uí ri-sivd â pâi cât*; Cortaram nosso salário).

_Capítulo 14: No Trabalho **249**

Palavras a saber

paycheck	_pâi-tchéc_	contracheque
wage	uâidj	salário
salary	_sé-lâ-ri_	salário
raise	râiz	aumento
pay cut	_pâi cât_	redução salarial

Horários de trabalho

Para a maior parte das empresas, o horário normal de trabalho é das 8 da manhã até às 5 ou às 6 da tarde, de segunda a sexta; por isso, a maior parte das pessoas tem **day jobs** (_dâi djóbs_; trabalhos diurnos). Mas, um **24-hour business** (_tuên-ti fór áuâr biz-nâs_; negócio aberto 24 horas) ou uma fábrica podem ter vários **shifts** (_chifts_; turnos). Por exemplo:

- **Day shift** (_dâi chift_; turno diário): o período de trabalho geralmente compreendido entre 8 da manhã e 5 da tarde.

- **Night shift** (_náit chift_; turno da noite): o período de trabalho que vai do final da tarde até à madrugada do dia seguinte. Muitas empresas dividem este período em dois turnos:

  - **Swing shift** (_suíng chift_; turno da tarde): geralmente das 4 da tarde à meia-noite.

  - **Graveyard shift** (_grâiv-iárd chift_; turno do cemitério): geralmente da meia-noite às 8 da manhã.

Hora do almoço e pausas para café

Um dos momentos preferidos do dia de trabalho – só superado pelo **quitting time** (_cuí-ting táim_; hora de saída) – é a **lunch hour** (_lântch áuâr_; hora do almoço). No entanto, apesar de ser chamada hora do almoço, é bastante normal que os trabalhadores só disponham de meia hora para almoçar.

O trabalhador normal leva o almoço, ou seja, traz comida de casa, geralmente num **brown-bag** (_bráun bég_; saco de papel). Algumas pessoas preferem sair do escritório durante a hora do almoço. Se um trabalhador quiser sair para comer qualquer coisa rapidamente, pode perguntar se ele deseja te acompanhar, com uma das seguintes frases:

250 Parte IV: De Mudança

- ✔ **Do you want to get some lunch?** (*du iú uónt tu guét sâm lântch*; Quer ir comer alguma coisa?).

- ✔ **Want to join me for lunch?** (*uónt tu djóin mi fór lântch*; Quer vir almoçar comigo?).

- ✔ **Do you want to grab a bite to eat?** (*du iú uónt tu gréb â báit tu it*; Quer ir comer alguma coisa?).

Um convite de um colega de trabalho para almoçar com ele, ou com ela, é geralmente um gesto casual, e não deve ser interpretado como uma vontade de estabelecer uma amizade com você. É muito normal os colegas de trabalho terem amizades casuais, que não saem do lugar de trabalho.

Outro momentos preferidos do dia é o **coffee break** (*có-fi brâic*; pausa para o café). O tempo normal para as pausas para o café é de quinze minutos, duas vezes por dia. Mas, na maior parte dos trabalhos, não é preciso esperar pela pausa para ir ao banheiro ou para tomar qualquer coisa. No entanto, geralmente, espera-se por esse momento para fumar.

Ganhar a vida

Se o leitor sustentar a sua família e trouxer para casa um salário, é considerado um **breadwinner** (*bréd-uí-nâr*; provedor da família) ou, como os americanos também dizem, é quem **brings home the bacon** (*brings hôum dâ bâi-cân*; traz o bacon para casa) — sem nunca ir à mercearia! Estas expressões referem-se à pessoa que trabalha fora de casa, com uma função oposta à **homemaker** (*hôummâi- câr*; dona de casa), que é provavelmente quem realmente traz o pão e o bacon para casa!

O verbo **to take** (*tu tâic*; tomar) é geralmente usado quando se fala de almoçar no trabalho, como na frase **I take my lunch at noon** (*ái tâic mái lântch ét nun*; Almoço ao meio-dia). Nos outros casos, geralmente, usam-se os verbos **to have** (*tu hév*; tomar) e **to eat** (*tu it*; comer) para se referir a uma refeição ou a um café, como em **Let's have dinner now** (*léts hév di-nâr náu*; Vamos jantar.). Consulte o capítulo 9 para mais informações sobre os verbos **to have** e **to take**.

Diálogo

Amelia e Camille estão conversando no escritório. (Faixa 32)

Amelia: **Do you want to join me for lunch?**
du iú uónt tu djóin mi fór lântch
Quer vir almoçar comigo?

Camille: **Thanks, but I can't. I have to finish this report.**
théncs bâ ái quént ái hév tu fi-nich dis ri-pórt
Obrigada, mas não posso. Tenho que acabar este relatório.

_____Capítulo 14: No Trabalho **251**

Amelia:	**Do you want me to bring you something?**
	du iú uónt mi tu bring iú <u>sâm</u>-thing
	Quer que eu te traga alguma coisa?
Camille:	**That's nice of you, but I brought my lunch.**
	déts náis óf iú bât ái brót mái ôun lântch
	É muita gentileza da sua parte, mas trouxe o meu almoço.
Amelia:	**Have you even taken a break today?**
	hév iú <u>i</u>-vân <u>tâi</u>-cân â brâic tu-<u>dâi</u>
	Já fez alguma pausa hoje?
Camille:	**No time. I'll stop for lunch soon.**
	nôu táim áil stóp fór lântch sun
	Não tive tempo. Vou parar para almoçar daqui a pouquinho.
Amélia:	**Okay. Don't work too hard!**
	ôu-<u>cái</u> dônt uârc tu hárd
	OK. Não trabalhe muito.
Camille:	**Thanks.**
	théncs
	Obrigada.

Palavras a saber

shift	*chift*	turno
lunch hour	*lântch áur*	hora do almoço
quitting time	*<u>cuí</u>-ting táim*	hora de saída
brown-bag	*bráun bég*	levar num saco de papel
to smoke	*tu smôuc*	fumar
to take a break	*tu tâic â brâic*	fazer uma pausa

Marcar Compromissos

Na apressada sociedade contemporânea há dois elementos que parecem ter-se tornado tão essenciais para a vida como o próprio oxigênio: o **cell phone** (*sél fôun*; celular), claro, e o **appointment book** (*â-<u>póint</u>-mânt buc*; agenda) ou **planner** (*<u>plé</u>-nâr*; agenda).

Com estes elementos modernos, uma pessoa pode **conduct business** (*cóndâct <u>biz</u>-nâs*; tratar de negócios) e **schedule appointments** (*squé-diúl* âpóint- mânts; marcar compromissos) em qualquer lugar e a qualquer momento. E graças a esta conveniência, há pessoas que nunca têm uma verdadeira pausa do trabalho ou um momento de paz!

Depender da agenda tornou-se tão comum que, mesmo antes de marcar um encontro com um amigo para um café, muita gente diz:

- **Let me check my planner.** (lét mi tchéc mái plé-nâr; Deixe-me consultar a agenda).
- **Let me look at my schedule.** (lét mi luc ét mái squé-diúl; Deixe-me ver a agenda).

A que ponto chegou a importância das agendas! E com algumas frases simples em inglês, o leitor também poderá marcar compromissos com total segurança. Mas, encontrar um momento em que os dois interessados estejam livres, isso já é outra história...

Lembre-se das seguintes frases quando precisar marcar um encontro:

- **I'd like to make an appointment with you.** (áid láic tu mâic ân â-póint-mânt uíth iú; Eu gostaria de marcar um encontro com você).
- **Can we schedule a meeting?** (quén uí squé-diúl â mi-ting; Podemos marcar um compromisso?).
- **Let's schedule a time to meet.** (léts squé-diúl â táim tu mit; Vamos marcar uma reunião).

E em resposta, geralmente, utilizam-se as seguintes frases:

- **When would you like to meet?** (uên uúd iú láic tu mit; Quando gostaria que nos encontrássemos?).
- **When are you free?** (uên ár iú fri; Quando é que está livre?).
- **I can meet on...** (ái quén mit ón; Posso encontrá-lo no dia...).
- **I'm free on...** (áim fri ón; Estou livre no dia...).

Diálogo

Barry liga para seu amigo, Robert, para agendar uma reunião. (Faixa 33)

Barry: **Hello, Robert. This is Barry.**
hé-lôu ró-bârt dis is bé-ri
Olá, Robert. É o Barry.

Robert: **Hey, how are you?**
hái háu ár iú
Então, como está?

Barry: **Fine, thanks. I'm calling to set up a meeting to go over the proposal.**
fáin théncs áim có-ling tu sét âp â mi-ting tu gôu ôu-vâr dâ

prâpôu-zâl

Bem, obrigado. Estou ligando para marcar uma reunião para discutirmos a proposta.

Robert: **When would you like to meet?**
uên uúd iú láic tu mit
Quando gostaria que nos víssemos?

Barry: **Early next week. Are you free Monday or Tuesday?**
âr-li nécst uíc ár iú fri mân-dâi ór tiús-dâi
No começo da próxima semana. Está livre na segunda ou na terça?

Robert: **I'm booked on Monday, but I'm free on Tuesday.**
áim bucd ón mân-dâi bât áim fri ón tiús-dâi
Estou com a agenda cheia para a segunda, mas estou livre na terça.

Barry: **How about Tuesday at 10 a.m. in my office?**
háu â-báut tiús-dâi ét tén âi ém in mái ó-fis
Que tal na terça, às 10 da manhã, no meu escritório?

Robert: **That's fine. I have us down for Tuesday at 10 a.m.**
déts fáin ái hév âs dáun fór tiús-dâi ét tén âi ém
Perfeito. Estamos combinados para a terça, às 10 da manhã.

Barry: **Perfect. Thanks Robert.**
pâr-fâct théncs ró-bârt
Perfeito. Obrigado, Robert.

Robert: **See you next Tuesday.**
si iú nécst tiús-dâi
Veremo-nos na próxima terça.

Palavras a saber

to set up	_tu sét âp_	marcar
to make	_tu mâic_	fazer
to schedule	_tu squé-diúl_	marcar
to check	_tu tchéc_	confirmar
schedule	_squé-diúl_	horário
planner	_plé-nâr_	agenda
appointment	_â-póint-mânt_	compromisso
meeting	_mi-ting_	reunião

Mesmo que programe cuidadosamente o seu horário e tenha uma agenda impecável, deve-se partir sempre do princípio de que a vida real é imprevisível. As pessoas nem sempre podem manter os compromissos ou evitar mudanças de horários. Por isso, se precisar de **cancel** (*quén-sâl*; cancelar) um compromisso ou de o **reschedule** (*ri-squé-diúl*; mudar de hora) pode usar uma das seguintes expressões:

- **I'm sorry. I have to reschedule our appointment.** (*áim só-ri ái hév tu ri-squé-diúl áur â-póint-mânt*; Sinto muito, mas tenho de mudar a hora do nosso compromisso).

- **Is it possible to reschedule?** (*iz it pó-si-bâl tu ri-squé-diúl*; Podemos mudar a hora do encontro?).

- **I need to change our meeting date.** (*ái nid tu tchândj áur mi-ting dâit*; Preciso mudar a data da nossa reunião).

Palavras a saber

to keep (an appointment)	tu quip ân â-póint-mânt	manter (um compromisso)
to break	tu brâic	faltar
to cancel	tu quén-sâl	cancelar
to change	tu tchâindj	mudar
to reschedule	tu ri-squé-diúl	mudar a hora

Como Vão os Negócios?
Fazer Negócios nos EUA

Fazer negócios numa cultura (e numa língua) estranha pode ser bastante confuso. Nos Estados Unidos, o **business style** (*biz-nâs stáil*; estilo de negócios) e o **protocol** (*pró-tâ-cól*; protocolo) podem ser bastante diferentes daquilo a que está habituado. Por isso, conhecer algumas características da forma americana de fazer negócios pode ajudar a compreender o ambiente em que se encontra. Esta seção oferece algumas noções sobre este tema.

Alguns aspectos do estilo empresarial dos Estados Unidos podem parecer contraditórios à primeira vista. Por exemplo:

- Dá-se muito valor à honestidade e a uma comunicação **direct** (*di-réct*; direta) e **to the point** (*tu dâ póint*; sem rodeios), mas que, ao mesmo tempo, não seja extremamente **aggressive** (*â-gré-siv*; agressiva).

- A atmosfera pode parecer bastante descontraída e casual, mas se espera sempre a máxima **efficiency** (*e-fi-chân-si*; eficiência) e **hard work** (*hárd uârc*; trabalho duro).

Capítulo 14: No Trabalho 255

✔ A interação entre colegas de trabalho – e entre os chefes e os subordinados – pode parecer informal no escritório, mas altamente profissional em reuniões ou quando se estiver a fazer negócios com outras empresas.

As políticas de portas abertas

Muitos gerentes e chefes têm uma **open-door policy** (ôu-pân dór pó-li-si; política de portas abertas): têm as portas do seu gabinete abertas e estão disponíveis para os seus empregados sempre que estiverem livres. Quando assim for, pode dirigir-se à porta, bater levemente e dizer qualquer coisa como:

✔ **Do you have a minute?** (du iú hév â mi-nât; Tem um minuto?).

✔ **May I see you for a minute?** (mâi ái si iú fór â mi-nât; Posso me reunir com você por um minuto?).

✔ **May I speak with you?** (mâi ái spic uíth iú; Posso falar com você?).

Se estiver fazendo negócios com uma empresa americana e tiver alguma dúvida sobre um projeto ou um trabalho que pediram que apresentasse, não diga **It is difficult** (it iz di-fi-câlt; É difícil). Esta afirmação sugere que você pode, de fato, realizar o trabalho, mas que é um desafio para você. Em vez disso, o melhor é dizer:

✔ **I'm sorry. I don't understand.** (áim só-ri ái dônt ân-dâr-sténd; Desculpe. Não entendi bem).

✔ **I'm not totally clear.** (áim nót tôu-tâ-li clir; Não tenho total certeza de ter compreendido).

✔ **Can you please explain this again?** (quén iú pliz êcs-plâin dis âguén; Poderia explicar novamente isso?).

Parte IV: De Mudança

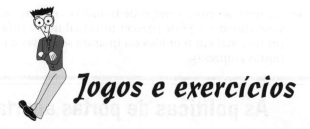

Jogos e exercícios

Sempre que precisa de alguma coisa em seu escritório acontece o mesmo: ou não consegue encontrá-la ou alguém a pediu emprestada. Descubra os artigos que faltam (e algum equipamento geral de escritório que também anda por aí escondido) decifrando as palavras seguintes. Depois, pegue na letra entre parênteses de cada resposta correta (por esta ordem) para descobrir o que faz um trabalhador feliz!

1. axf: __ (__) __

2. pumotrec: __ __ __ (__) __ __ __ __

3. paet: __ (__) __ __

4. yoaebrdk: __ __ (__) __ __ __ __ __

5. eprap: __ __ __ __ (__)

6. tlerpas: __ __ (__) __ __ __ __

7. reiopc: __ __ __ (__) __ __

8. erersa: __ __ __ (__) __ __

9. nep: __ (__) __

What makes employees smile? __ __ __ __ __ __ __ __ __!

Capítulo 15

Relaxe: O Tempo Livre

Neste Capítulo

▶ Falando sobre esporte e tempo livre

▶ Conhecendo diferentes formas de falar sobre o jogo

▶ Apreciando a natureza

O **baseball** (*bâiz-ból*; beisebol) pode ser chamado de **national pastime** (*né-châ-nâl pés-táim*; passatempo nacional), mas, atualmente, as pessoas dedicam os seus tempos livres a atividades tão diversas quanto jardinagem e o paraquedismo – incluindo tudo o que se encontra entre estes dois extremos!

Neste capítulo, você descobrirá como falar sobre **sports** (*spórts*; esportes), **recreation** (*ré-cri-âi-chân*; lazer) e muitas outras coisas fantásticas que pode fazer nas horas vagas. Descobrirá alguns lugares maravilhosos para ir nas férias. E verá que, nos EUA, o ócio é tudo menos ocioso: muitos americanos passam seus tempos livres em atividades altamente físicas – por isso, prepare-se para um **workout** (*uârc-áut*; exercício)!

Falar Sobre Atividades de Lazer

Quando se conhece alguém, é normal que a conversa passe rapidamente para temas como os passatempos e as atividades de lazer preferidas. É muito provável que façam uma das seguintes perguntas:

- ✔ **What do you do in your spare time?** (*uót du iú du in iór spér táim*; O que faz nas horas vagas?).

- ✔ **What kinds of sports do you like?** (*uót cáind óf spórts du iú láic*; De que tipo de esportes gosta?).

- ✔ **What do you do for fun?** (*uót du iú du fór fân*; O que faz para se divertir?).

É claro que estas perguntas permitem uma ampla gama de respostas. Aqui tem algumas:

✔ **I like to work in my garden.** (*ái láic tuy uârc in mái gár-dân*; Eu gosto de trabalhar no jardim).

✔ **I enjoy playing chess.** (*ái ên-djói plâi-ing tchés*; Eu gosto de jogar xadrez.).

✔ **I go jogging.** (*ái gôu djó-guing*; Vou fazer jogging).

✔ **I'm into surfing.** (*áim in-tu sâr-fing*; Eu gosto de surfar.) **I'm into** (qualquer coisa) é uma gíria bastante comum para dizer que se gosta muito de qualquer coisa ou que se está bastante envolvido nessa atividade.

Falar sobre o que gosta de fazer

Pode usar uma série de estruturas de frases ligeiramente diferentes para se referir às suas atividades nas horas vagas. Repare nas seguintes "fórmulas" e pratique os exemplos para fazer um pouco de exercício (mental, claro):

✔ Fórmula 1: **I + verb** (Eu + verbo)

- **I sew.** (*ái sôu*; Faço costura).
- **I play volleyball.** (*ái plâi vó-li-ból*; Jogo vôlei).

✔ Fórmula 2: **I like + infinitive or gerund** (Gosto de + infinitivo ou gerúndio)

- **I like to read.** (*ái láic tu rid*; Eu gosto de ler).
- **I like reading.** (*ái láic ri-ding*; Eu gosto de ler).

✔ Fórmula 3: **I enjoy + gerund** (Gosto de + gerúndio)

- **I enjoy camping.** (*ái ên-djói quém-ping*; Gosto de fazer camping).
- **I enjoy playing hockey.** (*ái ên-djói plâi-ing hó-qui*; Gosto de jogar hóquei).

O verbo dos jogos: to play

As atividades que implicam em **competition** (*cón-pe-ti-chân*; competição) e, frequentemente, algum tipo de **ball** (*ból*; bola) usam o verbo **to play** (*tu plâi*, jogar). Por exemplo:

✔ **I like to play tennis.** (*ái láic tu plâi té-nis*; Eu gosto de jogar tênis).

✔ **Do you play golf?** (*du iú plâi gólf*; Você joga golfe?).

✔ **Want to play a game of basketball?** (*uónt tu plâi â gâim óf bás-kâtból*; Quer jogar uma partida de basquete?).

Uma exceção a esta regra é o **bowling** (*bó-ling*; bowling): apesar de ser um jogo que envolve uma bola, não se usa o verbo **to play**, mas sim **to bowl** (*tu bowl*; jogar bowling). No entanto, deve-se usar o verbo **to play** com **cards** (*cárds*; cartas), **chess** (*tchés*; xadrez), **board games** (*bórd gâims*; jogos de tabuleiro), **pool** (*pul*; bilhar) etc.

Diálogo

 Joyce e Lynn são colegas que se conheceram à pouco e estão conhecendo os passatempos favoritos de cada uma. (Faixa 34)

Joyce: **What do you do in your spare time?**
uôt du iú du in iór spér táim
O que é que você faz nas horas vagas?

Lynn: **I like to exercise — maybe go for a run or go dancing.**
ái láic tu éc-zâr-sáiz mâi-bi gôu fór â rân ór gôu dén-sing
Eu gosto de fazer exercício — talvez dar uma corrida ou ir dançar.

Joyce: **What kind of dancing?**
uót cáind óf dén-sing
Que tipo de dança?

Lynn: **Salsa is my favorite. What do you like to do?**
sál-sâ iz mái fâi-vâ-rit uót du iú láic tu du
A salsa é a minha preferida. E o que é que você gosta de fazer?

Joyce: **I do yoga, and I like to paint.**
ái du iôu-gâ énd ái láic tu pâint
Faço yoga e gosto de pintar.

Lynn: **Do you like any sports?**
du iú láic é-ni spórts
Você gosta de algum esporte?

Joyce: **I play racketball sometimes.**
ái plâi ré-cât-ból sâm-táims
Às vezes, eu jogo squash.

Lynn: **Me too. I really like that game.**
mi tu ái ri-li láic dét gâim
Eu também. Gosto muito desse esporte.

Joyce: **Great! Want to play this weekend?**
grâit uónt tu plâi diz uíc-ênd
Fantástico! Quer jogar neste fim de semana?

Lynn: **Sure! But I warn you — I always win!**
chur bât ái uórn iú ái ól-uâiz uín
Claro! Mas aviso desde já que ganho sempre!

Palavras a saber

pastime	pés-táim	passatempo
leisure	lé-jâr	lazer
recreation	ré-cri-âi-chân	divertimento
sports	spórts	esportes
to play	tu plâi	jogar
to win	tu uín	ganhar
to lose	tu luz	perder
game	gâim	jogo, esportes
competition	cón-pe-ti-chân	competição
board game	bórd gâim	jogo de tabuleiro

Ser Torcedor – Também de um Esporte

É um **sports fan** (*spórts fén*; adepto a esportes)? Tanto se jogar numa **team** (*tim*; equipe) como se for só um **spectator** (*spéc-tâi-târ*; espectador), pode ver um grande número de eventos desportivos durante todo o ano, na televisão, num **stadium** (*stâi-di-âm*; estádio) ou **ballpark** (*ból-parc*; estádio de beisebol).

Os conceitos norte-americanos do tempo livre

A seguinte conversa oferece uma interessante perspectiva do conceito americano de **leisure** (*lé-jâr*; lazer). Na minha sala de aula, perguntamos aos estudantes "O que fizeram durante o fim de semana?". Um estudante mexicano respondeu **I listened to music**. (*ái li-sând tu miú-zic*; Estive ouvindo música). O meu assistente americano — que cresceu com a ideia de que a música é uma coisa que se ouve enquanto se faz outra coisa — replicou: "Sim, mas o que é que estava fazendo enquanto ouvia música?". O aluno pareceu perplexo pela estranha pergunta do meu assistente e acabou falando enfaticamente: "Bom, estive sentado numa cadeira!". Por aqui se vê o quanto está entranhada na consciência americana a ideia de que toda a atividade — mesmo a de **relaxation** (*ri-lé-csâi-chân*; relaxamento) — deve ser de algum modo produtiva.

E assistir – e apostar nos – jogos de **football** (*fut-ból*; futebol americano), beisebol, basquetebol e outros esportes é um esporte em si mesmo! Alguns americanos são apaixonadamente leais às suas equipes universitárias ou profissionais preferidas. (O meu vizinho, por exemplo, pintou a cozinha e o banheiro com as cores da sua equipe: cor-de-laranja e verde). Mas, fique tranquilo, pois também há americanos que não têm o menor interesse pelos esportes coletivos.

Taco a taco: o beisebol

Quando o árbitro grita **Play ball!** (*plâi ból*; Joguem!), o **first pitch** (*fârst pitch*; primeiro lançamento) dá início ao jogo. Desde o século XIX que os americanos jogam beisebol. Pode descobrir tudo o que há para saber sobre a história do beisebol e lendas deste esporte, como **Babe Ruth** (*bâib ruth*), **Jackie Robinson** (*djé-qui ró-bin-sôn*) e as ligas femininas dos anos 1940 no **Baseball Hall of Fame** (*bâiz-ból hól óf fâim*), em Cooperstown, Nova York. Até os não adeptos se entusiasmam com este museu – e eu sei do que falo, porque sou uma!

Para aumentar o seu apreço e compreensão por este esporte popular, aqui tem uma amostra do vocabulário mais comum do beisebol:

- **bat** (*bét*; taco)
- **batter** (*bé-târ*; batedor)
- **catcher** (*qué-tchâr*; apanhador)
- **fly ball** (*flái ból*; bola alta)
- **glove** (*glâv*; luva)
- **home run** (*hôum rân*; a volta completa às bases)
- **mitt** (*mit*; luva)
- **strike** (*stráic*; pancada com efeito)

A diferença entre football e soccer

A maior parte do mundo refere-se ao esporte-rei como futebol, mas os americanos chamam-no **soccer** (*só-câr*; futebol). Nos EUA, o **football** (*fut-ból*; futebol americano) é um jogo totalmente diferente.

O futebol americano é jogado com uma bola castanha de formato oval que os jogadores transportam e levam através da **end zone** (*ênd zôun*; zona de pontuação) para obterem um **touchdown** (*tutch-dáun*; ponto). Os jogadores de futebol usam **helmets** (*hél-mâts*; capacetes) e outros elementos de proteção, como ombreiras, caneleiras e joelheiras, para evitar danos pessoais quando são **tackled** (*té-câld*; atingidos), porque no futebol americano, ao contrário do futebol a que um brasileiro está mais habituado, os jogadores podem agarrar e derrubar os adversários. De fato, o futebol americano já não é considerado um esporte de contato, mas um esporte de colisão.

Diálogo

Depois de ter marcado um jogo de futebol com amigos americanos, um estudante estrangeiro traz erroneamente uma **soccer ball** (<u>só</u>-câr ból; bola de futebol) para um jogo de futebol americano.

Americanos: **Are we going to play football?**
ár uí <u>gôu</u>-ing tu plâi <u>fut</u>-ból
Vamos jogar futebol?

Estudante: **Yes! I brought the ball.**
iés ái brót dâ ból
Sim! Trouxe a bola.

Americanos: **But that's a soccer ball.**
bât déts a <u>só</u>-câr ból
Mas essa é uma bola de futebol.

Estudante: **Soccer, football — it's the same.**
<u>só</u>-câr <u>fut</u>-ból its dâ sâim
Futebol, futebol americano, é tudo a mesma coisa.

Americanos: **Not in the United States — it's very different.**
nót in dâ iú-<u>nái</u>-ted stâits its <u>vé</u>-ri di-frânt
Nos EUA não — aqui são coisas muito diferentes.

Estudante: **Oops! I guess we're going to play soccer then.**
ups ái guês uír <u>gôu</u>-ing tu plâi <u>só</u>-câr dên
Oops! Imagino que, então, teremos que jogar futebol.

O futebol americano é uma autêntica tradição nos EUA, mas o futebol também é muito popular e muitos americanos acompanham a Copa do Mundo da FIFA com (quase) tanto entusiasmo como o resto do mundo.

Palavras a saber

player	_plâi-âr_	jogador
team	tim	equipe
spectator	_spéc-tâi-târ_	espectador
fan	fén	adepto
stadium	_stâi-di-âm_	estádio
home run	hôum rân	volta completa
goal	gôul	gol
touchdown	_tâtch-dáun_	gol (no futebol americano)

A Natureza

A América é uma nação de vastos espaços abertos e de uma espetacular **natural beauty** (_né-tchâ-râl biú-ti_; beleza natural). Se você gosta de passear pelo campo, poderá encontrar paisagens deslumbrantes de uma costa à outra. Poderá ver impressionantes e majestosas **mountains** (_máun-tâns_; montanhas) e verdes e luxuosos **valleys** (_vé-lis_; vales), cristalinos **lakes** (_lâics_; lagos), **rivers** (_ri-vârs_; rios) e **waterfalls** (_uó-târ-fóls_; quedas de água), silenciosos **deserts** (_dé-zârts_; desertos), varridos pelo vento, e imponentes **forests** (_fó-râsts_; florestas). Também poderá gozar de milhares de quilômetros de **coastline** (_côust-láin_; litoral), com **seashores** (_si-chórs_; costas) acidentadas e **beaches** (_bi-tchâs_; praias) de areia brilhante. E o melhor é que muita desta beleza natural é acessível ao público.

Praticar esportes de Inverno e de Verão

Se gosta de sentir o ar gelado no rosto e de andar pela neve, é muito provável que se dirija às montanhas e passe o seu tempo livre numa das seguintes atividades:

- ✔ **cross-country skiing** (_crós cân-tri squi-ing_; esqui cross-country)
- ✔ **downhill skiing** (_dáun-hil squi-ing_; esqui downhill)
- ✔ **ice skating** (_áis scâi-ting_; patinação no gelo)
- ✔ **snowboarding** (_snôu-bór-ding_; snowboard)

Quando o tempo estiver quente, pode ir às praias, rios e lagos. Caso se sinta preguiçoso, pode **sunbathe** (_sân-bâith_; tomar banhos de sol) na **sand** (_sénd_; areia). Ou se jogar dentro da água para realizar uma das seguintes atividades:

- **river rafting** (<u>ri</u>-vâr <u>ré</u>-fting; descida de rios em jangadas)
- **sailing** (<u>sâi</u>-ling; vela)
- **snorkeling** (<u>snór</u>-câ-ling; mergulho)
- **water skiing** (<u>uó</u>-târ <u>squi</u>-ing; esqui aquático)

Diálogo

 Lori e Mark estão planejando uma viagem a Lake Tahoe para esquiarem na neve. (Faixa 35)

Lori: **I'm excited about our trip next month.**
áim é-<u>csáitd</u> â-<u>báut</u> áur trip nécst mânth
Estou entusiasmada com a nossa viagem do mês que vem.

Mark: **Me too! I can try out my new skis.**
mi tu ái quén trái áut mái niú squis
Eu também! Vou poder experimentar meus esquis novos.

Lori: **And I can wear my new snow boots.**
énd ái quén uér mái niú buts
E eu posso usar minhas botas novas para neve.

Mark: **We should stay in the lodge.**
uí shud stâi in dâ lódj
Devíamos ficar na pousada.

Lori: **I'd love to, but it's kind of expensive.**
áid lâv tu bât its cáind óf ics-<u>pên</u>-siv
Gostaria muito, mas é um pouco caro.

Mark: **Well, the price includes a ski-lift ticket.**
uél dâ práis in-<u>cluds</u> â squi lift <u>ti</u>-cât
Bem, o preço inclui um bilhete para o teleférico de esquis.

Lori: **Good. And we don't need to rent ski equipment this time.**
gud énd uí dônt nid tu rênt squi i-<u>cuíp</u>-mânt dis táim
Ótimo. E desta vez não precisamos alugar equipamento de esqui.

Mark: **Right... Hey, I heard they opened two new slopes.**
ráit hâi ái hârd dâi <u>ôu</u>-pând tu niú slôups
É verdade... Olha, ouvi dizer que abriram duas pistas novas.

Lori: **I hope they're beginners' slopes!**
ái hóup dér bi-<u>gui</u>-nârs slôups
Espero que sejam pistas para principiantes.

Visitar um parque nacional ou estadual

O U.S. National Park Service tem uma lista com mais de 380 localizações, que incluem **parks** (*párcs*; parques), **trails** (*trâils*; trilhas), **monuments** (*mó-niú-mânts*; monumentos), **rivers** (*ri-vârs*; rios) e outros tesouros. Os parques estaduais e locais contam-se aos milhares.

Alguns parques são apenas para **day use** (*dâi iúz*; uso diurno), ou seja, os visitantes têm de sair do recinto antes de anoitecer. Outros oferecem acampamento e alojamento **overnight** (*ôu-vâr-náit*; de um dia para o outro). Mas, durante a **summer season** (*sâ-mâr si-zân*; temporada de verão) os parques enchem-se rapidamente; por isso, se estiver especialmente interessado em visitar um, faça uma reserva com boa antecedência. Durante a **off-season** (*óf si-zân*; baixa temporada) muitos parques ficam inacessíveis por causa da neve.

Palavras a saber

outdoors	áut-dórs	ar livre
park	párc	parque
natural beauty	né-tchâ-ral biú-ti	beleza natural
nature	nâi-tchâr	natureza
river	ri-vâr	rio
desert	dé-zârt	deserto
lake	lâic	lago
mountain	máun-tân	montanha

Acampar

Camping (*quén-ping*; acampar) e **backpacking** (*béc-pé-quing*; viajar com mochila) são formas estupendas de **get away from it all** (*guét â-uâi frôm it ól*; afastar-se de tudo). Mas, os parques de camping mais populares podem estar cheios de gente barulhenta que trazem a casa nas costas.

Há gente que traz televisores, aparelhagens de som, cerveja e até as discussões de casa! Por isso, se realmente quiser escapar para a natureza, consulte o National Park Service ou um guia de camping para encontrar os lugares mais tranquilos e menos populosos.

Onde quer que decida acampar, vai precisar levar algum **camping gear** (*quén-ping guiâr*; material de acampamento):

- **backpack** (_béc-péc_; mochila)
- **camp stove** (_quémp stôuv_; fogão de campanha)
- **firewood** (_fái-âr-uúd_; lenha)
- **flashlight** (_fléch-láit_; lanterna)
- **lantern** (_lén-târn_; lâmpada de camping)
- **matches** (_mét-châs_; fósforos)
- **sleeping bag** (_sli-ping bég_; saco de dormir)
- **tent** (_tênt_; barraca)

E não se esqueça do **bug repellant** (_bâg ri-pé-lânt_; repelente de insetos) e do **sunscreen** (_sân-scrin_; protetor solar), ou vai voltar das férias todo mordido e queimado – e talvez precise de outras férias para se recuperar!

Diálogo

Ron e Nancy chegam a um parque de retiro esperando que haja uma vaga. (Faixa 36)

Ranger: **Hello. Welcome to the park.**
hé-lôu uél-câm tu dâ párc
Olá. Bem-vindos ao parque.

Ron: **Do you have any campsites available?**
du iú hév é-ni quémp-sáits â-vâi-lâ-bâl
Há lugares disponíveis para acampar?

Ranger: **Yes. For how many nights?**
iés fór háu mé-ni náits
Sim. Para quantas noites?

Ron: **Three, if possible.**
thri if pó-sâ-bâl
Três, se for possível.

Ranger: **Yes, we can do that. Please fill out this form.**
iés uí quén du dét pliz fil áut dis fórm
Sim, podemos conseguir. Preencham este formulário, por favor.

Nancy: **And what's the fee?**
énd uóts dâ fi
E qual é o preço?

Ranger: **U$45 total, U$15 per night.**
fór-ti fáiv dó-lârs tôu-tâl fif-tin dó-lârs per náit
45 dólares no total, 15 dólares por noite.

Capítulo 15: Relaxe: O Tempo Livre 267

Nancy: **Here you go.**
hir iú gôu
Aqui está.

Ranger: **Your campsite is number 52. This map will show you how to find it.**
iór quémp-sáit iz nâm-bâr fif-ti tu dis mép uíl chôu iú háu tu fáind it
O seu lugar é o número 52. Este mapa mostra como podem encontrá-lo.

Ron: **Are there shower facilities near the site?**
ár der cháu-âr fâ-si-li-tis nir dâ sáit
Há chuveiros perto do lugar?

Ranger: **Yes, about 200 yards away.**
iés â-báut tu hân-drâd iárds â-uâi
Sim, a umas 200 jardas.

Nancy: **Perfect.**
pâr-féct
Perfeito.

Ranger: **Here's a list of park rules. Please read them carefully.**
hirs â list óf párc ruls pliz rid dâm quér-fâ-li
Aqui tem uma lista de regras do parque. Façam o favor de ler atentamente.

Pelas trilhas afora

Os EUA possuem milhares de quilômetros de **hiking trails** (*hái-quing trâils*; trilhas para caminhada) que estão abertas todo o ano. O **Appalachian Trail** (*é-pâ-lé-tchiân trâil*), na zona leste do país, e o **Pacific Crest Trail** (*pâ-ci-fic crést trâil*), que vai desde o México até ao estado de Washington, são duas dessas trilhas, contando cada uma com mais de três mil quilômetros! Algumas pessoas conseguem percorrer todas estas trilhas, mas não nas férias, claro! Antes de começar a sua **trek** (*tréc*; caminhada), procure informações sobre a topografia, a **altitude** (*ál-ti-tiúd*; altitude) e a dificuldade da trilha. As perguntas seguintes podem ajudar a decidir se é realmente uma boa ideia se aventurar, ou não:

- **Where can I get a topographical map?** (*uér quén ái guét â tó-pógré- fi-câl mép*; Onde posso arranjar um mapa topográfico?).

- **How difficult is this trail?** (*háu di-fi-câlt iz dis trâil*; Qual é a dificuldade dessa trilha?).

- **How long does it take to hike the trail?** (*háu lóng dâz it tâic tu háic dâ trâil*; Quanto tempo demora para percorrer este caminho?).

- **Are there any dangerous animals on the trail?** (*ár dér é-ni dâindjâ- râs é-ni-mâls ón dâ trâil*; Há animais perigosos nessa trilha?).

E agora já pode calçar as suas **hiking boots** (*hái-quing buts*; botas de montanha) e pôr a mochila nas costas, encher seu **water bottle** (*uó-târ bó-tâl*; cantil), pegar no mapa e na **compass** (*câm-pâs*; bússola) e meter-se pelas trilhas afora.

Apreciar a natureza

Andar pelos montes e vales permitirá se aproximar bastante de um grande número de exemplares da **wildlife** (*uáild-láif*) – embora talvez não seja exatamente boa ideia aproximar-se muito de alguns deles. Aqui tem uma pequena lista de animais que pode encontrar **in the wild** (*in dâ uáild*; na natureza selvagem), que é o seu habitat:

- **bear** (*bér*; urso)
- **beaver** (*bi-vâr*; castor)
- **coyote** (*cái-ôu-ti*; coiote)
- **deer** (*dir*; veado)
- **fox** (*fócs*; raposa)
- **frog** (*fróg*; rã)
- **moose** (*mus*; alce)
- **mosquito** (*mâs-qui-tôu*; mosquito)
- **mountain lion** (*máun-tân lái-ón*; puma)
- **raccoon** (*râ-cun*; guaxinim)
- **snake** (*snâic*; cobra)
- **squirrel** (*scuâ-râl*; esquilo)
- **wolf** (*uúlf*; lobo)

Correr pode ser o primeiro impulso quando se encontra um animal perigoso no bosque, mas a verdade é que isso pode ser precisamente a pior coisa a fazer! Para garantir uma visita segura a qualquer área selvagem, consulte um **park ranger** (*párc rén-djâr*; guarda florestal) ou um guia para informação sobre como atuar se tiver um encontro com animais potencialmente perigosos.

Desde já, deixe-me dar outro conselho: quando estiver acampando, nunca deixe a comida na barraca, ou pode acabar recebendo convidados inesperados para o jantar!

A **plant life** (*plént láif*; flora) nos National Parks e em todo o território dos EUA é bastante rica e variada, abrangendo desde os **desert cactuses** (*dé-zârt quéc-tâ-sâs*; cacto do deserto) e **tall grasses** (*tól gré-sâs*; ervas) a **redwood trees** (*réd-uúd triz*; sequoias) e luxuriantes **tropical rain forests** (*tró-pi-câl râin fó-râsts*; florestas úmidas tropicais) e **seaweed** (*si-uíd*; algas). Nos **woods** (*uúds*; bosques), poderá encontrar frondosos

Capítulo 15: Relaxe: O Tempo Livre *269*

ferns (*fârns*; samambaias) e **meadows** (*mé-dôus*; prados) cheios de **wildflowers** (*uáild-fláu-ârs*; flores silvestres), mas tenha cuidado com o **poison oak** (*pói-zân ôuc*; carvalho venenoso) e **poison ivy** (*pói-zân ái-vi*; trepadeira venenosa). Tocar nestas plantas pode provocar uma reação extremamente dolorosa (e alérgica)!

Não leve nada dos lugares a não ser o lixo

É imprescindível **pack your trash** (*péc iór tréch*; levar o lixo) quando se deixa o bosque. Mas, lembre-se de que os regulamentos dos par-ques proíbem terminantemente que os visitantes levem quaisquer "lembranças" da fauna ou flora do parque.

Have You Ever...?: O Uso do Present Perfect

Ouvir as experiências das outras pessoas é uma forma fantástica de descobrir muitas coisas interessantes e de melhorar o seu inglês, já que também poderá introduzir algum episódio pessoal seu! Para falar em geral sobre qualquer coisa que aconteceu na sua vida (sem dar uma referência temporária específica), usa-se geralmente o **present perfect tense** (*pré-zânt pâr-fèct têns*; presente perfeito). E pode começar a conversa perguntando ao seu interlocutor **Have you ever...?** (*hév iú é-vâr*; Alguma vez...?).

Aqui tem alguns exemplos:

- *Have* you ever *been* to Yellowstone? (*hév iú é-vâr bin tu ié-lôustôun*; Alguma vez esteve em Yelllowstone?).

- *Have* you ever *seen* a whale? (*hév iú é-vâr sin â uâil*; Alguma vez você já viu uma baleia?).

- *Have* you ever *climbed* a mountain? (*hév iú é-vâr cláimbd a máuntân*; Alguma vez você escalou uma montanha?).

Para responder a uma pergunta com **Have you ever...**, pode-se dizer simplesmente:

- Yes, I have. (*iés ái hév*; Sim).

- No, I haven't. (*nôu ái hé-vânt*; Não).

- No, I've never done that. (*nôu áiv né-vâr dân dét*; Não, nunca fiz isso).

Talvez se pergunte porque é que este tempo verbal se chama **present perfect** quando, de fato, se refere ao passado. A verdade é que o seu nome provém da necessidade de usar o presente do verbo **to have** e o particípio passado do verbo principal.

Repare que na lista de perguntas anterior com **have you ever...** os verbos em itálico estão no particípio passado (consulte a tabela de tempos verbais, no Apêndice A para descobrir o particípio passado de verbos irregulares. O particípio passado de todos os verbos regulares acaba em **-ed**).

Aqui tem a "fórmula" do **present perfect**: **have** ou **has** + verbo (no particípio passado). Veja mais estes exemplos:

- *Have* you ever *been* to a national park? (*hév iú é-vâr bin tu â néchâ- nâl párc*; Alguma vez já esteve num parque nacional?)

- Yes, I *have visited* Yosemite three times. (*iés ái hév vi-zi-tâd iôu-sémit thri táims*; Sim, visitei o parque de Yosemite trêz vezes.)

Para se parecer mais com um falante nativo, tente usar contrações com o **present perfect**, como **I've, you've, she's, he's, it's, we've** e **they've**. Você encontrará as contrações explicadas nos capítulos 2 e 3.

Jogos e exercícios

Neste exercício de gramática o objetivo é ver como estão seus conhecimentos sobre os verbos em inglês! Só tem de escolher a palavra que completa corretamente as frases (quando acabar poderá ver as respostas certas no Apêndice C).

1. I enjoy_____ tennis. (to play, playing)

2. I like_____ . (to surf, have surfed)

3. Have you ever_____ Mauna Loa volcano? (seeing, seen)

4. I've_____ a baseball fan for many years. (being, been)

5. He_____ never played in a golf tournament. (has, have)

6. She_____ basketball every Saturday. (to play, plays)

7. We_____ reading. (play, enjoy)

8. Do you_____ every morning? (jog, jogging)

Capítulo 16

Ajuda! Como Resolver Emergências

Neste Capítulo

▶ Sabendo como obter ajuda urgente

▶ Aprendendo como resolver situações de emergência e perigo

▶ Descrevendo problemas de saúde

Se você for como eu, é muito provável que prefira não pensar em problemas de viagem ou emergências, e sinta a tentação de passar corretamente por estas páginas. Mas, quando se está viajando ou vivendo no estrangeiro, "é melhor prevenir do que remediar". Em outras palavras, é melhor estar preparado para emergências e outros incômodos, especialmente quando se está num lugar onde as pessoas falam uma língua diferente da nossa. Este capítulo me oferece algumas palavras e frases inglesas fundamentais para resolver situações inesperadas, como desastres naturais, acidentes, problemas de saúde e emergências legais. Por isso, observe atentamente: obterá informação muito importantes, que proporcionarão também alguma tranquilidade.

Em Caso de Emergências

É muito provável que já esteja familiarizado com as pequenas **emergencies** (*i-mâr-djân-sis*; emergências) da vida, como pneus furados, crianças com os joelhos esfolados e chaves de casa perdidas. Mas, as grandes emergências, as situações **life-threatening** (*láif thrét-ning*; que ameaçam a vida) e os **natural disasters** (*né-tchâ-râl di-záz-târs; desastres naturais*) são, felizmente, menos comuns, pelo que é possível que se sinta menos preparado para enfrentar algumas das seguintes situações:

▶ **accident** (*é-csi-dânt*; acidente)

▶ **earthquake** (*ârth-cuâic*; terremoto)

▶ **fire** (*fái-âr*; fogo)

274 Parte IV: De Mudança

- **flood** (*flâd*; inundação)
- **hurricane** (*hâ-ri-câin*; furacão)
- **robbery** (*ró-bâ-ri*; roubo)
- **tornado** (*tór-nâi-dôu*; tornado)

Pedir ajuda e avisar outras pessoas

Quando se precisa de ajuda rapidamente não se tem tempo de ir procurar o dicionário, usamos apenas as primeiras palavras que nos vêm à cabeça. Por isso, o melhor é memorizar as seguintes palavras para emergências, e tê-las bem presentes!

- **Help!** (*hélp*; Socorro!)
- **Help me!** (*hélp mi*; Ajudem-me!)
- **Fire!** (*fái-âr*; Fogo!)
- **Call the police!** (*cól dâ pôu-lis*; Chamem a polícia!)
- **Get an ambulance!** (*guét ân ém-biú-lâns*; Consigam uma ambulância!)

Se tiver de **warn** (*uórn*; avisar) alguém de um **danger** (*dâin-djâr*; perigo) iminente, não é o momento para faltarem as palavras. O melhor é conhecer algumas frases rápidas para ajudar a dar o alarme. Estas expressões podem ajudá-lo a se expressar claramente:

- **Look out!** (*luc áut*; Cuidado!)
- **Watch out!** (*uátch áut*; Cuidado!)
- **Get back!** (*guét bác*; Afaste-se! Para trás!)
- **Run!** (*rân*; Corra!)

Quando não tiver tempo a perder e a velocidade é essencial, pode acrescentar umas destas palavras enfáticas para transmitir às pessoas essa urgência:

- **Quick!** (*cuíc*; Rápido!)
- **Hurry!** (*há-ri*; Rápido!)
- **Faster!** (*fés-târ*; Mais depressa!)

Capítulo 16: Ajuda! Como Resolver Emergências 275

Diálogo

Um homem caiu ao chão no passeio. Junta-se um grupo de gente à sua volta para ver o que é que está acontecendo. O Todd tenta ajudar.

Pessoa: **A man has fallen! Help!**
â mán héz fó-lân hélp
Um homem caiu ao chão! Ajudem!

Todd: **Sir, can you hear me?**
sâr quén iú hir mi
O senhor pode me ouvir?

Pessoa: **Did he faint?**
did hi fâint
Ele desmaiou?

Todd: **He's unconscious. Someone call an ambulance. Quick!**
hiz ân-cón-châz sâm-uón cól ân ém-biú-lâns cuíc
Ele está insconsciente. Alguém chame uma ambulância. Rápido!

Pessoa: **What's wrong?! Is it a heart attack?**
uóts róng izit â hárt â-téc
O que está acontecendo? É um ataque cardíaco?

Todd: **I don't know. I'm checking his pulse and breathing.**
ái dônt nôu áim tché-quing hiz pâls énd bri-ding
Não sei. Estou checando se ele tem pulso e se respira.

Pessoa: **Does he need CPR?**
dâz hi nid si pi ár
Ele necessita de reanimação cardiorrespiratória?

Todd: **He's breathing okay, but his pulse is a little weak.**
his bri-ding ôu-câi bât hiz pâls iz â li-tâl uíc
Ele está respirando bem, mas tem o pulso um pouco fraco.

Pessoa: **Here comes the ambulance!**
hir câms di ém-biú-lâns
Aí vem a ambulância!

Palavras a saber

emergency	i-<u>mâr</u>-djân-si	emergência
to warn	tu uórn	avisar
to help	tu hélp	ajudar
to faint	tu fâint	desmaiar
danger	<u>dâin</u>-djâr	perigo
injury	<u>in</u>-djâ-ri	lesão, ferida

Chamar o 911

Nos EUA, o número para emergências é o **911** (*náin uón uón*). Se ligar para este número será atendido por um **dispatcher** (*dis-<u>pé</u>-tchâr*; operador) que receberá a sua informação e a transmitirá para a polícia, para os bombeiros e/ou para um serviço de ambulâncias. Se ligar para o **911**, o **dispatcher** lhe perguntará a localização da emergência, o número de que está ligando e se há algum ferido. Se tiver testemunhado um crime, o **dispatcher** irá perguntar se pode dar uma descrição do **suspect** (*<u>sâs</u>-péct*; suspeito). (Consulte a seção "Em caso de crime", neste mesmo capítulo, para mais informações sobre como denunciar um crime.)

Pode ligar para o **911**, mesmo que não saiba falar inglês. Os centros de atendimento do **911** possuem intérpretes para muitas línguas; por isso, pode ter a certeza de que no final compreenderão as suas necessidades.

Diálogo

 No caminho para seu trabalho, Sanchez testemunha um acidente automobilístico, ele para no acostamento e liga para o 911 para pedir ajuda. (Faixa 37)

Operador: **911 Center. What are you reporting?**
náin uón uón <u>sên</u>-târ uór ár iú ri-<u>pór</u>-ting
Centro de atendimento do 911. O que deseja informar?

Sanchez: **There's an accident on northbound Route 17.**
dérs ân <u>é</u>-csi-dânt ón <u>nórth</u>-báund rut sé-vân-<u>tin</u>
Há um acidente na estrada 17, na direção norte.

Operador: **Where on Route 17?**

Capítulo 16: Ajuda! Como Resolver Emergências 277

uér ón rut sé-vân-*tin*
Em que ponto da estrada 17?

Sanchez: **Just after the Eastlake turnoff.**
djâst *é*-ftâr dâ *ist*-lâic *târn*-óf
Imediatamente depois da saída para Eastlake.

Operador: **And where are you calling from?**
énd uér ár iú *có*-ling frôm
E de onde é que o senhor está ligando?

Sanchez: **My cell phone.**
mái sél fôun
Do meu celular.

Operador: **Can you tell if there are injuries?**
quén iú tél if dér ár *in*-djâ-ris
Pode ver se há feridos?

Sanchez: **I think two or three people are hurt.**
ái thinc tu ór thri *pi*-pâl ár hârt
Acho que há duas ou três pessoas feridas.

Operador: **Are any police or highway patrol there yet?**
ár *é*-ni pâ-*lis* ór *hái*-uâi pâ-*trôl* dér iét
Já chegou algum agente da polícia ou da brigada de trânsito?

Sanchez: **No. The accident just happened.**
nôu di *é*-csi-dânt héz djâst *hé*-pând
Não. O acidente acaba de ocorrer.

Operador: **Okay. We're sending help now.**
ôu-câi uír sên-ding hélp náu
OK. Estamos enviando ajuda agora mesmo.

Palavras a saber

to report	tu ri-*pórt*	informar
911	náin uón uón	911
Help!	hélp	Socorro!
police	pâ-*lis*	polícia
fire department	*fái*-âr di-*párt*-mânt	bombeiros
ambulance	*ém*-biú-lâns	ambulância

278 Parte IV: De Mudança

Ir ao Médico

Estar **sick** (*sic*; doente) ou **injured** (*in-jârd*; ferido) no próprio país já é bastante ruim, mas quando se está no exterior, a experiência é realmente terrível! Obter assistência médica e **treatment** (*trit-mânt*; tratamento) num país estrangeiro pode ser confuso, intimidador. Se seu **condition** (*cón-dichân*; estado) não for grave, pode pedir a um amigo, colega ou mesmo a um empregado de hotel que indique onde encontrar a ajuda de que necessita. Pode usar uma das seguintes frases:

- ✔ **Do you know a good doctor?** (*du iú nôu â gud dóc-târ*; Conhece um bom médico?).

- ✔ **Can you recommend a doctor?** (*quén iú ré-câ-mênd â dóc-târ*; Pode recomendar-me um médico?).

Esperemos que nunca necessite de ajuda médica urgente. Mas, se algum dia se tiver a necessidade de procurá-la, use uma destas frases para pedir ajuda:

- ✔ **I feel sick.** (*ái fil sic*; Estou doente).

- ✔ **I'm injured.** (*áim in-jârd*; Estou ferido).

- ✔ **I need a doctor.** (*ái nid â dóc-târ*; Preciso de um médico.).

- ✔ **Please call a doctor.** (*pliz cól â dóc-târ*; Por favor, chame um médico).

Talvez o leitor se sinta bem, mas esteja ao lado de alguém doente ou ferido. Numa situação desse gênero, faça uma das seguintes perguntas à pessoa para saber o que ela tem:

- ✔ **What's wrong?** (*uóts róng*; O que há de errado?).

- ✔ **What's the matter?** (*uóts dâ mé-târ*; Qual o problema?).

- ✔ **What happened?** (*uót hé-pând*; O que aconteceu?).

Quanto a locais onde obter assistência médica, há uma série de opções à sua disposição. A maior parte das localidades possui **walk-in clinics** (*uóc in clinics*; clínicas para emergências) ou **24-hour medical clinics** (*tué-ni fór háurs mé-di-câl cli-nics*; clínicas abertas 24 horas). As clínicas possuem **physicians** (*fi-zi-châns*; médicos) qualificados e com experiência, e o melhor de tudo é que não é necessário **appointment** (*â-póint-mânt*; hora marcada).

Os **hospitals** (*hós-pi-tâls*; hospitais), geralmente, também têm instalações de emergência, mas, em situações de vida ou morte, pode ir para o **emergency room** (*i-mâr-djân-si rum*; serviço de urgências).

Palavras a saber

doctor	_dó_-ctâr	médico
physician	fi-_zi_-chân	médico
clinic	_cli_-nic	clínica
hospital	_hós_-pi-tâl	hospital
injury	_in_-djâ-ri	ferimento
sick	sic	doente

Dizer onde dói

Os meus alunos dizem, muitas vezes, a palavra **uncle** (_ân-câl_; tio) quando querem dizer tornozelo. Se o seu tio estiver doente ou ferido, é melhor ele ir pessoalmente ao médico. Mas, se tiver torcido o pé, é o seu **ankle** (_én-câl_; tornozelo) que está machucado. Não diga **uncle** ou o médico pode dizer que não pode te tratar se não vier pessoalmente ao consultório.

Por isso, quando o médico perguntar **Where does it hurt?** (_uér dâz it hârt_; Onde é que dói?) ou **Where is the pain?** (_uér iz dâ pâin_; Onde é que está doendo?), o melhor é saber o nome e a pronúncia correta das diversas partes do corpo. Aqui tem uma lista para ajudar:

- **Head and face** (_héd énd fâis_; cabeça e rosto)
  - **cheeks** (_tchics_; bochechas)
  - **chin** (_tchin_; queixo)
  - **ear** (_ir_; orelha, ouvido)
  - **eye** (_ái_; olho)
  - **forehead** (_fór-héd_; testa)
  - **lips** (_lips_; lábios)
  - **mouth** (_máuth_; boca)
  - **nose** (_nôuz_; nariz)
  - **neck** (_néc_; pescoço)
- **Torso** (_tór-sôu_; tronco)
  - **back** (_béc_; costas)
  - **chest** (_tchést_; peito)
  - **hip** (_hip_; quadril)
  - **shoulders** (_chôl-dârs_; ombros)
  - **stomach** (_stâ-mâc_; estômago)

Parte IV: De Mudança

- **Limbs** (*limbs*; membros)
  - **arms** (*árms*; braços)
  - **elbow** (*él-bôu*; cotovelo)
  - **hand** (*hénd*; mão)
  - **finger** (*fin-gâr*; dedo da mão)
  - **knee** (*ni*; joelho)
  - **leg** (*lég*; perna)
  - **thigh** (*thái*; coxa)
  - **foot** (*fut*; pé)
  - **toe** (*tôu*; dedo do pé)

Quando as pessoas dizem que "a beleza está no interior", geralmente, referem-se ao caráter do indivíduo em questão. Mas, no nosso interior também se encontram partes do nosso corpo extremamente bonitas: o sangue, os ossos e os **organs** (*ór-gâns*; órgãos):

- **Insides** (*in-sáids*; vísceras)
  - **artery** (*ár-te-ri*; artéria)
  - **blood** (*blâd*; sangue)
  - **bone** (*bôun*; osso)
  - **heart** (*hárt*; coração)
  - **intestine** (*in-tés-tin*; intestino)
  - **kidney** (*qui-dni*; rim)
  - **liver** (*li-vâr*; fígado)
  - **lung** (*lâng*; pulmão)
  - **muscle** (*mâ-sâl*; músculo)
  - **vein** (*vâin*; veia)

Diálogo

Rebeca vai ao médico porque acaba de se machucar em seu trabalho. A enfermeira verifica os seus sinais vitais e faz anotações no prontuário de Rebeca. (Faixa 38)

Enfermeira: **Let me take your temperature. Put this thermometer in your mouth.**

lét mi tâic iór tém-prâ-tchâr put dis thâr-mó-mâ-târ in iór máuth

Deixe-me medir sua a temperatura. Ponha este termômetro na boca.

Capítulo 16: Ajuda! Como Resolver Emergências

Enfermeira: **Now let me take your pulse. Okay, now let's listen to your heart.**
náu lét mi tâic iór pâls ôu-câi náu léts li-sân tu iór hárt
Agora deixe-me medir o seu pulso. OK, agora vamos ver como está o coração.

Enfermeira: **Normal temperature and good heart rate. Tell me what hurts.**
nór-mâl tém-prâ-tchâr énd gud hárt râit tél mi uót hârts
Temperatura normal e bom ritmo cardíaco. Diga-me o que dói.

Rebecca: **My neck hurts on the right side. And my right arm.**
mái néc hârts ón dâ ráit sáid énd mái ráit árm
Dói o pescoço no lado direito. E o braço direito.

Enfermeira: **Can you raise your right arm?**
quén iú râiz iór ráit árm
Pode levantar o braço direito?

Rebecca: **Yes, but my shoulder hurts when I do.**
iés bât mái chôl-dâr hârts uên ái du
Sim, mas dói o ombro quando o faço.

Enfermeira: **Any back pain?**
é-ni béc pâin
Tem dores nas costas?

Rebecca: **No, just my neck, upper arm, and shoulder.**
nôu djâst mái néc â-pâr árm énd chôl-dâr
Não, só tenho dores no pescoço, na parte superior do braço e no ombro.

Enfermeira: **Okay, the doctor will be in shortly to examine you.**
ôu-câi dâ dóc-târ uíl bi in chór-tli tu i-czé-min iú
OK, o médico já vem para te examinar.

A língua inglesa tem uma longa série de expressões idiomáticas que incluem o nome de uma parte do corpo, por exemplo: **to foot the bill** (*tu fut dâ bil*; encarregar-se da conta por alguém) ou **have a heart** (*hév â hárt*; ter um pouco de coração), usada, geralmente, para pedir a alguém que demonstre alguma compaixão. Outra expressão engraçada, que, certamente, poderia referir-se ao alto custo da assistência médica, é to **cost an arm and a leg** (*tu cóst ân árm énd â lég*; custar um braço e uma perna) equivalente a custar os olhos da cara.

282 Parte IV: De Mudança

Palavras a saber

body	_bó-di_	corpo
temperature	_tém-prâ-tchâr_	temperatura
thermometer	_thâr-mó-mâ-târ_	termômetro
heart	_hárt_	coração
pain	_pâin_	dor
to hurt	_tu hârt_	doer, contundir

Dores e indisposições: descrever os sintomas

A sua capacidade de descrever os seus **symptoms** (_sin-tâms_; sintomas) pode ajudar o seu médico a encontrar o **diagnosis** (_dái-â-gnôu-sis_; diagnóstico) correto (o que, como todos sabemos, é meio caminho andado para o tratamento do seu problema). Estas palavras "dolorosas" podem te ajudar a dizer ao médico o que sente:

- **broken bone** (_brôu-cân bôun_; osso quebrado)
- **burn** (_bârn_; queimadura)
- **cramp** (_crémp_; câimbra)
- **cut** (_cât_; corte)
- **diarrhea** (_dái-â-ri-â_; diarreia)
- **dizzy** (_di-zi_; tonto)
- **fever** (_fi-vâr_; febre)
- **food poisoning** (_fud pói-zâ-ning_; intoxicação alimentar)
- **nauseous** (_nó-zi-âs_; enjoado)
- **scratch** (_scrétch_; arranhão)
- **sore throat** (_sór thrôut_; dor de garganta)
- **sprain** (_sprâin_; entorse)

Há poucos médicos capazes de **heal** (_hiâl_; curar) um **broken heart** (_brôucân hárt_; coração partido); por isso, se tiver um caso de **heartache** (_hárt-âic_; decepção amorosa), o melhor é não marcar nenhuma consulta. No entanto, os médicos podem **cure** (_quiúr_; curar) outras **aches** (_âics_; dores), por exemplo:

Capítulo 16: Ajuda! Como Resolver Emergências 283

- **earache** (<u>iâr</u>-âic; dor de ouvidos)
- **headache** (<u>héd</u>-âic; dor de cabeça)
- **stomachache** (<u>stâ</u>-mâc-âic; dor de estômago)

Pronuncie o **ch** (*si âitch*) de **ache** como **k** (*c*) e pronuncie o **a** (*âi*) como uma vogal longa **a**. Consulte o capítulo 1 para mais informações sobre sons vocálicos e pronúncia.

Diálogo

Liz sente-se muito mal. Esteve doente durante uma semana e não sentiu nenhuma melhora. Ela vai a uma clínica de atendimento médico, sem hora marcada, para uma consulta com o médico. (Faixa 39)

Médico: **Tell me how you're feeling.**
tél mi háu iór <u>fi</u>-ling
Diga-me como se sente.

Liz: **Terrible! I have a bad headache, and I'm hot and nauseous.**
<u>té</u>-ri-bâl ái hév â béd <u>héd</u>-âic énd áim hót énd <u>nó</u>-zi-âs
Muito mal! Tenho uma dor de cabeça horrível, sinto-me quente e enjoada.

Médico: **The nurse reports that you have a fever of 102.**
dâ nârs ri-<u>pórts</u> dét iú hév â <u>fi</u>-vâr óf uón <u>hân</u>-drâd tu
A enfermeira diz que você tem uma febre de 102° F.

Liz: **I've felt this way for a week.**
áiv félt dis uâi fór â uíc
Sinto-me assim há uma semana.

Médico: **Any other symptoms?**
<u>é</u>-ni <u>á</u>-dâr <u>sin</u>-tâms
Tem mais alguns sintomas?

Liz: **Yes, my body aches, and I'm a little dizzy.**
iés mái <u>bá</u>-di âics énd áim â <u>li</u>-tâl <u>di</u>-zi
Sim, meu corpo dói e sinto-me um pouco tonta.

Médico: **Sounds like you may have the flu. Any coughing?**
sáunds láic iú mâi hév dâ flu <u>é</u>-ni <u>có</u>-fing
Parece que está com gripe. Tem tosse?

Liz: **No. No coughing.**
nôu nôu <u>có</u>-fing
Não. Sem tosse.

Médico: **Okay, first we need to get your fever down.**
ôu-câi fârst uí nid tu guét iór fi-vâr dáun
OK, primeiro vamos ter que baixar a sua febre.

Temas de seguro

Os EUA não possuem um sistema de saúde público; por isso, se não tiver **insurance** (*inchu- râns*; seguro), terá de pagar **out of pocket** (*áut óf pó-cât*, do seu próprio bolso) e a preços exorbitantes! Mesmo tendo um seguro, pode ter de pagar no momento e enviar um **claim** (*clâim*, requerimento) à companhia de seguros para o reembolso do dinheiro gasto. Independentemente de onde for procurar o tratamento médico, lhe farão uma das seguintes perguntas:

✔ **Do you have insurance?** (*du iú hév in-chu-râns*; Tem seguro?).

✔ **Who's your insurance company?** (*uz iór in--chu-râns câm-pâ-ni*; Qual é a sua companhia de seguros?).

✔ **How do you plan to pay?** (*háu du iú plén tu pâi*; Como você pretende pagar?).

Se não tiver um seguro médico, pode dizer **I'll pay for it myself** (*áil pâi fór it mái-sélf*; Eu pagarei por conta própria).

Como Estão os Seus Reflexos?
Usar os Pronomes Reflexivos

Os **reflexive pronouns** (*ri-flé-csiv prôu-náuns*; pronomes reflexivos) são, frequentemente, usados para descrever feridas acidentais e acidentais, como tocar numa superfície quente ou cortar um dedo. Repare como o pronome reflexivo aparece depois do verbo principal nas seguintes frases:

✔ **I hurt myself.** (*ái hárt mái-sélf*; Eu me feri).

✔ **She cut herself.** (*chi cât hâr-sélf*; Ela se cortou).

Aqui tem os pronomes reflexos:

✔ **myself** (*mái-sélf*; a mim mesmo)

✔ **yourself** (*iór-sélf*; a você mesmo)

✔ **himself** (*him-sélf*; a ele mesmo)

✔ **herself** (*hâr-sélf*; a ela mesma)

✔ **itself** (*it-sélf*; a si mesmo)

✔ **ourselves** (*áur-sélvs*; a nós mesmos)

✔ **yourselves** (*iór-sélvs*; a vocês mesmos)

✔ **themselves** (*dâm-sélvs*; a eles mesmos)

✔ **oneself** (*uón-sélf*; a si mesmo)

Capítulo 16: Ajuda! Como Resolver Emergências 285

Diálogo

A.J. se cortou com uma faca quando estava ajudando o pai a fazer uma salada. Como o corte é profundo, foram a uma clínica para ser visto por um médico.

Médico: **You have a deep cut. Tell me what happened.**
iú hév â dip cât tél mi uót <u>hé</u>-pând
Você tem um corte profundo. Diga-me o que aconteceu.

A.J. **I was helping my dad make a salad. I cut myself.**
ái uóz <u>hél</u>-ping mái déd mâic â <u>sé</u>-lâd ái cât mái-<u>sélf</u>
Estava ajudando o meu pai a fazer uma salada e me cortei.

Médico: **Well, I think it needs a few stitches.**
uél ái thinc it nids a fiú <u>sti</u>-tchâz
Bom, acho que isso precisa de uns pontos.

A.J. **Stitches! That will hurt! Can it heal itself?**
<u>sti</u>-tchâz dét uíl hârt quén it hiâl it-<u>sélf</u>
Pontos! Isso vai doer! Isto não se cura sozinho?

Médico: **It's too deep. And I'm afraid you'll need a tetanus shot.**
its tu dip énd áim â-<u>frâid</u> iúl nid â <u>té</u>-tâ-nâs chót
É muito fundo. E acho que vai precisar de uma injeção contra tétano.

A.J. **A shot? I hate shots!**
â chót ái hâit chóts
Uma injeção! Detesto injeções!

Médico: **We'll be quick, and then you can go home to your dinner.**
uíl bi cuíc énd thén iú quén gôu hôum tu iór <u>di</u>-nâr
Isto vai ser rápido e depois pode ir para casa jantar.

A.J. **Good. Next time, I'll let Dad make the salad himself!**
gud nécst táim áil lét déd mâic dâ <u>sé</u>-lâd him-<u>sélf</u>
Ótimo. Da próxima vez, deixarei que o meu pai faça a salada sozinho.

Palavras a saber

insurance	in-chu-râns	seguro
symptoms	sin-tâms	sintomas
to heal	to hiâl	curar
to cure	tu quiúr	curar
nauseous	nó-zi-âs	enjoado
dizzy	di-zi	tonto
fever	fi-vâr	febre
headache	héd-âic	dor de cabeça

Abra Bem a Boca: A Ida ao Dentista

É muito provável que ir ao **dentist** (_dên-tist_; dentista) não esteja precisamente na sua lista de coisas a fazer quando estiver no exterior – sem querer ofender o meu fantástico dentista. Mas, se tiver de visitar um dentista nos EUA, pode ter a certeza de que encontrará profissionais extremamente qualificados e equipamento moderníssimo. E tarifas igualmente modernas, claro. Porque a assistência dental também não é propriamente barata.

A melhor forma de encontrar um bom **dentist** ou **hygienist** (_hái-dji-nist_; técnico de higiene dentária) é por **word of mouth** (_uârd óf máuth_; boca a boca), ignore o trocadilho. Pergunte às pessoas que conhece, pois é muito possível que alguém possa recomendar um bom dentista. Use as seguintes frases para contar ao dentista a natureza da sua visita:

- **My teeth need cleaning.** (_mái tith nid cli-ning_; Preciso fazer uma limpeza nos dentes).

- **I have a toothache.** (_ái hév â tuth-âic_; Estou com dor de dentes).

- **I have a cavity.** (_ái hév â qué-vâ-ti_; Tenho uma cárie).

- **I broke a tooth.** (_ái brôuc â tuth_; Quebrei um dente).

- **I lost a filling.** (_ái lóst â fi-ling_; Caiu uma obturação).

- **My crown came off.** (_mái cráun caim óf_; Minha coroa saiu).

- **My dentures hurt my mouth.** (_mái dên-tchârs hârt mái máuth_; Minha dentadura machuca a minha boca).

O dentista pode sugerir alguns dos seguintes tratamentos:

Capítulo 16: Ajuda! Como Resolver Emergências **287**

- **I'll have to pull this tooth.** (*áil hév tu pul this tuth*; Vou ter de arrancar este dente).

- **I can make you a bridge.** (*ái quén mâic iú â bridj*; Posso lhe fazer uma ponte).

- **I can replace your filling.** (*ái quén ri-plâis iór fi-ling*; Posso substituir essa obturação).

- **I can re-cement your crown.** (*ái quén ri-ci-mênt iór cráun*; Posso voltar a fixar a sua coroa).

- **I can adjust your dentures.** (*ái quén â-djâst iór dên-tchârs*; Posso ajustar sua dentadura).

Obter Assistência Legal

O **legal system** (*li-gâl sis-tâm*; sistema legal) dos EUA – com as suas intricadas redes de legislações, tribunais, juízes e advogados – pode parecer intimidador. Mas, é sempre bom saber que se alguém violar os seus **rights** (*ráits*; direitos) neste país, poderá pedir justiça num tribunal de Direito. Por outro lado, se quebrar a lei, ter que enfrentar penalidades. É claro que não dá para conhecer todas as leis aplicáveis nos Estados Unidos, mas é sempre uma boa ideia procurar saber as leis relacionadas com os vistos, as drogas e o álcool (se gostar dessas coisas) e com a condução (se estiver pensando em pegar um carro).

A lei norte-americana segue o princípio da presunção de inocência, que, trocado por miúdos, significa que o acusado é **innocent until proven guilty** (*i-nâ-sânt ân-til pru-vân guil-ti*; inocente enquanto não houver prova de culpa). Além disso, também segue o princípio do "in dubio pro reo", que exige, que a culpa seja provada **beyond a reasonable doubt** (*bi-ond â riz-nâ-bâl dáut*; para além de qualquer dúvida razoável).

Por outro lado, quando estiver nos EUA, deverá recordar que, assim como no Brasil, desconhecer a lei não é desculpa. Ou seja, se a polícia de trânsito mandá-lo parar porque estava **breaking the law** (*brâi-quing dâ ló*; quebrando a lei), pode ser difícil evitar uma multa dizendo **I'm a foreigner, I didn't know the law** (*áim â fó-râ-nâr ái di-dânt nôu dâ ló*; Sou estrangeiro, não conhecia essa lei), embora essa desculpa tenha funcionado para alguns dos meus alunos!

Talvez interesse saber que, nos processos criminais, se o réu não tiver meios econômicos para contratar um advogado, o tribunal lhe designará um defensor público, ou seja, um advogado que trabalhará gratuitamente para a sua defesa.

Se precisar de **legal advice** (*li-gâl âd-váis*; aconselhamento legal), peça a alguém que recomende um advogado ou consulte a lista telefônica para obter a direção de um serviço de assistência legal. Pode usar uma das seguintes frases:

- **Can you recommend a lawyer?** (*quén iú ré-câ-mênd â lói-âr*; Pode me recomendar um advogado?).

- **I need some legal advice.** (*ái nid dâm li-gâl âd-váis*; Necessito de aconselhamento legal).

- **Where can I find a portuguese consulate?** (*uér quén ái fáind â por-tu-gui-se cón-siú-lâit*; Onde é que posso encontrar um consulado brasileiro?).

Em Caso de Crime

Ninguém gosta de pensar em **crime** (*cráim*; crime) quando está viajando pelo estrangeiro. Mas, lembre-se de que o próprio fato de viajar pode dar uma falsa sensação de segurança. E, como estrangeiro, pode ter dificuldades em determinar que situações são potencialmente **dangerous** (*dén-djâ-râs*; perigosas).

Se precisar pedir a alguém que se afaste de você ou que o deixe em paz, faça-o com convicção e numa voz o mais alta possível. Pode dizer uma das seguintes frases:

- **Go away!** (*gôu â-uâi*; Vá embora!)

- **Get away!** (*guét â-uâi*; Saia de perto!)

- **Stop!** (*stóp*; Pare!)

Para mais informações sobre como tratar presenças indesejadas ou estranhos agressivos, consulte o Capítulo 4.

Diálogo

Henrique é testemunha de um assalto e liga para o 911 para denunciar o crime.

Operador: **911. What are you reporting?**
náin uón uón uót ár iú ri-pór-ting
911. Que emergência você está comunicando?

Henrique: **A robbery. It's happening right now!**
â ró-bâ-ri its hép-ning ráit náu
Um assalto. Está ocorrendo neste exato momento!

Operador: **Can you see the robbery?**
quén iú si dâ ró-bâ-ri
Pode ver o assalto?

Capítulo 16: Ajuda! Como Resolver Emergências

Henrique: **Yes.**
iés
Sim.

Operador: **Where are you located?**
uér ár iú lôu-câi-ted
Onde é que se encontra?

Henrique: **At the bus station, downtown.**
ét dâ bâs stâi-chân dáun-táun
Na estação rodoviária, no centro.

Operador: **Can you describe the suspect?**
quén iú dis-cráib dâ sâs-péct
Pode descrever o suspeito?

Henrique: **A big man, in a blue shirt and jeans. He's wearing a cap.**
â big mán in â blu chârt énd djins hiz ué-ring â quép
Um homem grande, com camisa azul e calça jeans. Ele está usando um boné.

Operador: **Are there any weapons?**
ár dér é-ni ué-pâns
Existe alguma arma?

Henrique: **Yes, there's a gun.**
iés dérs â gân
Sim, há uma pistola.

Operador: **Officers are on their way. Please stay on the line.**
ó-fi-sârs ár ón dâ uâi pliz stâi ón dâ láin
Os agentes já estão a caminho. Por favor, não desligue.

Henrique: **Now he's running away.**
náu hiz râ-ning â-uâi
Agora o homem está fugindo.

Operador: **What direction is he going?**
uót dâ-réc-chân iz hi góu-ing
Em que direção está indo?

Henrique: **Toward Fifth Avenue.**
tu-uórd fifth é-vâ-niú
Na direção da Fifth Avenue.

Knowledge is power (*nó-lâdj iz páu-âr*; o conhecimento é poder); por isso, ter algumas **precautions** (*pri-có-châns*; precauções) e bom senso permitirá que se proteja um pouco melhor – e evite potenciais **crooks** (*crucs*; criminosos).

Parte IV: De Mudança

Aqui há algumas sugestões de segurança que podem ajudar a prevenir situações desagradáveis, para que não precise remediá-las:

- ✔ Não leve com você, nem mostre, grandes quantidades de dinheiro.

- ✔ Não abandone máquinas fotográficas, celulares ou carteiras.

- ✔ Seja simpático, mas nunca dê seu endereço ou número de telefone a pessoas que não conhece.

- ✔ Afaste-se de qualquer situação na qual não se sinta confortável.

- ✔ Se alguém te incomodar ou te seguir, entre numa loja e conte o seu problema ao funcionário.

Palavras a saber

rights	ráits	direitos
law	ló	lei
lawyer	lói-âr	advogado
attorney	â-târ-ni	advogado
crime	cráim	crime
suspect	sâs-péct	suspeito
Stop!	stóp	Pare!

Capítulo 16: Ajuda! Como Resolver Emergências 291

Jogos e exercícios

Ezra pegou uma grande onda e estava se exibindo fazendo acrobacias e dando tchau às moças que estavam olhando para ele na praia. Aproveitou um breve momento de glória, mas depois caiu! Infelizmente, o Ezra acabou mais machucado do que o seu orgulho e teve de fazer uma visita ao Serviço de Urgências. Indique os nomes das partes do corpo que ele machucou e, depois, descreva as lesões aos amigos dele que ainda se encontram na praia.

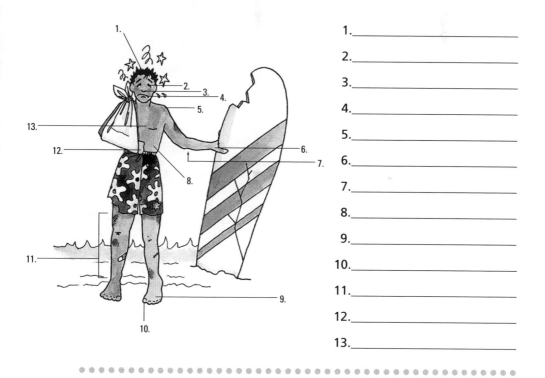

1. _____
2. _____
3. _____
4. _____
5. _____
6. _____
7. _____
8. _____
9. _____
10. _____
11. _____
12. _____
13. _____

292 Parte IV: De Mudança

Parte V
A Parte dos Dez

Nesta parte...

*E*sta parte contém listas com dez tópicos relacionados a *Inglês Para Leigos*. Curtas, divertidas e muito informativas, estas listas trazem informações sobre maneiras para melhorar rapidamente o seu inglês: equívocos engraçados e possivelmente embaraçosos que você deve evitar e maneiras fáceis de distinguir algumas palavras muito semelhantes. E o lema número um de qualquer lista para Inglês Para Leigos?

Relaxe, divirta-se e continue a praticar!

Capítulo 17

Dez Formas de Melhorar Rapidamente o Seu Inglês

Neste Capítulo

▶ Falando inglês sempre que puder

▶ Descobrindo formas divertidas de melhorar o inglês

▶ Aprendendo inglês enquanto ajuda as pessoas

A verdade é que o leitor já começou a melhorar o seu inglês. Como é que sei? Porque comprou este livro, o que e uma sábia decisão. Além de ler este livro, pode melhorar o seu inglês de uma forma mais rápida usando os dez métodos explicados neste capítulo. Além disso, terá oportunidade de conhecer pessoas e de ter experiências maravilhosas!

Fale, Fale, Fale pelos Cotovelos

Onde quer que seja possível, aproveite todas as oportunidades para falar em inglês com as pessoas. É uma forma fantástica de praticar e, além disso, permitirá que conheça novas pessoas, a sua cultura e a forma como vivem. Mesmo que não esteja em um país de língua inglesa, encontrará certamente pessoas que falam inglês. Experimente falar um pouquinho com pessoas que não conhece. Diga **Hi. How are you today?** (*hái háu ár iú tu-dâi*; Olá. Como está?) a um empregado de uma loja, ao condutor do ônibus ou ao recepcionista do hotel. (Consulte o Capítulo 3 para mais sugestões sobre como iniciar uma conversa). Pode sentir-se um pouquinho envergonhado a princípio, mas não importa! Sorria e continue a falar. Sempre que falar em inglês com alguém, estará recebendo uma aula grátis!

Junte-se a um Grupo de Discussão em Inglês

Forme um grupo de discussão com outras pessoas que desejem melhorar o seu inglês. Procure convidar também alguns falantes nativos. Pergunte aos seus colegas e amigos, se não querem se juntar ao seu clube e faça reuniões regularmente num café, num restaurante ou num bar. Um ambiente relaxado é o ideal para falar e divertir-se enquanto pratica o inglês. Escolha um tema como uma notícia, um filme, um livro que todos tenham lido, um tema social ou mesmo um assunto de gramática para falarem todos – em inglês, claro!

Alugue um Filme

Alugue alguns filmes em inglês sem legendas ou desligue essa opção durante a reprodução. Ficará certamente surpreso com tudo que entenderá depois de ver assim o filme durante algum tempo. Mas, não se esforce por perceber todas as palavras, descontraia-se e ouça o ritmo da língua. Para começar, talvez não seja má ideia virar-se para os filmes mais antigos, já que geralmente as pessoas falavam de uma forma mais lenta e usavam menos gíria. Repare na linguagem corporal e nas expressões faciais dos atores, já que podem dar muitas indicações sobre o que as pessoas estão falando. Além disso, pode voltar para trás e rever as partes que não tiver entendido bem. Outro exercício muito divertido é tentar repetir algumas das falas (*Taxi Driver* é um clássico para isso!). Tenha caderno e caneta à mão para apontar as palavras e expressões que for aprendendo ou que não compreender bem. Depois pode perguntar o seu significado a um amigo nativo ou consultar em outra fonte. E, finalmente, não se esqueça das pipocas!

Use Cartões

Seja criativo e faça com que as suas capacidades linguísticas deem um salto em frente, etiquetando em inglês os diversos elementos da sua casa – ponha um cartãozinho nas portas, nas cadeiras, nas luminárias, etc (eu pessoalmente desaconselho tentar etiquetar os gatos, mas os cães, geralmente, parecem não se importar muito). Escreva expressões comuns em cartões e os coloque-os em lugares relacionados: pode pôr um cartão com a pergunta **What's to eat?** (*uóts tu it*; O que há para comer?) na porta da geladeira, por exemplo. Ou **I'm hungry!** (*áim hân-gri*; Tenho fome!).

No espelho do banheiro poderá deixar uma nota dizendo **Good morning!** (*gud mór-ning*; Bom dia!) e na porta da frente nunca é ruim deixar uma nota que diga **Don't forget your keys** (*dônt fâr-guét iór quis*; Não se esqueça das chaves).

Escreva os verbos irregulares ou outras palavras que queira decorar num conjunto de cartões de 10 x 15 cm. Deixe os cartões num lugar óbvio, como em cima da mesa da cozinha e ponha-se à prova frequentemente. Também pode fazer um jogo de correspondências, escrevendo dois conjuntos de cartões: um com perguntas e outro com as respectivas respostas. Depois é só colocar os cartões virados para baixo e ir virando, dois de cada vez (um de cada conjunto), para tentar encontrar os respectivos pares. Se não encontrar na primeira, tente recordar em que posição se encontram para acertar mais facilmente da próxima vez. Quando encontrar um par, retire os cartões e continue jogando. Crie o seu próprio jogo com palavras e expressões inglesas ou desenvolva truques originais para melhorar as suas capacidades e, depois, explique-os a um amigo (em inglês, claro!).

Vá a Peças de Teatro, Leituras de Poesia e Conferências

Saia de casa! Não fique aí metido todas as noites com os seus livros de inglês – nem com o *Inglês para Leigos*, vale a pena fazer isso! Vá a eventos de língua inglesa e tenha uma experiência que é, ao mesmo tempo, divertida e educativa (e aproveite a possibilidade de ouvir as conversas das outras pessoas). Talvez não perceba todas as palavras que forem ditas no evento, mas não se preocupe porque até os falantes nativos perdem alguma coisa. Por isso, descontraia-se e divirta-se. Leia o programa ou qualquer outro folheto que te derem ou guarde-os para ler mais tarde. Sempre que possível, tente falar com os artistas ou oradores depois do evento. Não é preciso dizer nada muito profundo, pode dizer simplesmente **Thank you, that was very interesting.** (*thénc iú dét uóz vé-ri in-trâs-ting*; Muito obrigado, foi muito interessante.). Depois pode falar com um amigo em inglês sobre o evento, dando o máximo de detalhes que puder. E agora, aqui tem outra ideia: por que não organiza o seu próprio evento em inglês com alguns amigos?

Leia as Letras das Canções e Cante!

Que importa se não soa exatamente como a Ella Fitzgerald?! Cante – tanto faz que seja sozinho no chuveiro ou com um coral. Ficará surpreendido com a quantidade de inglês que se aprende com as canções. E eu sei do que falo: eu própria aprendi mais vocabulário e gramática espanhola de uma canção ("Eres tú") do que numa quantidade enorme de aulas de espanhol. Por quê? Porque a música é divertida. A melodia e as letras entram na cabeça de uma pessoa e, antes de dar por isso, está cantando como um profissional! Pode aprender muito vocabulário, gramática e expressões idiomáticas da língua inglesa através das letras das canções. Consulte as notas dos CD, dos cassetes e dos discos, ou procure as letras das suas canções preferidas na Internet e comece a cantar! E se nunca experimentou ir a um bar de karaokê, o que está esperando?

Vá à Biblioteca e Procure Livros para Crianças

Além das visitas ao México e de cantar "El Rancho Grande", um dos meios que me permitiu aprender mais espanhol foi a literatura – a literatura mais simples, diga-se de passagem. Peça alguns livros infantis na biblioteca mais perto de você (pode dizer ao funcionário que são para os seus filhos). Procure livros bilingues, em inglês e em português. Nos livros infantis, o conteúdo pode estar simplificado, mas a linguagem utilizada é para falantes nativos, porque as palavras e a estrutura sintática serão totalmente naturais – nada de linguagem de livros escolares. E a literatura infantil em inglês, mesmo para as crianças menores, pode ser sofisticada e deliciosa. Pode aprender muita língua inglesa lendo livros infantis, além de muita coisa sobre a cultura anglo-saxônica, porque os temas dos livros infantis refletem frequentemente os valores sociais do mundo adulto. E aqui vai mais uma sugestão: procure também as versões em áudio dos livros que levar para poder ouvir a versão falada enquanto lê a história.

Vá a Aulas – Vá a Qualquer Aula

Ir a uma aula de inglês é uma forma óbvia de aprender inglês. Mas, se estiver nos EUA também pode ir a um centro comunitário e assistir a aulas sobre qualquer tema interessante. Na maior parte das regiões dos EUA há uma série de instituições, como programas públicos, centros comunitários, hospitais e universidades locais, entre outros, que oferecem cursos sobre os mais diversos temas.

E não é preciso saber muito inglês para aprender qualquer coisa sobre Yoga, escalada, jardinagem, observação de pássaros, trabalhos manuais, primeiros socorros, dança ou muitos outros cursos que podem estar disponíveis perto de você. Enquanto descobre qualquer coisa nova, pode aprender muito inglês e conhecer falantes nativos que partilhem os seus interesses.

Procure Conhecer Pessoas que Falem Inglês Nativo

Faça amizade com pessoas que falem inglês nativo, convidando um colega de trabalho ou do curso para tomar um café, para dar um passeio ou para ir jantar na sua casa. Se estiver nos EUA, crie um intercâmbio linguístico com alguém que queira aprender português. Pode pôr um "anúncio" na biblioteca mais próxima, numa livraria ou na Faculdade de Letras da universidade local. Depois é só marcar um encontro semanal (inicialmente em lugares públicos) para conversarem durante duas horas: uma hora de inglês e uma hora de português. E este método ainda tem um brinde: mesmo durante a hora em que estiverem falando em português, pode aprender muito inglês com as perguntas (e os erros) que o seu amigo fizer!

Apresente-se como Voluntário Numa Organização de Caridade

Uma das melhores e mais interessantes formas de aprender rapidamente inglês – enquanto se ajuda o próximo, além disso – é apresentar-se como voluntário numa organização de caridade ou num programa comunitário. Nos EUA, existem muitas organizações, como o Boys and Girls Club of América, centros para a terceira idade, hospitais, museus, igrejas, centros para sem teto, escolas e gabinetes locais da ASPCA (American Society for the Prevention of Cruelty to Animals), que dependem da ajuda voluntária. Muitas vezes, não é importante falar bem inglês ou não, a organização o colocará para trabalhar, submergindo-o num ambiente de falantes de inglês. Por isso, só precisa sorrir, descontrair-se e divertir-se! Estará tão ocupado em ajudar os outros que nem sequer notará que está aprendendo inglês todos os dias. A sua generosidade será apreciada e fará muitos novos amigos, podendo mesmo conseguir alguns contatos de trabalho. Mas, saiba que não precisa ir para um país anglófono para encontrar organizações de caridade administradas por falantes de inglês. É muito possível que encontre algumas em cidades brasileiras!

Capítulo 18

Dez Erros para se Evitar no Inglês

Neste Capítulo

▶ Evitando extravagâncias

▶ Prevenindo situações embaraçosas

▶ Resolvendo alguns erros gramaticais bastantes comuns

Por vezes, os menores erros podem criar monumentais (e esperamos que divertidos) micos. Uma inocente mas ligeiramente incorreta afirmação pode se tornar numa embaraçosa *gaffe* ou numa expressão de duplo sentido. Mas, não entre em desespero se cometer um pequeno e inocente erro (bom, talvez o melhor seja dizer "quando cometer um pequeno e inocente erro"). Diga qualquer coisa como **Oops! What did I say wrong?** (*ups uót did ái sâi róng*; Ops! Disse alguma coisa que não devia?). Em princípio, alguém dirá onde está o erro, e depois podem rir juntos das maluquices das línguas. Este capítulo cobre alguns dos erros mais comuns que devem ser particularmente evitados ao falar inglês.

Coisas que se Faz no Ginásio

Quando o marido estrangeiro da minha amiga disse que ia ao ginásio para **make out** (*mâic áut*; curtir), o que em inglês significa beijar-se longa e apaixonadamente (e talvez ir um pouquinho mais longe), ela ficou mais intrigada do que propriamente ciumenta. "Ah, sim? E com quem?", perguntou ela. "Oh," respondeu ele casualmente, "com os rapazes do sempre". Tendo-se habituado aos ocasionais erros estranhos do marido, partiu do princípio (esperou pelo menos) que ele queria dizer **work out** (*uârc áut*; fazer exercício). Por isso, lembre-se sempre, se quiser **work out**, vá ao ginásio. Se quiser **make out**, enfim, talvez seja melhor procurar algum lugar com mais privacidade!

A Sua Mulher é Muito...

Um convidado estrangeiro, ao agradecer a seus anfitriões pelo maravilhoso jantar em sua casa, disse ao marido: **Your wife is very homely** (*iór uáif iz vé-ri hôum-li*; A sua mulher é muito rústica). Como? Bom, talvez seja verdade que a mulher em questão tenha sido pouco agraciada em termos de beleza, mas dizer isso é particularmente desagradável (e mesmo um pouquinho arriscado, dependendo do caráter do respectivo marido). E tudo isto por quê? Porque **homely**, aplicado a pessoas, significa desajeitada, vulgar, pouco atrativo!

O que o convidado queria dizer era **homey** (*hôu-mi*; acolhedora). Mas, a verdade é que também não se pode aplicar esse adjetivo às pessoas. As casas podem ser **homey**, mas as pessoas não. Uma pessoa pode ser uma boa **homemaker** (*hôum-mâi-câr*; dona de casa) ou pode-se dizer que tem uma casa muito agradável. Mas, como há alguns adjetivos, como **lovely** (*lâv-li*; amoroso) e **burly** (*bâr-li*; robusto), que acabam em **-ly**, muita gente acaba errando na utilização do **homely**. Mas pense que, se conseguir evitar este erro, é quase certeza que voltarão a convidá-lo para jantar (e, além disso, escapa do perigo de levar uma bofetada)!

Cheirar e Não Cheirar Mal!

Falar sobre os cinco sentidos parece muito simples, mas é preciso ter algum cuidado. Pode-se dizer **I see** (*ái si*; estou vendo) quando se compreende qualquer coisa; ou **I heard** (*ái hârd*; Já ouvi dizer) quando já se conhece alguma notícia. Mas se disser **I smell** (*ái smél*; Eu cheiro mal), as pessoas podem responder simplesmente que vá tomar banho! Porque o verbo **to smell** se não tiver um complemento direto significa cheirar mal ou cheirando mal. Por isso, se gostar do perfume de alguém, não lhe diga **You smell** (*iú smél*; você cheira mal), a menos que queira jogar a noite por água abaixo!

É melhor dizer **I smell something good** (*ái smél sâm-thing gud*; Há qualquer coisa que cheira bem) ou **Something smells bad** (*sâm-thing sméls béd*; Há qualquer coisa que cheira mal). Já agora, deixe-me só dar um último conselho: não diga **I smell bad** (*ái smél béd*; Cheiro mal), quando não conseguir perceber os odores por causa de uma constipação ou qualquer coisa. É melhor dizer **I can't smell** (*ái quént smell*; Não consigo cheirar nada). É claro que, se esteve fazendo exercício no ginásio, talvez dizer **I smell** seja absolutamente correto!

A Minha Mãe Cozinha os Meus Amigos

Os seus amigos evitam ir jantar na sua casa? Talvez esteja cometendo um erro quando os convida para jantar. Já ouvi alguns estudantes dizer **My mom will cook us** (*mái mâm uíl cuc âs*; A minha mãe vai nos cozinhar) e **She likes to cook my friends for dinner** (*chi láics tu cuc mái frênds fór dinâr*; Ela gosta de cozinhar os meus amigos para o jantar). E tenho que

Capítulo 18: Dez Erros para se Evitar no Inglês **303**

aguentar o impulso de perguntar: é sério, e os come todos? Pode-se cozinhar muita coisa, mas a verdade é que é muito estranho cozinhar os filhos e os amigos dos filhos!

O que os meus alunos realmente queriam dizer era **My mom will cook for us** (_mái mâm uíl cuc fór âs_; A minha mãe vai cozinhar para nós) ou **She likes to cook dinner for my friends** (_chi láics tu cuc di-nâr fór mái frênds_; Ela gosta de fazer o jantar para os meus amigos). Por isso, use sempre a preposição **for** (_fór_; para) entre o verbo **to cook** e a pessoa que vai consumir a refeição. O que aparecer depois de **to cook** (sem a preposição) é aquilo que vai se cozinhar e depois comer (como o jantar, um bife, mas, geralmente, não uma pessoa). Por isso, parece-me muito bom que convide os seus amigos para casa da sua mãe, mas não lhes diga que vai cozinhar eles!

Amigos e Amantes

Uma tímida estudante coreana, uma vez, apresentou-me um amigo dizendo **This is my lover** (_dis iz mái lâ-vâr_; Este é o meu amante). Que resposta podemos dar quando alguém nos apresenta a pessoa com quem tem relações sexuais? **Lover** (_lâ-vâr_; amante) significa parceiro sexual em inglês. Talvez estivesse sendo honesta, mas, geralmente, não se apresenta uma pessoa assim, como amante!

A verdade é que devia ter dito **This is my boyfriend** (_dis iz mái bói-frênd_; Este é o meu namorado). As palavras **boyfriend** (_bói-frênd_; namorado), **girlfriend** (_gârl-frênd_; namorada), **sweetheart** (_suít-hárt_; amorzinho) e **fiancé** (_fi-ón-sê_; noivo) podem descrever um amigo íntimo, mas **lover** é uma palavra muito pessoal. Muitos dicionários apresentam a palavra **lover** como tradução de namorado etc., mas não especificam que **lover** implica uma referência explícita às relações sexuais. Mas, por outro lado, se ouvir alguém dizer **I'm a nature lover** (_áim â nâi-tchâr lâ-vâr_; Sou um amante da natureza) ou **I'm an animal lover** (_áim ân é-ni-mâl lâ-vâr_; Sou um amante dos animais), não se preocupe. A pessoa só está a dizer que gosta muito da natureza ou dos animais.

Molhar as Calças

Durante uma reunião, um empresário estrangeiro entornou um pouco de refrigerante nas calças. E quando se levantou para se limpar, desculpou-se dizendo **Excuse me, I wet my pants** (_écs-quiúz mi ái uét mái pénts_; Desculpem, fiz xixi nas calças.). O quê? Toda a gente se virou e ficou olhando para ele, espantada. Que embaraçoso! Talvez tenha um problema de bexiga e precise de protetores de incontinência. Já percebeu a ideia, não percebeu? A expressão **I wet my pants** refere-se a problemas de incontinência urinária (ou a grandes sustos). E se disser isso, assim, sem mais nem menos, vai receber vários olhares estranhos.

O senhor deveria ter dito **I got my pants wet with soda** (_ái gót mái pénts uét uíth sôu-dâ_; Molhei as calças com refrigerante) ou **I spilled soda on my pants** (_ái spild sôu-dâ ón mái pénts_; Entornei refrigerante nas calças).

Também deve evitar dizer **I soiled my pants** (*ái sóild mái pénts*; Fiz coco nas calças). Se tiver suja (digamos externamente) as calças, diga **I got dirt on my pants** (*ái gót dârt ón mái pénts*; Sujei as calças) ou **I got my pants dirty** (*ái gót mái pénts <u>dâr</u>-ti*; Sujei as calças).

Onde é que Deixa o Quê?

Quando as pessoas usam as palavras erradas, podem ocorrer as situações mais inusitadas. Por exemplo, durante uma aula, um aluno disse que gostaria de ter o seu próprio apartamento e explicou **Because I can leave my privates there** (*bi-<u>cóz</u> ái quén liv mái <u>prái</u>-vâts dér*; Porque posso deixar lá as minhas partes íntimas). As partes íntimas? Incrível! Não sabia que era possível deixar os genitais em casa, mas, mesmo que assim seja, o melhor talvez seja evitar partilhar essa informação com a aula toda. É claro que o aluno não tinha a menor ideia do que acabava de dizer. A palavra **privates** é uma forma culta e antiquada de se referir aos órgãos genitais.

O que ele queria dizer era **my private possessions** (*mái <u>prái</u>-vât po-séchâns*; os meus pertences) ou **my personal things** (*mái <u>pâr</u>-sâ-nâl things*; as minhas coisas). É muito reconfortante ter um lugar seguro para deixar as suas coisas; mas, por favor, não diga às pessoas que anda a deixar as suas partes privadas por aí.

Cuidado com a língua!

Geralmente, as pessoas estão sempre muito interessadas em aprender as **swear words** (*suér uârds*; palavrões) de outra língua. Mas, deve-se ter muito cuidado! Saber exatamente quando e onde se pode praguejar é bastante complicado e os **dirty words** (*<u>dar</u>-ti uârds*; palavrões) são ainda mais bicudos. A gíria urbana e as letras das canções estão frequentemente recheadas de palavrões, mas esse tipo de linguagem não é particularmente comum em outros ambientes. Até palavras pouco ofensivas como **hell** (*hél*; inferno) ou **damn** (*dém*; maldição) podem ofender algumas pessoas e fazer com que pareça uma pessoa ordinária em determinadas situações. Geralmente, é necessário passar muito tempo num país para descobrir em que situações se podem usar palavrões.

Desde já, dou outro conselho: tenha cuidado com a pronúncia de certas palavras com o **e** longo como **beach** (*bitch*; praia) e **sheet** (*chit*; folha). Se produzir um som curto (como muitos alunos de inglês fazem), dirá, acidentalmente, dois palavrões! Por isso, tenha cuidado e prolongue bem esses **e** para evitar enganos embaraçosos. E consulte o Capítulo 1 para ver como se pronuncia o **e** longo e as restantes vogais da língua inglesa.

Veja Lá o que Faz com os Maridos das Outras!

Um dia, uma aluna disse-me **I love *your* husband**. Como?! Ama o meu marido?! **Oops! I mean, I love my own husband** corrigiu ela rapidamente, compreendendo o erro que tinha cometido. Outro erro do mesmo gênero que ouço com muita frequência é **I will go to my country to visit *your* parents**. O quê? Os meus pais? Mas os meus pais vivem aqui, nos EUA.

O problema aqui é o abuso do adjetivo possessivo **your** (*iór*; teu/tua/teus/tuas), que ajuda a identificar as coisas que pertencem ao interlocutor do sujeito. Mas **your** não é uma palavra que sirva para todos os casos ou para todas as ocasiões. Não se pode aplicar a objetos que pertençam ao próprio sujeito ou a terceiras pessoas. Por isso, tenha cuidado, porque se disser a alguém **I saw a movie with *your* wife** (*ái só â mu-vi uíth iór uáif*; Fui ao cinema com a sua mulher), pode se meter em problemas! Consulte o Capítulo 8 para informações sobre como usar os adjetivos possessivos e não vá ao cinema com as mulheres dos seus amigos.

Não Faça Nunca uma Dupla Negativa

Usar duplas negativas (colocar duas partículas negativas na mesma oração) é perfeitamente normal em português (basta reparar no título desta seção) e em algumas formas nativas do inglês. Mas, na língua corrente, as duplas negativas são incorretas porque – como na matemática – duas negativas fazem uma positiva. Por exemplo, se voltar da mercearia com as mãos a abanando não diga **I *didn't* buy *nothing*** (*ái di-dânt bái nâ-thing*; Não comprei nada). Isso significa que comprou qualquer coisa, que é precisamente o contrário do que queria dizer. O correto seria dizer **I didn't buy *anything*** (*ái di-dânt bái é-ni-thing*; Não comprei nada) ou **I *bought* nothing** (*ái bót nâ-thing*; Não comprei nada). Duas negativas podem funcionar numa oração se uma delas for um prefixo negativo. Por exemplo, se disser **I'm *not* un*happy*** (*áim nót ân-hé-pi*; Não estou triste), está dizendo que está feliz. Neste caso, as duas negativas transmitem uma ideia positiva ou neutra, que era precisamente o que queria.

306 Parte V: A Parte dos Dez

Capítulo 19

Dez Palavras que se Confundem Facilmente

- -

Neste Capítulo

▶ Conhecendo umas regras fáceis para escolher a palavra certa

▶ Compreendendo os sentidos

▶ Distinguindo som e significado

- -

A língua inglesa tem cerca de dois milhões de palavras, de acordo com Richard Lederer, autor de *Crazy English*. Além disso, o inglês está cheio de homônimos (palavras que têm grafias e pronúncias iguais, mas diferentes significados), sinônimos (palavras que têm diferentes grafias e pronúncias, mas significados idênticos), antônimos (palavras com o significado oposto) e assim por diante. Por isso, não se sinta mal se misturar algumas palavras desses dois milhões que tem à sua disposição! Pense que os próprios nativos nem sempre escolhem as palavras certas. Este capítulo apresenta algumas regras simples e sugestões para ajudar a esclarecer as confusões mais comuns.

Coming e Going

Não sabe bem se está **coming** (*câ-ming*; vindo) ou **going** (*gôu-ing*; indo)? As palavras **come** (*câm*; vir) e **go** (*gôu*; ir) geram muitas dificuldades às pessoas que aprendem inglês, mas não são especialmente difíceis se seguir esta regra: use **go** para se referir a qualquer lugar onde o sujeito não se encontra nesse momento. Por exemplo, se estiver vivendo nos Estados Unidos, poderá ouvir duas pessoas tendo a seguinte conversa:

- ✔ **When will you go back to your country?** (*uên uíl iú gôu béc tu iór <u>cân</u>-tri*; Quando é que você volta para o seu país?).

- ✔ **I plan to go back next month.** (*ái plén tu gôu béc nécst mânth*; Eu planejo voltar no mês que vem).

Use **come** para se referir a qualquer lugar onde o sujeito se encontra nesse momento. Por exemplo, enquanto estiver nos EUA, pode ter a seguinte conversa:

- ✔ **Why did you come to the United States?** (*uái did iú câm tu dâ iú<u>náit</u>d stâits*; O que o trouxe aos Estados Unidos?).

- ✔ **I came here for a vacation.** (*ái câim hir fór â vai-<u>câi</u>-chân*; Vim aqui passar férias).

E em pouco tempo estará **coming** e **going** tranquilamente. Entretanto, há duas frases imperativas que podem te ajudar a recordar para onde é que vai: **Come here!** (*câm hir*; Venha cá!) e **Go away!** (*gôu â-uâi*; Vá embora!).

Borrowing e Lending

Precisa de um **loan** (*lâun*; empréstimo)? Ou foi o seu amigo que lhe pediu um? Se assim for, precisa saber a diferença entre os verbos **to borrow** (*tu <u>bó</u>-rôu*; pedir emprestado) e **to lend** (*tu lênd*; emprestar). A seguinte história pode ajudar a compreender quem recebe o dinheiro.

O Jason tem 100 dólares. O seu amigo Sam quer pedir dinheiro e espera que o Jason lhe empreste, prometendo pagar quando puder. O Sam pode pedir o dinheiro usando **borrow** ou **lend**, dependendo da estrutura da frase. Mas repare que quando o Sam está falando diz **I borrow** e **you lend**. Ou seja, o Sam está **borrowing** (*<u>bó</u>-rôu-ing*; pedindo emprestado) e o Jason está **lending** (*<u>lên</u>-ding*; emprestando). O Sam poderia pedir o dinheiro com uma das seguintes frases:

- ✔ **Hey, Jason, can I borrow $50?** (*hâi <u>djâi</u>-sân quén ái <u>bó</u>-rôu <u>fif</u>-ti <u>dó</u>lârs*; Olha, Jason, posso lhe pedir 50 dólares?).

- ✔ **Hey, Jason can you lend me $50?** (*hâi <u>djâi</u>-sân quén iú lênd mi <u>fif</u>-ti <u>dó</u>-lârs*; Olha, Jason, poderia me emprestar 50 dólares?).

O Jason também pode responder à pergunta com **borrow** ou **lend**. Mas quando o Jason — o **lender** (*lên-dâr*; emprestador) – se refere à situação, diz **you borrow** e **I lend**. O Jason poderia responder ao pedido do Sam da seguinte forma:

- ✔ **Sure, you can borrow $50.** (*châr iú quén <u>bó</u>-rôu <u>fif</u>-ti <u>dó</u>-lârs*; Claro pode pegar emprestado 50 dólares).

- ✔ **Sorry, I can't, but I'll lend you $25.** (*<u>só</u>-ri ái quént bât áil lênd iú <u>tuên</u>ti fáiv <u>dó</u>-lârs*; Desculpa, mas não posso, posso emprestar-lhe 25 dólares).

Só mais uma coisa: o verbo **to loan** (*tu lôun*; emprestar) tem o mesmo significado que **to lend**. O Sam pode dizer **Can you loan me $50?** (*quén iú lôun mi <u>fif</u>-ti <u>dó</u>-lârs*; Pode me emprestar 50 dólares?). E o Jason pode responder **No way, I loaned you $25 last week!** (*nôu uâi ái lôund iú <u>tuên</u>-ti fáiv <u>dó</u>-lârs lést uíc*; Nem pensar. Já lhe emprestei 25 dólares na semana passada!).

Such e So – Não é Assim Tão Complicado

As palavras **such** (*sâtch*; tão) e **so** (*sôu*; tão) possuem basicamente o mesmo significado do que a palavra **very** (*vé-ri*; muito), mas não podem ser usadas de uma forma tão livre como **very**, e é isso que causa problemas. O erro mais comum é usar **so** quando se deve usar **such**. A seguinte regra deve ajudar a evitar estas confusões: use **such** antes de substantivos (geralmente encontrará combinações de adjetivos e substantivos), e só use **so** com adjetivos e advérbios. Parece fácil, não parece? E aqui as aparências não iludem: é mesmo fácil. Os seguintes exemplos demonstram o uso do **such** e do **so**:

- **This is such an easy lesson.** (*dis iz sâtch ân i-zi lé-sân*; Esta lição é tão fácil).

- **This is so easy.** (*dis iz sôu i-zi*; Isto é tão fácil)

- **You speak such good English.** (*iú spic sâtch gud in-glich*; Fala um inglês tão bom).

- **You speak English so well.** (*iú spic in-glich sôu uél*; Fala tão bem inglês).

Além disso, o **so** pode ser utilizado com as palavras **much** (*mâtch*; muito), **many** (*mé-ni*; muitos), **little** (*li-tâl*; pouco) e **few** (*fiú*; poucos). Por exemplo, na livraria onde geralmente compro os meus livros, há um pôster que diz **So many good books, so little time** (*sôu mé-ni gud bucs sôu li-tâl táim*; Tantos bons livros, tão pouco tempo). Consulte o Capítulo 10 para mais informação sobre o uso de **much**, **many**, **little** e **few**.

Like e Alike – Descubra as Semelhanças!

As palavras **like** (*láic*; como) e **alike** (*â-láic*; parecido) possuem significados tão próximos que confundem muitas pessoas que estão aprendendo inglês como segunda língua. Pelo menos, enquanto não descobrem algumas simples regras sobre a sua utilização. A diferença entre **like** e **alike** aparece bem explícita nas seguintes frases:

- **I am like my sister.** (*ái ém láic mái sis-târ*; Sou como a minha irmã).

- **My sister and I are alike.** (*mái sis-târ énd ái ár â-láic*; Eu e a minha irmã somos parecidas).

Like tem o mesmo sentido comparativo que o advérbio da língua portuguesa "como" e aparece, geralmente, entre duas coisas e/ou pessoas que estejam a ser comparadas (ou seja, **like** aparece, geralmente, antes de um substantivo). **Alike** significa parecido (ou mesmo igual), e aparece, geralmente, depois das duas coisas e/ou pessoas que são comparados, muitas vezes, no final da frase (ou seja, não deve aparecer nenhum substantivo depois de **alike**).

310 Parte V: A Parte dos Dez

Para formar frases negativas, acrescente a palavra **not** (*nót*; não) antes de **like** ou **alike**:

- ✔ **Fish are not like zebras.** (*fich ár nót láic zi-brâz*; Os peixes não são como as zebras).

- ✔ **Fish and zebras are not alike.** (*fich énd zi-brâz ár nót â-láic*; Os peixes e as zebras não são parecidos).

Também pode usar a palavra **unlike** (*ân-láic*; ao contrário) em vez de **not like**, como na frase **Fish are unlike zebras** (*fich ár ân-láic zi-brâz*; Os peixes não são como as zebras).

Hearing e Listening

Deve ter acontecido algumas vezes em que precisou ouvir um longo e aborrecido discurso. Podia **hear** (*hir*; ouvir) a pessoa falar, mas no final era incapaz de recordar o que tinha dito o orador porque não tinha estado **listening** (*lisning*; a escutar). **Hearing** (*hi-ring*; ouvir) é o que os seus ouvidos foram naturalmente concebidos para fazer. Se não tiver problemas de audição, ouve as coisas automaticamente. Mas, escutar implica um esforço consciente para prestar atenção àquilo que se ouve. Quando uma pessoa não presta atenção a um discurso chato, os seus ouvidos continuam a funcionar, mas a pessoa não está escutando.

Se o seu interlocutor estiver falando muito baixinho ou tiver uma má ligação telefônica, pode dizer **I can't hear you. Please speak louder.** (*ái quént hir iú pliz spic láu-dâr*; Não o estou ouvindo bem. Fale mais alto, por favor). Se alguém estiver dizendo qualquer coisa, mas o pega distraído, pode dizer qualquer coisa como **I'm sorry. What did you say? I wasn't listening.** (*áim só-ri uót did iú sâi ái uó-zânt lis-ning*; Desculpe, o que é que disse? Não estava escutando). Neste último caso, reze para que não seja um professor ou um chefe, porque há muita gente que não gosta de saber que as pessoas não prestam atenção às suas palavras.

Só mais uma coisinha: use a palavra **hear** para se referir à recepção de notícias ou informação e à assistência a eventos, como concertos ou conferências. Aqui tem alguns exemplos bastante comuns:

- ✔ **Did you hear what happened?** (*did iú hir uót hé-pând*; Ouviu aquilo que aconteceu?).

- ✔ **I heard it on the radio.** (*ái hârd it ón dâ rái-di-ôu*; Ouvi na rádio).

- ✔ **Have you heard Midori play in concert?** (*hév iú hârd mi-dó-ri plâi in cón-sârt*; Alguma vez ouviu Midori tocando ao vivo?).

Seeing, Looking at e Watching

Como o **hearing**, **seeing** (*si-ing*; ver) é uma função natural do corpo humano, é aquilo para que servem os olhos. Mesmo que não tenha uma

perfect vision (*pâr-fâct vi-jân*; vista perfeita), pode ver bem com a ajuda de óculos ou de lentes de contato. Eu pessoalmente preciso de óculos para ver de perto; por isso, por mais que olhe atentamente para uma página de um livro, se estiver sem óculos, nunca a poderei ver corretamente.

Quando alguém diz **Look at that!** (*luc ât dét*; Olhe para aquilo!), está a instá-lo a dirigir os olhos (e atenção) para qualquer coisa. **Look at** (*luc ét*; olhar para) significa dar uma olhadela ou dirigir o seu olhar para qualquer objeto estacionário. Pode olhar para uma revista, a tela do computador ou para alguém que esteja sentado à sua frente à mesa.

Looking (*lu-quing*; olhar) torna-se **watching** (*uó-tching*; ver) quando se observa com atenção qualquer coisa que tem a possibilidade de se mover ou mudar por si própria. Assim **to watch** pode ser aplicado a filmes, jogos de futebol ou a crianças brincando. Mas, não a uma revista, por exemplo (a menos que espere que a revista se levante e comece a fazer qualquer coisa). Mas, pode ser aplicado às cotações da bolsa — já que estão constantemente subindo e descendo!

Agora já conhece algumas das diferenças básicas entre os verbos **to see**, **to look at** e **to watch**. Mas tenha cuidado: o inglês possui muitíssimas expressões que contêm estas palavras. Dê uma olhada em um bom dicionário se quiser ver algumas dessas expressões com **to see**, **to look at** e **to watch**.

Feeling e Touching

Como **hearing** e **seeing**, **feeling** (*fi-ling*; sentir) é uma função natural do corpo. **Touching** (*tâ-tching*; tocar), por outro lado, é aquilo que se decide fazer quando se deseja **to feel** (*tu fil*; sentir) qualquer coisa. Se uma pessoa **touches** (*tâ-tchâs*; toca) numa chama, sentirá calor! Se tocar em gelo, sentirá frio. **Touching** é uma ação voluntária – exceto quando se realiza acidentalmente, por exemplo, quando se toca num ferro quente. Um pai que leve os filhos às compras pode dizer-lhes **Don't touch anything** (*dônt tâtch é-ni-thing*; Não toquem em nada). Mas, não se pode dizer **Don't feel anything** (*dônt fil é-ni-thing*; não sintam nada), porque o **feeling** é involuntário. Só uma pessoa que tenha perdido a sensibilidade em alguma parte do corpo pode tocar – ou ser tocado por – qualquer coisa e não sentir nada.

Feeling também se refere aos sentimentos, como o amor, o ódio, o medo, a raiva etc. Quando se trata de assuntos de coração, uma pessoa pode **feel happy** (*fil hé-pi*; sentir-se feliz), **sad** (*séd*; triste) ou **loved** (*lâvd*; amada). E quando se sente profundamente comovida, pode mesmo sentir-se **touched** (*tâ-tched*; tocada)!

Lying e Laying – As Galinhas Não Mentem!

Compreender quando se deve utilizar **lie** (*lái*; mentir) ou **lay** (*lâi*; pôr), **lying** (*lái-ing*; mentir) ou **laying** (*lâi-ing*; pôr), e assim por diante, pode dar

312 Parte V: A Parte dos Dez

um irreprimível desejo de **lie down** (*lái dáun*; deitar-se) e chorar. Mas **don't lay an egg** (*dônt lâi ân ég*; não coloque um ovo)! Posso ajudá-lo a distinguir entre **lying** e **laying** — e **that's no lie** (*déts nôu lái*; isto não é mentira nenhuma)!

O verbo **to lie** significa:

- Estar ou colocar-se numa posição deitada, como em **Lie down and go to sleep.** (*lái dâun énd gôu tu slip*; Deite-se e durma).

- Dizer qualquer coisa que não seja verdade, como na frase **Don't lie. Tell the truth!** (*dônt lái tél dâ truth*; Não minta. Diga a verdade!).

O verbo **to lay** significa:

- Colocar qualquer coisa em cima de uma superfície, como na frase **Lay the book on the table** (*lâi dâ buc ón dâ tâi-bâl*; Ponha o livro em cima da mesa).

- Produzir e pôr um ovo, como na frase **Chickens lay eggs** (*tchi-câns lâi égs*; As galinhas põem ovos).

Usar os verbos **to lie** e **to lay** é muito simples, sempre que uma pessoa se limite às formas do presente ou do gerúndio. Mas, quando se tem que usar as formas do passado, é possível que sinta esse desejo de deixar os livros e ir deitar e pegar um sol. Mas também não é assim tão difícil: o gerúndio de **lie** é **lying**, e o gerúndio de **lay** é **laying**. Consulte o Apêndice A, na parte final do livro, para ver as formas do pretérito de **lie** e **lay**. Decore-as e até os americanos te pagarão para dar aulas de inglês!

Tuesday ou Thursday?

Tuesday (*tuz-dâi*; terça-feira) ou **Thursday** (*thârz-dâi*; quinta-feira), em que dia estamos, afinal? Estas palavras podem parecer iguais quando as ouvir ou tentar proferi-las; mas, a verdade é que possuem pronúncias obviamente diferentes e, claro, diferentes significados. Nas seguintes linhas vou dar uma ajuda para descobrir como se pronunciam corretamente estas palavras e, ao mesmo tempo, treinar os seus ouvidos para perceber a diferença entre uma e outra.

Se **Monday** (*mân-dâi*; segunda-feira) é o primeiro dia útil da semana, o segundo – ou dia **two** (*tu*; dois) – é **Tuesday**. Assim, **Tuesday** pronuncia-se como o número 2, acrescentando depois **z-day** (*z-dâi*). Tudo junto fica **two-z-day** (*tuz-dâi*). Não se esqueça que o **s** de **Tuesday** deve soar como um **z**, que é um **voiced sound** (*vóisd sáund*; som sonoro). Consulte o Capítulo 1 para mais informações e exercícios sobre os sons sonoros.

Thursday começa com um som **th** (*th*) – não com um som **t** (*t*), como **Tuesday**. (Consulte o Capítulo 1 para ver como se pronuncia claramente o **th**). Se consegue dizer **thirty** (*thâr-ti*; trinta) ou **thirteen** (*thâr-tin*; treze), não terá qualquer dificuldade em dizer **Thursday**. Não se esqueça da parte do **zz-dâi** (*z-dâi*), que é igual à de **Tuesday**. Não se esqueça de pronunciar o **s** como um **z**. Senão, acabará por dizer a palavra **thirsty** (*thârs-ti*; sedento) e receber um generoso copo de água.

Too e Very

Há pessoas que dizem **You can never have too much time or too much money** (*iú quén né-vâr hév tu mâtch táim ór tu mâtch mâ-ni*; Nunca se pode ter tempo demais nem dinheiro demais). É muito provável que tenham razão, mas a palavra **too** (*tu*; demasiado; demais), geralmente, implica um excesso indesejável ou um problema. Por exemplo, uma pessoa pode sentir-se desconfortável se **eats too much** (*its tu mâtch*; comer demais). E muita gente se queixa que **the weather is too hot** (*dâ ué-dâr is tu hót*; o tempo está demasiado quente) ou **too cold** (*tu côld*; demasiado frio).

Por contraste, a palavra **very** (*vé-ri*; muito) — que significa em grande quantidade ou **really** (*ri-li*; muito) — não implica necessariamente em um problema. Dizer, por exemplo, **It's very hot today** (*its vé-ri hót tu-dâi*; Hoje está muito calor), não significa que o sujeito se sinta desconfortável, já que há muita gente que gosta do tempo quente.

Se estiver **very happy** (*vé-ri hé-pi*; muito contente) e se enganar dizendo **I'm too happy** (*áim tu hé-pi*; estou demasiado feliz), as pessoas podem perguntar "Como se pode estar demasiado feliz?". Lembre-se sempre de que a palavra **too** implica uma situação indesejada ou desagradável. A diferença está bem evidente nas duas frases a seguir:

- ✔ **This car is too expensive, I can't afford it.** (*dis cár iz tu ics-pên-siv ái quént a-fórd it*; Este carro é demasiado caro. Não posso comprá-lo).

- ✔ **This car is very expensive, but I can buy it.** (*dis cár iz vé-ri ics-pênsiv bât ái quén bái it*; Este carro é muito caro, mas eu posso comprá-lo).

Então, é ou não é possível ter tempo demais ou dinheiro demais? Talvez sim, talvez não. Eu, pessoalmente, não me importaria se descobrir.

Parte VI
Apêndices

Nesta parte...

Por último, ofereço os Apêndices, que proporcionam uma lista prática de verbos irregulares no passado, um minidicionário para consulta rápida, um guia para as conversações que se encontram no CD e as soluções para os divertidos jogos e exercícios.

Apêndice A

Verbos Irregulares do Inglês

A tabela a seguir é uma ferramenta extremamente útil. Apresenta as formas do pretérito e do particípio passado de uma grande quantidade de verbos irregulares da língua inglesa. Para usar a Tabela A, só precisa encontrar o verbo que procura na coluna da esquerda, que oferece o infinitivo (ou forma básica) do verbo, e ler as colunas do centro e da direita, onde estão as formas do pretérito e do particípio passado.

Para mais informações sobre a utilização do pretérito e para a conjugação do verbo **to be**, consulte o Capítulo 2. Para mais informação sobre a utilização do particípio passado, consulte o Capítulo 15.

Tabela A	Verbos Irregulares do Inglês	
Infinitivo	*Pretérito*	*Particípio passado*
awake (despertar)	awoke	awaken
be (ser, estar)	was/were	been
beat (bater, derrotar)	beat	beaten
become (tornar-se)	became	become
begin (começar)	began	begun
bend (dobrar)	bent	bent
bite (morder)	bit	bitten
bleed (sangrar)	bled	bled
blow (soprar)	blew	blown
break (partir)	broke	broken
bring (trazer)	brought	brought
build (construir)	built	built
buy (comprar)	bought	bought
catch (apanhar)	caught	caught
come (vir)	came	come
cost (custar)	cost	cost

continua

318 Parte VI: Apêndices

Infinitivo	Pretérito	Particípio passado
dig (cavar)	dug	dug
do (fazer)	did	done
draw (desenhar)	drew	drawn
drink (beber)	drank	drunk
drive (conduzir)	drove	driven
eat (comer)	ate	eaten
fall (cair)	fell	fallen
feed (alimentar)	fed	fed
fight (lutar)	fought	fought
find (descobrir)	found	found
fit (encaixar, servir (a roupa))	fit	fit
fly (voar, andar de avião)	flew	flown
forget (esquecer)	forgot	forgotten
forgive (perdoar)	forgave	forgiven
freeze (congelar)	froze	frozen
get (obter)	got	got/gotten
give (dar)	gave	given
go (ir)	went	gone
grow (crescer)	grew	grown
hang (pendurar)	hung	hanged/hung
have (ter)	had	had
hear (ouvir)	heard	heard
hide (esconder)	hid	hidden
hit (atingir)	hit	hit
hold (segurar)	held	held
hurt (magoar)	hurt	hurt
keep (guardar)	kept	kept
know (saber)	knew	known
lay (por)	laid	laid
lead (dirigir)	led	led
leave (deixar)	left	left
lend (emprestar)	lent	lent
let (deixar, alugar)	let	let
lie (down) (deitar)	lay	lain
light (iluminar)	lit	lit
lose (perder)	lost	lost

continua

Apêndice A: Verbos Irregulares do Inglês 319

Infinitivo	Pretérito	Particípio passado
make (fazer)	made	made
mean (significar)	meant	meant
meet (encontrar)	met	met
pay (pagar)	paid	paid
prove (provar)	proved	proven
put (pôr)	put	put
quit (desistir)	quit	quit
read (ler)	read	read
ride (andar de meio de transporte)	rode	ridden
ring (soar)	rang	rung
rise (erguer)	rose	risen
run (correr)	ran	run
say (dizer)	said	said
see (ver)	saw	seen
sell (vender)	sold	sold
send (enviar)	sent	sent
set (colocar)	set	set
shake (abanar)	shook	shaken
shine (brilhar)	shone	shone
shoot (disparar)	shot	shot
shut (fechar)	shut	shut
sing (cantar)	sang	sung
sit (sentar)	sat	sat
sleep (dormir)	slept	slept
slide (deslizar)	slid	slid
speak (falar)	spoke	spoken
spend (gastar)	spent	spent
split (dividir)	split	split
spread (espalhar)	spread	spread
stand (estar de pé)	stood	stood
steal (roubar)	stole	stolen
stick (espetar)	stuck	stuck
sting (picar)	stung	stung
swear (jurar)	swore	sworn
sweep (varrer)	swept	swept

continua

320 Parte VI: Apêndices

Infinitivo	Pretérito	Particípio passado
swim (nadar)	swam	swum
swing (balançar)	swung	swung
take (tomar)	took	taken
teach (ensinar)	taught	taught
tear (rasgar)	tore	torn
tell (contar)	told	told
think (pensar)	thought	thought
throw (atirar)	threw	thrown
understand (compreender)	understood	understood
wake (acordar)	woke	woken
wear (vestir [a roupa])	wore	worn
weep (chorar)	wept	wept
win (ganhar)	won	won
write (escrever)	wrote	written

Minidicionário português-inglês

A

abaixo **down** (*dáun*)
abraço **hug** (*hâg*)
acabar **finish** (*fi-nich*)
aceitar **accept** (*â-csépt*)
aceitar **take** (*tâic*)
açúcar **sugar** (*chu-gâr*)
adeus **goodbye** (*gud-bái*)
adorar **love** (*lâv*)
advogado **lawyer** (*lói-âr*)
agora **now** (*náu*)
agradável **nice** (*náis*)
água **water** (*uó-târ*)
ainda **yet** (*iét*)
ajuda **help** (*hélp*)
alfândega **customs** (*câs-tâms*)
alfinete **pin** (*pin*)
algum **some** (*sâm*)
alguma coisa **something** (*sâm-thing*)
ali **over there** (*ôu-vâr dér*)
ali **there** (*dér*)
almoço **lunch** (*lântch*)
alto **high** (*hái*)
alto **tall** (*tól*)
amanhã **tomorrow** (*tu-mó-râu*)
amar **love** (*lâv*)
amarelo **yellow** (*ié-lâu*)
amigo **friend** (*frênd*)
andar **floor** (*flór*)
andar **walk** (*uóc*)
apanhar **take** (*tâic*)
aprender **learn** (*lârn*)
aqui **here** (*hir*)

arroz **rice** (*ráis*)
árvore **tree** (*tri*)
até **until** (*ân-til*)
atender (telefone) **answer** (*én-sâr*)
avenida **avenue** (*é-vâ-niú*)
avô **grandfather** (*grénd-fá-dâr*)
avó **grandmother** (*grénd-má-dâr*)
azul **blue** (*blu*)

B

bagagem **luggage** (*lâ-gâdj*)
baixo **low** (*lâu*)
banco **bank** (*bénc*)
banheiro **bathroom** (*béth-rum*)
barulhento **noisy** (*nói-si*)
beber **drink** (*drinc*)
beijo **kiss** (*kis*)
bem **all right** (*ól ráit*)
bem **fine** (*fáin*)
biblioteca **library** (*lái-bre-ri*)
bicicleta **bicycle** (*bái-ci-câl*)
bife **steak** (*stâic*)
bife **beef** (*bif*)
bilhete **ticket** (*ti-cât*)
blusa **blouse** (*bláuz*)
boca **mouth** (*máuth*)
bola **ball** (*ból*)
carona **ride** (*ráid*)
bolso **pocket** (*pó-cât*)
bom **good** (*gud*)
bonito **handsome** (*hénd-sâm*)
bonito **nice** (*náis*)
bonito **pretty** (*pri-ti*)

Parte VI: Apêndices

bota **boot** (*but*)
braço **arm** (*árm*)
branco **white** (*uáit*)
brincar **play** (*plâi*)

C

cabeça **head** (*héd*)
cabelo **hair** (*hér*)
café **coffee** (*có-fi*)
café-da-manhã **breakfast** (*bréc-fâst*)
calado **quiet** (*cuái-ât*)
calças **pants** (*pénts*)
calças **jeans** (*djins*)
calmo **quiet** (*cuái-ât*)
cama **bed** (*béd*)
camisa **shirt** (*chârt*)
camisa de lã **pullover** (*pul-ouver*)
camisa de malha **sweater** (*sué-târ*)
camisa desportiva **sweatshirt** (*suét-chârt*)
cancelar **cancel** (*quén-sâl*)
caneta **pen** (*pén*)
cansado **tired** (*tái-ârd*)
cansar **tire** (*táir*)
cantar **sing** (*sing*)
cão **dog** (*dóg*)
cara **face** (*fáis*)
carne **meat** (*mit*)
carne branca **white meat** (*uáit mit*)
caro **expensive** (*ics-pên-siv*)
carro **car** (*cár*)
carta **letter** (*lé-râr*)
cartão **card** (*cárd*)
carteira **wallet** (*uó-lât*)
casa **house** (*háus*)
casaco **coat** (*côut*)
casaco **jacket** (*djé-cât*)
castanho **brown** (*bráun*)
cavalo **horse** (*hórs*)
cedo **early** (*âr-li*)
cerca **around** (*â-ráund*)
certo **right** (*ráit*)

cerveja **beer** (*bir*)
chá **tea** (*ti*)
chamar **call** (*cól*)
chão **floor** (*flór*)
chapéu **hat** (*hét*)
chave **key** (*qui*)
chávena (xícara grande) **cup** (*câp*)
chegar **arrive** (*â-ráiv*)
cheque **check** (*tchéc*)
chover **rain** (*râin*)
chuva **rain** (*râin*)
cidade **city** (*ci-ti*)
cidade **town** (*táun*)
cima **up** (*âp*)
cinzento **gray** (*grâi*)
cirurgia **surgery** (*sâr-djâ-ri*)
claro **of course** (*óf córs*)
claro **sure** (*chôr*)
coisa **thing** (*thing*)
colher **spoon** (*spun*)
com certeza **sure** (*chôr*)
começar **begin** (*bi-guin*)
comer **eat** (*it*)
como **how** (*háu*)
como **like** (*láic*)
comprar **buy** (*bái*)
computador **computer** (*côm-piú-târ*)
conduzir **drive (a car)** (*dráiv â cár*)
conhecer **know** (*nôu*)
consultar **check** (*tchéc*)
conta **account** (*â-cáunt*)
conta **bill** (*bil*)
contar **count** (*cáunt*)
contente **content** (*cân-tênt*)
continuar **keep going** (*quip gôu-ing*)
controle **check** (*tchéc*)
conversa **talk** (*tóc*)
convidado **guest** (*guést*)
copo **glass** (*glés*)
cor **color** (*có-lôr*)
coração **heart** (*hárt*)
cor-de-laranja **orange** (*ó-rân-ge*)
corredor **aisle** (*áil*)

Apêndice B: Minidicionário 323

correio **mail** (*mâil*)

corrida **race** (*râis*)

coxa **thigh** (*thái*)

cozinha **kitchen** (*qui-tchân*)

cozinhar **cook** (*cuk*)

cozinheiro **cook** (*cuk*)

crédito **credit** (*cré-dit*)

criança **child** (*tcháild*)

criança **kid** (*quid*)

cuidadoso **careful** (*quér-ful*)

curto **short** (*chórt*)

custar **cost** (*cóst*)

D

dança **dance** (*déns*)

dançar **dance** (*déns*)

dar **give** (*guiv*)

data **date** (*dâit*)

debaixo **under** (*ân-dâr*)

dedo **finger** (*fin-gâr*)

dedo do pé **toe** (*tôu*)

deixar **leave** (*liv*)

demorar **take** (*tâic*)

dente **tooth** (*tuth*)

dentista **dentist** (*dén-tist*)

depois **after** (*áftâr*)

depois **then** (*dén*)

desenho **picture** (*pic-tchâr*)

desistir **quit** (*cuít*)

dever **must** (*mâst*)

devolver **return** (*ri-târn*)

dia **day** (*dâi*)

diferente **different** (*di-frânt*)

difícil **difficult** (*di-fi-câlt*)

dinheiro em espécie **cash** (*quéch*)

dinheiro **money** (*mâ-ni*)

direita **right** (*ráit*)

direito **right** (*ráit*)

disponível **available** (*â-vâi-lâ-bâl*)

doce **sweet** (*suít*)

doença **illness** (*il-nâs*)

doente **sick** (*sic*)

dólar **dollar** (*dó-lâr*)

dor **pain** (*pâin*)

dormir **sleep** (*slip*)

E

edifício **building** (*bil-ding*)

ela **she** (*chi*)

ele **he** (*hi*)

eles **they** (*dei*)

elevador **elevator** (*é-lâ-vâi-târ*)

em cima **above** (*â-bâv*)

em **on** (*ón*)

empregado **employee** (*êm-plói-i*)

emprego **job** (*djób*)

empresa **company** (*câm-pâ-ni*)

encontrar **find** (*fáind*)

endereço **address** (*é-dré-ss*)

enfermeira **nurse** (*nârs*)

enquanto **while** (*uáil*)

então **then** (*dén*)

entrar **enter** (*ên-târ*)

entre **between** (*bi-tuín*)

enviar **send** (*sênd*)

equipe **team** (*tim*)

errado **wrong** (*róng*)

escola **school** (*scul*)

escolha **choice** (*tchóis*)

escrever **write** (*ráit*)

escritório **office** (*ó-fis*)

escuridão **dark** (*dárc*)

escuro **dark** (*dárc*)

escutar **listen** (*li-sân*)

especial **special** (*spé-châl*)

espetáculo **show** (*chôu*)

esperar **wait** (*uâit*)

esquerda **left** (*léft*)

esquina **corner** (*cór-nâr*)

esquisito **weird** (*uírd*)

estação **station** (*stâi-chân*)

estacionamento **parking** (*pár-quing*)

324 Parte VI: Apêndices

estado **state** (stâit)
este **this** (dis)
estrada **road** (rôud)
estreito **narrow** (né-râu)
estudante **student** (stiú-dânt)
estudar **study** (stâ-di)
estudo **study** (stâ-di)
experimentar **try** (trái)
exterior **outside** (áut-sáid)

F

faca **knife** (náif)
fácil **easy** (i-zi)
falar **talk** (tóc)
faminto **hungry** (hângri)
farmácia **drugstore** (drâg-stór)
traje **suit** (sut)
fazer **make** (mâic)
feio **ugly** (â-gli)
feliz **happy** (hé-pi)
feriado **holiday** (hó-lâ-dâi)
férias **holiday** (hó-lâ-dâi)
ferramenta **tool** (tul)
ficar **stay** (stâi)
fila **line** (láin)
filha **daughter** (dó-târ)
filho **son** (sân)
filme **picture** (pic-tchâr)
flocos de cereais **cereal** (si-ri-âl)
flor **flower** (fláu-âr)
fogo **fire** (fái-âr)
fora **out** (áut)
fora **outside** (áut-sáid)
fotografia **photograph** (fôu-tâ-gréf)
fotografia **picture** (pic-tchâr)
frango **chicken** (tchi-cân)
frequentemente **often** (ó-fân)
frescor **cool** (cul)
frio **cold** (côuld)
fruta **fruit** (frut)
futuro **future** (fiú-tchâr)

G

garfo **fork** (fórc)
garrafa **bottle** (bó-tâl)
gato **cat** (quét)
gelo **ice** (áis)
gente **people** (pi-pâl)
gerente **manager** (mé-nâ-djâr)
gostar **enjoy** (ên-djói)
gostar **like** (láic)
gostar muito **love** (lâv)
grande **big** (big)
grande **large** (lárdj)
gratuito **free** (fri)
gripe **flu** (flu)
guardanapo **napkin** (nép-quin)

H

hoje **today** (tu-dâi)
homem **man** (mán)
hora **hour** (áu-âr)
hortaliças **vegetables** (véj-tâ-bâls)

I

ideal **right** (ráit)
identificação **identification** (ái-dên-tâfâ-cái-chân)
ilha **island** (ái-lând)
imagem **picture** (pic-tchâr)
imediatamente **right away** (ráit â-uái)
imigração **immigration** (i-mi-grái-chân)
importante **important** (in-pór-tânt)
impossível **impossible** (in-pó-sâ-bâl)
imprimir **print** (print)
incluir **include** (in-clud)
inteiro **whole** (hôl)
introduzir **enter** (ên-târ)
ir **go** (gôu)
irmã **sister** (sis-târ)
irmão **brother** (brá-der)
ir embora **leave** (liv)

Apêndice B: Minidicionário 325

isso **it** (*it*)
isto **it** (*it*)
isto **this** (*dis*)

J

jantar **dinner** (*di-nâr*)
jardim **garden** (*gár-dân*)
joelho **knee** (*ni*)
jogar **play** (*plâi*)
jogo **game** (*gâim*)
jornal **newspaper** (*niúz-pâi-pâr*)
jovem **young** (*iâng*)
junto **together** (*tâ-gué-thâr*)

L

lá **there** (*dér*)
laranja **orange** (*ó-rân-ge*)
largo **wide** (*uáid*)
legal **cool** (*cul*)
lei **law** (*ló*)
leite **milk** (*milc*)
lesão **injury** (*in-djâ-ri*)
letra **letter** (*lé-râr*)
levar **take** (*tâic*)
leve **mild** (*máild*)
libra **pound** (*páund*)
lição **lesson** (*lé-sân*)
limpar **clean** (*clin*)
limpo **clean** (*clin*)
lindo **beautiful** (*biú-ti-fâl*)
língua **language** (*lén-guâdj*)
linha **line** (*láin*)
liso **straight** (*strâit*)
livre **free** (*fri*)
livro **book** (*buc*)
logo **later** (*lâi-tâ*)
loja **store** (*stór*)
louco **mad** (*méd*)
lua **moon** (*mun*)
luz **light** (*láit*)

M

mãe **mother** (*má-dâr*)
maiô **swimsuit** (*suím-sut*)
mais **more** (*mór*)
mais tarde **later** (*lâi-tâ*)
mala **suitcase** (*sut-câis*)
manhã **morning** (*mór-ning*)
manteiga **butter** (*bâ-târ*)
mão **hand** (*hénd*)
mapa **map** (*mép*)
máquina fotográfica **camera** (*quém-râ*)
mar **sea** (*si*)
marcar **mark** (*márc*)
marido **husband** (*hás-bând*)
mas **but** (*bât*)
mau **bad** (*béd*)
me **me** (*mi*)
médico **doctor** (*dóc-târ*)
médico **physician** (*fi-zi-chân*)
melhor **best** (*bést*)
menina **miss** (*mis*)
menos **less** (*lés*)
mercearia **grocery store** (*grôu-se-ri stór*)
mesmo **even** (*i-vân*)
mesmo **same** (*sâim*)
metade **half** (*háf*)
mim **me** (*mi*)
minuto **minute** (*mi-nât*)
mobília **furniture** (*fâr-ni-tchâr*)
moça **girl** (*gârl*)
moderno **modern** (*mó-dârn*)
moeda **coin** (*cóin*)
montanha **mountain** (*máun-tân*)
montante **amount** (*â-máunt*)
morno **warm** (*uórm*)
mostrar **show** (*chôu*)
mudança **change** (*tchéndj*)
mudar **change** (*tchéndj*)
muito **a lot** (*â lót*)
muito **much** (*mâtch*)
muito **quite** (*quáit*)

muito **very** (_vé_-ri)

muitos/as **many** (_mé_-ni)

mulher **woman** (uú-mân)

N

nação **nation** (_nâi_-chân)

nacionalidade **nationality** (né-châ-_né_-lâ-ti)

nadar **swim** (_suím_)

não **no** (nôu)

nariz **nose** (nôuz)

negócio **business** (_biz_-nâs)

nenhum **none** (nân)

neto **grandchild** (_gránd_-tcháild)

noite **night** (náit)

normal **average** (é-vrâ-dje)

nós **we** (uí)

nota **note** (nôut)

novo **young** (iâng)

número **number** (_nâm_-bâr)

nunca **never** (_né_-vâ)

O

o quê **what** (uót)

obrigado **thank you** (thénc iú)

observar **watch** (uátch)

oceano **ocean** (_ôu_-chân)

ocupado **occupied** (_ó_-quiú-páid)

olho **eye** (ái)

ombro **shoulder** (_chôl_-dâr)

onde **where** (uér)

ontem **yesterday** (_iés_-târ-dâi)

orelha **ear** (ir)

osso **bone** (bôun)

ouro **gold** (gôld)

ouvido **ear** (ir)

ovo **egg** (ég)

P

pagar **pay** (pâi)

pai **father** (_fá_-dâr)

país **country** (_cân_-tri)

panela **pot** (pót)

pão **bread** (bréd)

parada **stop** (stóp)

parar **stop** (stóp)

parque **park** (párc)

partida **game** (gâim)

passaporte **passport** (_pés_-pórt)

pássaro **bird** (bârd)

pátio **yard** (iárd)

patrão **employer** (êm-_plói_-âr)

pé **foot** (fut)

pedir **ask** (ésc)

peixe **fish** (fich)

pensar **think** (thinc)

pequeno **little** (_li_-tâl)

pequeno **small** (smól)

perder **lose** (luz)

perfeito **fine** (fáin)

perfeito **perfect** (_pâr_-féct)

perguntar **ask** (ésc)

perigo **danger** (_dâin_-djâr)

perna **leg** (lég)

perto de **near** (_ni_-âr)

pescoço **neck** (néc)

pessoa **person** (_pâr_-sân)

pessoas **people** (_pi_-pâl)

pintar **paint** (pâint)

planejar **plan** (plén)

plano **plan** (plén)

pobre **poor** (pór)

poder **can** (quén)

polícia **police** (_pôu_-lis)

pôr, colocar **put** (put)

por baixo **below** (bi-_lôu_)

por cima de **over** (_ôu_-vâr)

porquê.../ por quê... (pergunta) **why** (uái)

porta **door** (dór)

posto de correios **post office** (pôust _ó_-fis)

Apêndice B: Minidicionário 327

pouco **little** (*li-tâl*)

poucos **few** (*fiú*)

praia **beach** (*bitch*)

prato **plate** (*plâit*)

preço **price** (*práis*)

preferir **prefer** (*pri-fâr*)

preto **black** (*bléc*)

primeiro **first** (*fârst*)

primo **cousin** (*câ-zên*)

prisão **jail** (*djâil*)

procurar **search** (*sârtch*)

próximo **next** (*nécst*)

puro **pure** (*piúr*)

púrpura **purple** (*pâr-pâl*)

Q

qual **which** (*uítch*)

qualquer coisa **something** (*sâm-thing*)

quando **when** (*uên*)

quarto (uma quarta parte) **quarter** (*cuár-târ*)

quarto **room** (*rum*)

quase **almost** (*ól-môust*)

quase **nearly** (*nir-li*)

que **that** (*dé-t*)

que pena **too bad** (*tu béd*)

queijo **cheese** (*tchiz*)

quem **who** (*hú*)

quente **hot** (*hót*)

querer **want** (*uónt*)

R

rapaz **boy** (*bói*)

recibo **receipt** (*ri-sit*)

reembolso **refund** (*ri-fând*)

refeição **meal** (*mil*)

regra **rule** (*rul*)

remédio **medicine** (*mé-di-cin*)

repetir **repeat** (*ri-pit*)

reserva **reservation** (*ré-zâr-vâi-chân*)

responder **answer** (*én-sâr*)

restaurante **restaurant** (*rés-tâ-rânt*)

reunião **meeting** (*mi-ting*)

rio **river** (*ri-vâr*)

rua **street** (*strit*)

S

saber **know** (*nôu*)

sábio **wise** (*uáiz*)

saco **bag** (*bég*)

saia **skirt** (*scârt*)

saída **exit** (*é-csit*)

sal **salt** (*sált*)

salada **salad** (*sé-lâd*)

sala de estar **living room** (*li-ving rum*)

saldos **sale** (*sâil*)

sangue **blood** (*blâd*)

sapato **shoe** (*chú*)

saudável **healthy** (*hél-thi*)

seco **dry** (*drái*)

sedento **thirsty** (*thârs-ti*)

semáforo **light** (*láit*)

semana **week** (*uíc*)

sempre **always** (*ól-uâis*)

sentar-se **seat** (*sit*)

sentir **feel** (*fil*)

significar **mean** (*min*)

sim **yes** (*iés*)

simpático **nice** (*náis*)

só **just** (*djâst*)

só **only** (*ôn-li*)

só de ida **one-way** (*uón uâi*)

sobre **about** (*a-báut*)

sobremesa **dessert** (*di-sârt*)

socorro **help** (*hélp*)

sogro **in-law** (*in ló*)

sol **sun** (*sân*)

soltar **loose** (*lus*)

suco **juice** (*djús*)

T

tamanho **size** (*sáiz*)
também **also** (*ól-sôu*)
também **too** (*tu*)
tarde **afternoon** (*é-ftâr-nun*)
tarde **late** (*lâit*)
tempo **time** (*táim*)
tentar **try** (*trái*)
ter **have** (*hév*)
terra **land** (*lénd*)
terreno **land** (*lénd*)
tia **aunt** (*ónt*)
tio **uncle** (*ân-câl*)
típico **typical** (*ti-pi-câl*)
tipo **type** (*táip*)
tocar (um instrumento) **play** (*plâi*)
todo **all** (*ól*)
todos **every** (*é-vri*)
tornozelo **ankle** (*én-câl*)
tosse **cough** (*cóf*)
trabalhar **work** (*uârc*)
trabalho **work** (*uârc*)
trânsito **traffic** (*tré-fic*)
trem **train** (*trâin*)
troco (dinheiro) **change** (*tchéndj*)
tu (você) **you** (*iú*)

U

último **last** (*lást*)
usar (roupa e sapatos) **wear** (*uér*)

V

vaca **cow** (*cáu*)
veículo **vehicle** (*vi-â-câl*)
venda **sale** (*sâil*)
vender **sell** (*sél*)
ver **see** (*si*)
vermelho **red** (*réd*)
vestido **dress** (*drés*)
viagem **travel** (*tré-vâl*)
viagem **trip** (*trip*)
viajar **travel** (*tré-vâl*)
vida **life** (*láif*)
vidro **glass** (*glés*)
vir **come** (*câm*)
virar **turn** (*târn*)
visita **visit** (*vi-zit*)
visitar **visit** (*vi-zit*)
viver **live** (*liv*)
vizinho **neighbor** (*nâi-bâr*)
votar **vote** (*vâut*)
voto **vote** (*vâut*)

Z

zero **zero** (*zi-rôu*)
zíper **zipper** (*zi-pâr*)

Minidicionário inglês-português

A

about (*a-báut*) sobre
above (*â-bâv*) em cima
accept (*â-csépt*) aceitar
account (*â-cáunt*) conta
address (*é-dré-ss*) endereço
after (*áftâr*) depois
afternoon (*é-ftâr-nun*) tarde
aisle (*áil*) corredor
all (*ól*) todos/as
all right (*ól ráit*) bem
almost (*ól-môust*) quase
a lot (*â lót*) muito, muitos/as
also (*ól-sôu*) também
always (*ól-uâis*) sempre
amount (*â-máunt*) montante
ankle (*én-câl*) tornozelo
answer (*én-sâr*) responder, atender (telefone)
arm (*árm*) braço
around (*â-ráund*) em/ao redor de
arrive (*â-ráiv*) chegar
ask (*ésc*) perguntar, pedir
aunt (*ónt*) tia
available (*â-vái-lâ-bâl*) disponível
avenue (*é-vâ-niú*) avenida
average (*é-vrâ-dje*) normal

B

bad (*béd*) mau
bag (*bég*) sacola, bolsa
ball (*ból*) bola
bank (*bénc*) banco
bathroom (*béth-rum*) banheiro
beach (*bitch*) praia
beautiful (*biú-ti-fâl*) lindo/a
bed (*béd*) cama
beef (*bif*) bife / carne bovina
beer (*bir*) cerveja
begin (*bi-guin*) começar
below (*bi-lôu*) por baixo
best (*bést*) melhor, melhores
between (*bi-tuín*) entre
bicycle (*bái-ci-câl*) bicicleta
big (*big*) grande
bill (*bil*) conta
bird (*bârd*) pássaro
black (*bléc*) preto
blood (*blâd*) sangue
blouse (*bláuz*) blusa
blue (*blu*) azul
bone (*bôun*) osso
book (*buc*) livro
boot (*but*) bota
bottle (*bó-tâl*) garrafa
boy (*bói*) rapaz
bread (*bréd*) pão
breakfast (*bréc-fâst*) café-da-manhã
brother (*brá-dâr*) irmão
brown (*bráun*) castanho
building (*bil-ding*) edifício
business (*biz-nâs*) negócio
but (*bât*) mas
butter (*bâ-târ*) manteiga
buy (*bái*) comprar

Parte VI: Apêndices

C

call (*ról*) chamar
camera (*quém-râ*) máquina fotográfica
can (*quén*) poder
cancel (*quén-sâl*) cancelar
car (*cár*) carro
card (*cárd*) cartão
careful (*quér-ful*) cuidadoso/a
cash (*quéch*) dinheiro em espécie
cat (*quét*) gato
cereal (*si-ri-âl*) flocos de cereais
change (*tchéndj*) mudar, mudança
change (*tchéndj*) (dinheiro) troco
check (*tchéc*) consultar, controle, cheque
cheese (*tchiz*) queijo
chicken (*tchi-cân*) frango
child (*tcháild*) criança
choice (*tchóis*) escolha
city (*ci-ti*) cidade
clean (*clin*) arrumar, limpar, limpo/a
coat (*côut*) casaco
coffee (*có-fi*) café
coin (*cóin*) moeda
cold (*côuld*) frio/a
color (*có-lôr*) cor
come (*câm*) vir
company (*câm-pâ-ni*) empresa, companhia
computer (*côm-piú-târ*) computador
content (*cân-tênt*) conteúdo
cook (*cuk*) cozinhar, cozinheiro
cool (*cul*) legal
corner (*cór-nâr*) esquina
cost (*cóst*) custar
cough (*cóf*) tosse
count (*cáunt*) contar
country (*cân-tri*) país
cousin (*câ-zên*) primo/a
cow (*cáu*) vaca
credit (*cré-dit*) crédito
cup (*câp*) xícara
customs (*câs-tâms*) alfândega

D

dance (*déns*) dança, dançar
danger (*dâin-djâr*) perigo
dark (*dárc*) escuro, escuridão
date (*dâit*) data
daughter (*dó-târ*) filha
day (*dâi*) dia
dentist (*dén-tist*) dentista
department store (*di-párt-mânt stór*) grandes armazéns
dessert (*di-sârt*) sobremesa
different (*di-frânt*) diferente
difficult (*di-fi-câlt*) difícil
dinner (*di-nâr*) jantar
doctor (*dóc-târ*) médico
dog (*dóg*) cão
dollar (*dó-lâr*) dólar
door (*dór*) porta
down (*dáun*) abaixo
dress (*drés*) vestido
drink (*drinc*) beber
drive (a car) (*dráiv â cár*) andar de carro, conduzir
dry (*drái*) seco
drugstore (*drâg-stór*) farmácia

E

ear (*ir*) orelha, ouvido
early (*âr-li*) cedo
easy (*i-zi*) fácil
eat (*it*) comer
egg (*ég*) ovo
elevator (*é-lâ-vâi-târ*) elevador
employee (*êm-plói-i*) empregado
employer (*êm-plói-âr*) patrão
enjoy (*ên-djói*) gostar de
enter (*ên-târ*) introduzir, entrar
even (*i-vân*) até, mesmo
every (*é-vri*) todos/as
exit (*é-csit*) saída
expensive (*ics-pên-siv*) caro/a
eye (*ái*) olho

Apêndice B: Minidicionário 331

F

face (*fâis*) cara, rosto
father (*fá-dâr*) pai
feel (*fil*) sentir
few (*fiú*) poucos/as
find (*fáind*) encontrar
fine (*fáin*) bem, perfeito
finger (*fin-gâr*) dedo
finish (*fi-nich*) acabar
fire (*fái-âr*) fogo
first (*fârst*) primeiro/a
fish (*fich*) peixe
floor (*flór*) assoalho
flower (*fláu-âr*) flor
flu (*flu*) gripe
foot (*fut*) pé
fork (*fórc*) garfo
free (*fri*) livre, gratuito
friend (*frênd*) amigo/a
fruit (*frut*) fruta
furniture (*fâr-ni-tchâr*) mobília
future (*fiú-tchâr*) futuro

G

game (*gâim*) partida, jogo, esporto
garden (*gár-dân*) jardim
girl (*gârl*) moça
give (*guiv*) dar
glass (*glés*) copo, vidro
go (*gôu*) ir
gold (*gôld*) ouro
good (*gud*) bom/boa
goodbye (*gud-bái*) adeus
grandchild (*gránd-tcháild*) neto
grandfather (*grénd-fá-dâr*) avô
grandmother (*grénd-má-dâr*) avó
green (*grin*) verde
gray (*grâi*) cinzento
grocery store (*grôu-se-ri stór*) mercearia
guest (*guést*) convidado/a

H

hair (*hér*) cabelo
half (*háf*) metade
hand (*hénd*) mão
handsome (*hénd-sâm*) bonito
happy (*hé-pi*) feliz
hat (*hét*) chapéu
have (*hév*) ter
he (*hi*) ele
head (*héd*) cabeça
healthy (*hél-thi*) saudável
heart (*hárt*) coração
help (*hélp*) ajuda, socorro
here (*hir*) aqui
high (*hái*) alto/a
holiday (*hó-lâ-dâi*) férias, feriado
horse (*hórs*) cavalo
hot (*hót*) quente
hour (*áu-âr*) hora
house (*háus*) casa
how (*háu*) como
hug (*hâg*) abraço
hungry (*hângri*) faminto
husband (*hás-bând*) marido

I

ice (*áis*) gelo
identification (*ái-dên-tâ-fâ-cái-chân*) identificação
illness (*il-nâs*) doença
immigration (*i-mi-grâi-chân*) imigração, serviço de imigração
important (*in-pór-tânt*) importante
impossible (*in-pó-sâ-bâl*) impossível
include (*in-clud*) incluir
injury (*in-djâ-ri*) lesão, ferida
in-law (*in ló*) sogro
island (*ái-lând*) ilha
it (*it*) isto, isso, o, a, lhe, a isso

J

jacket (_djé-cât_) casaco
jail (_djâil_) prisão
jeans (_djins_) calças jeans
job (_djób_) emprego
juice (_djús_) suco
just (_djâst_) só

K

keep going (_quip gôu-ing_) continuar
key (_qui_) chave
kid (_quid_) criança
kiss (_kis_) beijo
kitchen (_qui-tchân_) cozinha
knee (_ni_) joelho
knife (_náif_) faca
know (_nôu_) conhecer, saber

L

land (_lénd_) terra, terreno
language (_lén-guâdj_) língua
large (_lárdj_) grande
last (_lást_) último/a, passado/a
late (_lâit_) tarde
later (_lâi-tâ_) logo, mais tarde
law (_ló_) lei
lawyer (_lói-âr_) advogado
learn (_lârn_) aprender
leave (_liv_) ir embora, partir, deixar
left (_léft_) esquerda
leg (_lég_) perna
less (_lés_) menos
lesson (_lé-sân_) lição
letter (_lé-râr_) letra, carta
library (_lái-bre-ri_) biblioteca
life (_láif_) vida
light (_láit_) luz, semáforo
like (_láic_) gostar de, como
line (_láin_) linha, fila
listen (_li-sân_) escutar
little (_li-tâl_) pequeno, pouco

live (_liv_) viver
living room (_li-ving rum_) sala de estar
loose (_lus_) soltar
lose (_luz_) perder
love (_lâv_) gostar muito, adorar, amar
low (_lâu_) baixo
luggage (_lâ-gâdj_) bagagem
lunch (_lântch_) almoço, almoçar

M

mad (_méd_) louco
mail (_mâil_) correio, correspondência
make (_mâic_) fazer
man (_mán_) homem
manager (_mé-nâ-djâr_) gerente
many (_mé-ni_) muitos/as
map (_mép_) mapa
mark (_márc_) marcar
me (_mi_) me, a mim
meal (_mil_) refeição
mean (_min_) significar, querer dizer
meat (_mit_) carne
medicine (_mé-di-cin_) remédio
meeting (_mi-ting_) reunião, compromisso
mild (_máild_) leve
milk (_milc_) leite
minute (_mi-nât_) minuto
miss (_mis_) menina
modern (_mó-dârn_) moderno
money (_mâ-ni_) dinheiro
moon (_mun_) lua
more (_mór_) mais
morning (_mór-ning_) manhã
mother (_má-dâr_) mãe
mountain (_máun-tân_) montanha
mouth (_máuth_) boca
much (_mâtch_) muito/a
must (_mâst_) dever

N

napkin (_nép-quin_) guardanapo
narrow (_né-râu_) estreito

Apêndice B: Minidicionário 333

nation (*nâi-chân*) nação
nationality (*né-châ-né-lâ-ti*) nacionalidade
near (*ni-âr*) perto de
nearly (*nir-li*) quase
neck (*néc*) pescoço
neighbor (*nâi-bâr*) vizinho
never (*né-vâ*) nunca
newspaper (*niúz-pâi-pâr*) jornal
next (*nécst*) próximo/a
nice (*náis*) simpático, agradável, bonito
night (*náit*) noite
noisy (*nói-si*) barulhento/a
none (*nân*) nenhum
nose (*nôuz*) nariz
not (*nót*) não
note (*nôut*) nota
now (*náu*) agora
number *(nâm-bâr)* número
nurse (*nârs*) enfermeira

O

ocean (*ôu-chân*) oceano
occupied (*ó-quiú-páid*) ocupado
of course (*óf córs*) claro
office (*ó-fis*) escritório
often (*ó-fân*) frequentemente
okay (*ôu-câi*) OK
on (*ón*) em
one-way (*uón uâi*) só de ida
only (*ôn-li*) só
orange (*ó-rân-ge*) laranja, cor-de-laranja
out (*áut*) fora
outside (*áut-sáid*) exterior, fora
over (*ôu-vâr*) por cima de, por
over there (*ôu-vâr dér*) ali, ali à frente

P

pain (*pâin*) dor
paint (*pâint*) pintar
pants (*pénts*) calças

park (*párc*) parque
parking (*pár-quing*) estacionamento
passport (*pés-pórt*) passaporte
pay (*pâi*) pagar
pen (*pén*) caneta
people (*pi-pâl*) pessoas, gente
perfect (*pâr-féct*) perfeito
person (*pâr-sân*) pessoa
photograph (*fôu-tâ-gréf*) fotografia
physician (*fi-zi-chân*) médico
picture (*pic-tchâr*) fotografia, desenho, imagem, filme
pin (*pin*) alfinete
plan (*plén*) plano, pensar (ter decidido)
plate (*plâit*) prato
play (*plâi*) tocar (um instrumento), jogar, brincar
pocket (*pó-cât*) bolso
police (*pôu-lis*) polícia
poor (*pór*) pobre
post office (*pôust ó-fis*) posto de correios
pot (*pót*) panela
pound (*páund*) libra (c. 0,45 kg)
prefer (*pri-fâr*) preferir
pretty (*pri-ti*) bastante, bonito
price (*práis*) preço
print (*print*) imprimir
pure (*piúr*) puro
purple (*pâr-pâl*) púrpura
put (*put*) pôr

Q

quarter (*cuár-târ*) quarto (uma quarta parte)
quiet (*cuái-ât*) calmo, calado
quit (*cuít*) desistir
quite (*quáit*) muito, completamente

R

race (*râis*) corrida
rain (*râin*) chuva, chover

334 Parte VI: Apêndices

receipt (*ri-sit*) recibo
red (*réd*) vermelho
refund (*ri-fând*) reembolso
repeat (*ri-pit*) repetir
reservation (*ré-zâr-vâi-chân*) reserva
restaurant (*rés-tâ-rânt*) restaurante
return (*ri-târn*) devolver, voltar
rice (*ráis*) arroz
ride (*ráid*) carona
right (*ráit*) direita, direito/a, certo, próprio, ideal
right away (*ráit â-uâi*) imediatamente
river (*ri-vâr*) rio
road (*rôud*) estrada
room (*rum*) quarto
rule (*rul*) regra

S

salad (*sé-lâd*) salada
sale (*sâil*) venda, saldos
salt (*sált*) sal
same (*sâim*) mesmo/a
school (*scul*) escola
sea (*si*) mar
search (*sârtch*) procurar
seat (*sit*) sentar-se, lugar (para se sentar)
see (*si*) ver
sell (*sél*) vender
send (*sênd*) enviar
she (*chi*) ela
shirt (*chârt*) camisa
shoe (*chú*) sapato
short (*chórt*) curto/a
shoulder (*chôl-dâr*) ombro
show (*chôu*) mostrar, espetáculo
sick (*sic*) doente
sing (*sing*) cantar
sister (*sis-târ*) irmã
size (*sáiz*) tamanho
skirt (*scârt*) saia
sleep (*slip*) dormir
small (*smól*) pequeno

some (*sâm*) algum/a, uns, umas, alguns, algumas
something (*sâm-thing*) alguma coisa, qualquer coisa
son (*sân*) filho
special (*spé-châl*) especial
spoon (*spun*) colher
state (*stâit*) estado
station (*stâi-chân*) estação
stay (*stâi*) ficar
steak (*stâic*) bife
stop (*stóp*) parar
store (*stór*) loja, mercearia
straight (*strâit*) liso
street (*strit*) rua
student (*stiú-dânt*) estudante
study (*stâ-di*) estudar, estudo
sugar (*chu-gâr*) açúcar
suit (*sut*) fato
suitcase (*sut-câis*) mala
sun (*sân*) sol
sure (*chôr*) claro, com certeza, sim
surgery (*sâr-djâ-ri*) cirurgia
sweatshirt (*suét-chârt*) moletom
sweater (*sué-târ*) suéter
sweet (*suít*) doce
swim (*suím*) nadar
swimsuit (*suím-sut*) maiô

T

take (*tâic*) apanhar, levar, aceitar, demorar, ficar com (em lojas), entrar
talk (*tóc*) falar, conversa
tall (*tól*) alto/a
tea (*ti*) chá
team (*tim*) equipe
thank you (*thénc iú*) obrigado
that (*dé-t*) isso, que, tão
then (*dén*) então, depois
there (*dér*) lá, ali
they (*dei*) eles, elas
thigh (*thái*) coxa
thing (*thing*) coisa

Apêndice B: Minidicionário 335

think (*thinc*) pensar
thirsty (*thârs-ti*) sedento
this (*dis*) isto, este/a
ticket (*ti-cât*) bilhete
time (*táim*) tempo, vez
tire (*táir*) cansar
tired (*tái-ârd*) cansado
today (*tu-dâi*) hoje
toe (*tôu*) dedo do pé
together (*tâ-gué-thâr*) junto
tomorrow (*tu-mó-râu*) amanhã
too (also) (*tu*) também
too bad (*tu béd*) que pena
tool (*tul*) ferramenta
tooth (*tuth*) dente
town (*táun*) cidade
traffic (*tré-fic*) trânsito
train (*trâin*) trem
travel (*tré-vâl*) viagem, viajar
tree (*tri*) árvore
trip (*trip*) viagem
try (*trái*) tentar, experimentar
turn (*târn*) virar
type (*táip*) tipo
typical (*ti-pi-câl*) típico

U

ugly (*â-gli*) feio
uncle (*ân-câl*) tio
under (*ân-dâr*) debaixo
until (*ân-til*) até
up (*âp*) cima

V

vegetables (*véj-tâ-bâls*) hortaliças
very (*vé-ri*) muito
vehicle (*vi-â-câl*) veículo
visit (*vi-zit*) visitar, visita
vote (*vâut*) votar, voto

W

wait (*uâit*) esperar
walk (*uóc*) ir a pé
wallet (*uó-lât*) carteira
want (*uónt*) querer, precisar de
warm (*uórm*) morno/a
watch (*uátch*) olhar (para), observar
water (*uó-târ*) água
we (*uí*) nós
wear (*uér*) usar (roupa e sapatos)
week (*uíc*) semana
weird (*uírd*) esquisito
what (*uót*) que, o que
when (*uên*) quando
where (*uér*) onde
which (*uítch*) qual, quais, que
while (*uáil*) enquanto
white (*uáit*) branco/a
who (*hú*) quem
whole (*hôl*) inteiro/a, gordo (leite)
why (*uái*) por quê?/por que? (em pergunta)
wide (*uáid*) largo
wise (*uáiz*) sábio
woman (*uú-mân*) mulher
work (*uârc*) trabalho, trabalhar
write (*ráit*) escrever
wrong (*róng*) errado/a, contrário/a

Y

yard (*iárd*) pátio
yellow (*ié-lâu*) amarelo/a
yesterday (*iés-târ-dâi*) ontem
yet (*iét*) ainda, já
you (*iú*) tu
young (*iâng*) jovem, novo/a

Z

zero (*zi-rôu*) zero
zipper (*zi-pâr*) fecho *éclair*

Apêndice C

Respostas aos Jogos e Exercícios

* * *

Aqui tem a possibilidade de conferir as suas respostas aos exercícios das seções de Jogos e exercícios. Conseguiu acertar 100%? Fantástico! Caso tenha se enganado em algumas, ou em muitas? Não importa. Volte atrás, leia novamente o capítulo e volte a tentar até acertar em todas!

Capítulo 2

Colocar as palavras interrogativas corretas.

(1) Who (2) How many (3) Where (4) Can (5) How (6) What (7) How much (8) Do (9) When (10) Are (11) Why (12) Were

Capítulo 3

Correspondência entre as perguntas e as respostas.

(1) B (2) E (3) A (4) C (5) D

Capítulo 4

Completar o boletim meteorológico.

(1) sunny (2) raining (3) partly cloudy (4) raining (5) hot, dry (6) cold, rainy

Capítulo 5

Dar direções para a festa.

Take the freeway south.

Get off at Harvest Road.

Go straight for 3 miles.

Turn left at the stoplight.

Continue for three blocks.

Turn right at Oak Street.

After the intersection go another block.

The school is on the corner.

It's across from the library.

Capítulo 6

Completar as frases.

(1) Hello (2) This is (3) are you (4) fine/there (5) leave (6) Forrest (7) call (8) number (9) 487-7311 (10) message (11) bye

Capítulo 7

Identificar o dinheiro.

(1) nickel (2) penny (3) $30 (4) 50¢ (5) 45 cents (6) 50 dollars (7) $.30 (8) ten-dollar bill (9) 2 twenties (10) quarter (11) 5 bucks

Capítulo 8

Unir as palavras.

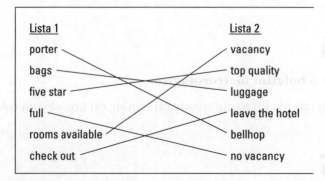

There, their, theirs ou **they're**?

(1) They're, their (2) Their, there (3) theirs (4) there

Capítulo 9

O que está na mesa (e o que falta)?

(a) soup (b) napkin (c) fork (d) plate (e) steak (f) mashed potatoes (g) knife (h) coffee (i) glass of water (j) spoon

The green salad is missing.

Capítulo 10

Identificar as peças de roupa.

(1) hat (2) shirt (3) tie (4) suit (5) pants (6) shoes (7) skirt (8) sweater (9) blouse (10) cap (11) sweatshirt (12) jeans (13) tennis shoes

Capítulo 11

Formas de escrever as horas.

(1) 12:00 a.m. (2) noon (3) 3:15 (4) 2:45 (5) five (o'clock) in the morning (6) 5:30 p.m.

Capítulo 12

Descobrir as palavras.

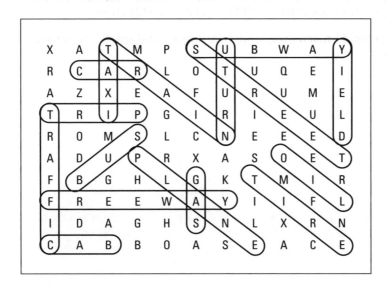

Capítulo 13

Identificar as divisões e os elementos dos móveis da casa.

(1) bathroom (2) bedroom (3) bed (4) living room (5) sofa or couch (6) stove (7) kitchen (8) table (9) toilet (10) sink

Capítulo 14

Decifrar as palavras.

(1) fax (2) computer (3) tape (4) keyboard (5) paper (6) stapler (7) copier (8) eraser (9) pen

Resposta final: A pay raise!

Capítulo 15

Aplicar o tempo verbal correto.

(1) playing (2) to surf (3) seen (4) been (5) has (6) plays (7) enjoy (8) jog

Capítulo 16

Identificar as diversas partes do corpo.

(1) head (2) eye (3) nose (4) mouth (5) shoulder (6) hand (7) elbow (8) stomach (9) foot (10) toe (11) leg (12) arm (13) chest

Ezra has a broken arm, scratches, bruises, and stitches in his leg, and he is dizzy.

Apêndice D

Sobre o CD

A seguir, uma lista com as faixas do CD que encontrará na contracapa do livro. É um CD exclusivamente de conteúdos de áudio; por isso, pode colocá-lo no seu leitor de CD e ouvir algumas das conversas das seções de diálogo de cada capítulo (exceto do Capítulo 2, que trata exclusivamente de gramática). Com um pouco de prática, você falará inglês num piscar de olhos!

Faixa 1: Introdução e guia de pronúncia

Faixa 2: Praticar pronúncia básica (Capítulo 1)

Faixa 3: Praticar a distinção entre os sons **b** e **v** (Capítulo 1)

Faixa 4: Praticar a distinção entre os sons **l/r** (Capítulo 1)

Faixa 5: Cumprimentos informais e expressões de preocupação (Capítulo 3)

Faixa 6: Cumprimentos formais (Capítulo 3)

Faixa 7: Falar sobre os nomes (Capítulo 3)

Faixa 8: Falar sobre o tempo e viagens (Capítulo 4)

Faixa 9: Puxar conversa com alguém (Capítulo 4)

Faixa 10: Perguntar direções (Capítulo 5)

Faixa 11: Seguir direções (Capítulo 5)

Faixa 12: Falar ao telefone e deixar uma mensagem (Capítulo 6)

Faixa 13: Telefonar para o número errado (Capítulo 6)

Faixa 14: Trocar dinheiro (Capítulo 7)

Faixa 15: Discutir formas de pagamento (Capítulo 7)

Faixa 16: Fazer uma reserva de hotel (Capítulo 8)

Faixa 17: Usar artigos e pronomes possessivos (Capítulo 8)

Faixa 18: Fazer reservas em restaurantes (Capítulo 9)

Faixa 19: Pedir uma refeição (Capítulo 9)

Faixa 20: Ir a um restaurante de fast-food (Capítulo 9)

Faixa 21: Encontrar o tamanho certo (Capítulo 10)

Faixa 22: Devolver um artigo à loja (Capítulo 10)

Faixa 23: Usar pronomes pessoais e preposições (Capítulo 10)

Faixa 24: Obter informação sobre um espetáculo ou atração (Capítulo 11)

Faixa 25: Pedir a alguém que saia com você (Capítulo 11)

Faixa 26: Passar pelo serviço de Imigração (Capítulo 12)

Faixa 27: Perguntar sobre os ônibus (Capítulo 12)

Faixa 28: Comprar um bilhete de avião (Capítulo 12)

Faixa 29: Falar sobre distância e duração de uma viagem (Capítulo 12)

Faixa 30: Visitar a casa de alguém (Capítulo 13)

Faixa 31: Descrever problemas em casa (Capítulo 13)

Faixa 32: Falar sobre a hora do almoço (Capítulo 14)

Faixa 33: Marcar uma reunião de negócios (Capítulo 14)

Faixa 34: Falar sobre esportos e passatempos preferidos (Capítulo 15)

Faixa 35: Planejar uma viagem para esquiar (Capítulo 15)

Faixa 36: Ir para um parque de Camping (Capítulo 15)

Faixa 37: Ligar para o 911 para avisar sobre um acidente (Capítulo 16)

Faixa 38: Dizer onde dói (Capítulo 16)

Faixa 39: Descrever sintomas (Capítulo 16)

Índice Remissivo

• A •

acampar 265
acentuação 23
Atual 12
adeus 56
adjectives 42
adjetivos nunca têm formas de plural ou
    gênero 42
adjetivo vai antes ou depois? 43
advérbios 38
Advérbios 45
ajuda do operador 116
alfândega 205
Algumas fórmulas básicas de
    cordialidade 72
Algumas normas 23
almoço 151
alphabet 12
Amigos e amantes 303
Application 12
apresentações 56
apresentar os seus amigos ou família 57
A que tribo pertence? 83
A (r)evolução do Sobrenome 63
artigos e pronomes possessivos 141
As Ped X-ing e as crianças lentas 219
As políticas de portas abertas 255
assistência do diretório 116
assistência legal 287
atender uma chamada 103
atividades de lazer 257
atividades dos tempos livres 258
autoestradas 216
Automated Teller Machines 126
auxiliares dos verbos principais 34

• B •

banco 124
bank card 126
bars 200
baseball 257
Batatas 158
Bathrooms, restrooms, toilets e johns 92
Bebidas 159
beleza natural 263
biblioteca 298
bilhetes de transbordo 209
Borrowing e lending 308

• C •

cadência 21
Café da manhã 150
caixa do supermercado 175
caminhada 267
capacidades linguísticas 296
características distintivas 65
caráter aos verbos 45
Carne 158
carrinho de compras 170
carro 216
cartões de chamadas 111
cartões de crédito 128
Casual 12
Celulares 117
chamadas indesejadas 116
Character 12
check-in 139
cinco sentidos 302
cinema 196
classificações dos filmes 197

Coisas que não podem entrar nos EUA 207
colegas de trabalho 247
colors 42
Comer com as mãos 153
Como quer os ovos? 151
como resolver problemas e consertos 236
Comparar milhas e quilômetros 219
Comprar alimentos 169
comprar objetos usados 189
comprar roupas 177
Comprehensive 12
compromissos 251
conceitos de meia-idade e velhice 68
concertos 198
conjugações verbais 35
Consoantes que se confundem 16
consonants 13
construção de uma frase em inglês 26
conta, peso e medida 174
contigo 342
continuous tense 38
contrações 27
Conversar sobre temas casuais 71
cordialidade 72
correio de voz 110
credit card 126
crime 288
cumprimentar 51

data com números ordinais 136
decimal point 122
Demasiadas opções 170
dentista 286
desastres naturais 273
descrever o seu trabalho 241
descubra as semelhanças 309
desertos 263
despedidas 56
devolver os artigos à loja 185
dial a number 106

dicionário de inglês 179
diferença entre uma casa e um lar 225
dime 122
ditongos 18
doente 278
Dois tipos de sons consonânticos 13
dólares e centavos 121
Dominar o aperto de mão 58
Dores e indisposições: descrever os sintomas 282
dupla negativa 305

emergências 273
empregada doméstica 233
Em que andar estou? 247
Equipamento de escritório 246
erres 16
erros para se evitar 301
espaço pessoal 59
espetáculos 191
esportes de Inverno e de Verão 263
Esse complicadíssimo th 14
estações do ano 76
Estate 12
euros por dólares 123
Eventually 12
evitar situações embaraçosas 11
Evitar temas embaraçosos 71
expressar altura 67

falante nativo 27
falar sobre a sua family 83
Falar sobre o tempo 71
fale pelos cotovelos 295
fall 76
family members 85
fazer algumas perguntas simples 71
Fazer negócios nos EUA 254

Índice Remissivo 345

Feeling 311
feet 66
ferramentas básicas para a limpeza do
interior da casa 235
filme 296
fome e sede 149
football e soccer 261
Formas de tratamento com respeito 62
fórmulas básicas de cordialidade 72
four seasons 76
frase negativa 26
front desk 139
frutas e veduras 171
futuro 41

• G •

galinhas não mentem 311
Ganhar a vida 250
gorjetas 143
gostos e aversões 81
grupo de discussão em inglês 296

• H •

Hard e hardly 45
Hearing e listening 310
height 66
Hora do almoço 249
horário normal de trabalho 249
horas em inglês 193
hotel ou um motel 133
How are you? (E o que lhe importa?) 52

• I •

Importa-se que fume? 201
inches 66
indicações gerais sobre acentuação 23
informação 192
Invocar a quinta emenda 89
Irregular verbs 35

• J •

jantar 152

L

lagos 263
Large 12
lazer 257
leave a message 111
letras das canções 297
letters 12
Levar um presente 232
Library 12
Licenças para beber e para conduzir 200
Like e alike 309
long vowels 18
looking 310
lugar onde se vive 78

• M •

make a call 104
Marcar a cadência 21
marcar o encontro 199
médico 278
meios de transporte 205
melhorar rapidamente o seu inglês 295
mensagem 110
menu 158
metros 209
milhas e quilômetros 219
miniônibus 209
Molhar as calças 303
montanhas 263
motivos históricos e linguísticos 9

• N •

Não leve nada dos lugares a não ser
o lixo 269
negócios nos EUA 254

nickel 122
nightclubs 200
nome próprio 61
Nomes 60
numbers 42
número certo 180
números de telefone 112
números ordinais 136

• O •

object 26
O chão que pisamos 226
ônibus 208
Optar por um "bed-and-breakfast" 135
o que é gratuito e o que não é 144
O que fazer com as chamadas indesejadas 116
O saco para o cão 163
Os conceitos norte-americanos do tempo livre 260
O sotaque o denúncia 79
Os verbos irregulares no passado 40
Os verbos regulares no passado 40
O tempo é dinheiro 248

• P •

padrões gerais de acentuação 23
Palavras contáveis 173
palavras descritivas 65
Palavras esfomeadas 150
palavras que não combinam 10
palavras que se confundem facilmente 307
palavras que se deve dar ênfase em inglês 22
papel-moeda 121
parque nacional ou estadual 265
passado contínuo 41
passado simples 39
passatempo nacional 257
past continuous tense 41

pausas para café 249
Pedir ajuda e avisar outras pessoas 274
pedir direções 92
pedir informação 91
peers 67
penny 122
pequenos extras 144
Perguntas para melhorar o inglês 31
personal space 59
pessoas, lugares e coisas 31
phone cards 111
portas abertas 255
possessive adjectives 141
posto de gasolina 220
post office 91
Praticar o ABC 12
preposições 188
preposições de lugar 95
Preposições de tempo 196
Preposições espaciais 227
preposições para pagar 129
presente contínuo 38
presente perfeito 269
presente simples 38
present perfect 269
Pretend 12
problemas domésticos 236
pronomes de complemento 186
pronomes pessoais 32
pronomes possessivos 141
pronomes reflexivos 284
pronoun 26
Provar a roupa 181

• Q •

Quando os estranhos se põem demasiado friendly 86
Quando os substantivos se tornam adjetivos 44
quarter 122
Queens e kings – o reino das camas 139
quinta emenda 89

Índice Remissivo 347

• R •

Rated PG 197
recusar ofertas de comida e bebida 232
registro 139
Regular verbs 35
reserva 134
Responder a estranhos 71
restaurante 154
rios 263
ritmo do inglês é fácil 21

• S •

sair do aeroporto 205
saudações em slang 54
secretária eletrônica 110
Seeing 310
Sem cerimônias 232
Sensible 12
short vowels 18
sílaba tônica forte 23
silêncio 16
simple past tense 39
simple present 38
sistema de soletração 108
sobre o tempo e a distância 215
sobre o trabalho e a escola 79
Socorro 274
soletrar as palavras 107
som do silêncio 16
sonoros e surdos 13
sons vocálicos do inglês 18
spring 76
subject 26
subject pronouns 32
substantivos 23,31
substantivos contáveis e incontáveis 173
sugestões sobre as gorjetas 143
summer 76
superlativo 183

• T •

Taco a taco 261
Taxi 209
teatro 198
teller 124
tema do tempo 75
tema impessoal 75
Temas de seguro 284
temas tabu 87
Tempero para a salada 159
tempo e a distância 215
tempo livre 257
tempos 37
tempos para fins específicos 37
thank you 15
there 15
there, their e they're 144
these 15
they 15
thing 15
think 15
thirty-three 15
this 15
those 15
Thursday 15
time is money 248
típicos verbos telefônicos 106
to be 28
to do 29
touching 311
Trabalhadores blue-collar e white-collar 245
trabalho doméstico 233
trabalhos de jardinagem 235
transaction 123
transmitir ações, sentimentos
e estados 34
transportes públicos 209
tratamento formais 62
trens suburbanos 209
três artigos 46
trilhas 267
Tuesday ou Thursday 312

• U •

Uma parada bastante cara 213
unidades do sistema métrico 66
usar os comparativos 182
usar o superlativo 183
usar o verbo to be 36
U.S. currency 123
uso do present perfect 269

• V •

vá a qualquer aula 298
vales 263
Velhos são os trapos 189
vender artigos usados 189
verb 26
verbo dos jogos 258
verbos de direção 97
verbos irregulares 36
Verbos irregulares ingleses 317
Verbos para a limpeza 234
verbos para pagar 130
Verbos para pedir 161

verbos telefônicos 106
verbo "to follow" 97
verbo "to take" 97
verbo "to turn" 98
viagens de longa distância de ônibus, trem
ou avião 212
viajar com mochila 265
vida noturna 200
visitar a casa de alguém 230
vogais curtas 18
vogais longas 18
vogal "a" 19
vogal "e" 19
vogal "i" 19
vogal "o" 20
vogal "u" 20
voluntário numa organização de
caridade 299

• W •

watching 310
what, when, where e why 29
winter 76